JILPT 調査シリーズ No.186
2018年12月

過半数労働組合および過半数代表者に関する調査

独立行政法人 労働政策研究・研修機構
The Japan Institute for Labour Policy and Training

まえがき

　経済のグローバル化等をはじめとした経済社会情勢の変化や労働者の意識の変化に伴い、働き方の多様化が進んでいる。このような中、近年、労働組合組織率の低下傾向が続く一方、労働関係法令上の「過半数代表」（事業場における過半数労働組合または過半数代表者）の役割が拡大してきている。

　本調査では、これまで小規模事業所における「過半数代表」の実態について必ずしも十分に明らかにされてこなかったという点を踏まえ、常用雇用者２人以上の事業所を対象に、事業場における「過半数代表」の選出状況や選出方法等の実態の把握を試みた。

　この場を借りて、本調査に回答いただいた企業の方々に改めて感謝申し上げたい。本報告書が企業人事労務担当者の参考になるとともに、「過半数代表」に関する制度・政策の議論に資することができれば幸いである。

2018 年 12 月

独立行政法人労働政策研究・研修機構

理事長　樋口　美雄

担 当 者

氏　名	所　属
松沢　典子	労働政策研究・研修機構　調査部主任調査員　　（執筆）
新井　栄三	労働政策研究・研修機構　調査部主任調査員
渡辺木綿子	労働政策研究・研修機構　調査部主任調査員補佐
小此木裕二	労働政策研究・研修機構　研究調整部研究調整課長

（※）肩書は調査時点（2017 年 11 月）のもの。

目　　次

第Ⅰ部　調査結果

第 I 部
調 査 結 果

第1章 調査の概要

1．調査の目的

　経済のグローバル化等をはじめとした経済社会情勢の変化や労働者の意識の変化に伴い、働き方の多様化が進んでいる。このような中、近年、労働組合組織率の低下傾向が続く一方、労働関係法令上の「過半数代表」（事業場における過半数労働組合または過半数代表者）の役割が拡大してきている。

　本調査は、事業場における「過半数代表」の選出状況や過半数代表者の選出方法等の実態を把握するため実施するものである。調査対象は、「平成26年経済センサス基礎調査-事業所調査」に登録されている事業所のうち、公務・農林漁業を除く常用雇用者2人以上規模の事業所とした。

　本調査は厚生労働省労働基準局の要請研究である。

2．調査の設計

（1）調査名　　：過半数労働組合および過半数代表者に関する調査
（2）調査対象：全国の常用雇用者2人以上の事業所　2万社（農林漁業、公務を除く）
（3）調査期間：2017年11月15日〜12月20日　※10月1日時点の状況を尋ねた。
（4）調査方法：郵送による調査票の配付・回収
（5）主要調査項目：
　　①回答事業所の属性
　　②労働組合の有無、過半数労働組合の有無
　　③過半数代表者の選出の有無、選出方法
　　④過半数代表者の属性
　　⑤「過半数代表」を利用した制度（労使協定、意見聴取等）
　　全18問。巻末の「資料1（調査票）」を参照。

3．標本の抽出

（1）母集団：「平成26年経済センサス基礎調査-事業所調査」（総務省）に登録されている
　　　　　　事業所のうち、以下の①〜④の条件を全て満たす277万2,440事業所
　①常用雇用者：2人以上
　②産業分類：農林漁業、公務を除く16分類
　③欠損データ*を除したもの
　　　（*）正式名称、所在地、電話番号、産業分類、常用雇用者数の1つ以上が欠損してい
　　　　　るデータ

④重複データ*を除したもの

　(*) 正式名称、所在地、電話番号の全てが一致するデータ

(2) 抽出方法：層化無作為抽出

　産業分類（16 分類）と常用雇用者規模区分（7 区分）を掛け合わせた 112 層別の無作為抽出。抽出数は、各層別に均等割付のうえ一定の抽出率以上で調整。

4．回収状況

配付数：20,000 件

有効回収数：7,299 件

有効回収率：36.5%

5．結果の集計

　回収された調査票のデータは、産業別・規模別に母集団の比率と一致するよう復元を行った。調査票配付数、有効回答数、有効回収率、ウェイト値および復元値は、89〜90 頁のとおり。

6．用語の解説

①過半数労働組合

　単独で、事業場全体の従業員（非正社員を含む）の過半数を組織している労働組合。

②過半数代表者

　事業場ごとに選出される、従業員（非正社員を含む）の過半数を代表する者。事業場に過半数労働組合がない場合、過半数代表者が使用者（事業主や会社）と「３６協定」を締結したり、就業規則の変更などに関する手続きで使用者に意見を述べたりする。

③「過半数代表」

　事業場における過半数労働組合または過半数代表者。

④従業員

　直接雇用している正社員の他に、非正社員（パート、アルバイト、契約社員、嘱託等）も含む。ただし当該事業所で受け入れている派遣労働者、請負社員は除く。

⑤正社員

　従業員のうち、期間を定めずに直接雇用して、「正社員」「正職員」などと呼ばれている人。多様な正社員（地域限定・職務限定・時間限定正社員など）を含む。

⑥「事業所」と「事業場」

　「事業所」とは「経済センサス基礎調査-事業所調査」の調査対象であり、物の生産又はサービスの提供が事業として行われている一定の場所をいう。

「事業場」とは就業規則や労使協定を労働基準監督署に届け出る際の職場単位である。

7．統計利用上の注意

(1) 集計値は上記「5．」のとおり、ウェイト調整済みの（重み付けされた）値である。
（ただし図表 2-1-1(b)、図表 2-1-2(b)、表 2(b)を除く）。

(2) n 数は小数点以下を四捨五入して整数値で表示している。構成比（％）は小数点以下第2位を四捨五入している。

(3) 表章単位に満たない場合または回答がないものを「－」と表示している。

(4) 表章単位未満を四捨五入した関係で、総数と内訳の合計が一致しない場合や本問－枝問間が整合的でない場合もある。

(5) 特段の断りがない限り、設問の回答は単一回答である。

第2章　調査結果の概要

I　回答事業所の属性
1．回答事業所の属性

　次頁にある**図表 2-1-1(a)**は、全ての回答事業所（n=7,299）の属性である。このなかには、従業員が全員、事業主と同居し、生計を同一にする親族（以下「親族」。原則として「親族」は労働基準法上の「労働者」に該当しない）である事業所（以下「親族事業所」）も含まれている。

図表1　回答事業所・労働者の有無別（n=7,299）

　図表 2-1-2(a)は、全ての回答事業所から親族事業所を除いた事業所（n=6,458）である。具体的に、設問（問8）「貴事業所の従業員は全員、事業主と同居し生計を同一にする親族か」に対して「いいえ」と回答した事業所、つまり労働基準法上の「労働者」を雇用している事業所である。本調査の主題が「過半数代表」（事業場における過半数労働組合または過半数代表者）に関するものであるため、本調査の集計対象は**図表 2-1-2（a）**の事業所である。親族事業所の属性については「資料3」（91〜92頁）に掲載した。

図表 2-1-1（a）　回答事業所の属性（n=7,299）　※復元後（ウェイトバック集計後）

全体			n 7,299	% 100.0
本社か否か	本社		4,833	66.2
		（本社以外にも国内事業所がある）	(1,008)	(20.9)
		（事業所は本社のみ＝単独事業所）	(2,756)	(57.0)
		（無回答）	(1,068)	(22.1)
	本社でない		2,388	32.7
	無回答		79	1.1
従業員規模	4人以下		2,510	34.4
	5〜9人		2,142	29.3
	10〜29人		1,891	25.9
	30〜99人		608	8.3
	100〜299人		118	1.6
	300〜999人		26	0.4
	1,000人以上		4	0.1
事業所 産業分類	鉱業, 採石業, 砂利採取業		3	0.0
	建設業		698	9.6
	製造業		756	10.4
	電気・ガス・熱供給・水道業		10	0.1
	情報通信業		106	1.5
	運輸業, 郵便業		258	3.5
	卸売業, 小売業		1,980	27.1
	金融業, 保険業		162	2.2
	不動産業, 物品賃貸業		241	3.3
	学術研究, 専門・技術サービス業		266	3.6
	宿泊業, 飲食サービス業		896	12.3
	生活関連サービス業, 娯楽業		421	5.8
	教育, 学習支援業		185	2.5
	医療, 福祉		777	10.6
	複合サービス事業（郵便局, 協同組合など）		71	1.0
	サービス業（他に分類されないもの）		469	6.4
形態	事務所		2,421	33.2
	営業所、出張所		669	9.2
	店舗、飲食店		1,984	27.2
	工場、作業所		789	10.8
	輸送・配送センター		62	0.8
	病院、医療・介護施設		623	8.5
	研究所		25	0.3
	学校、保育所、学習支援塾等		225	3.1
	旅館、ホテル等の宿泊施設		90	1.2
	その他		261	3.6
	無回答		150	2.0

全体			n 7,299	% 100.0
事業所 所在地	北海道		334	4.6
	東北		688	9.4
	北関東・甲信		645	8.8
	南関東		1,604	22.0
	北陸		395	5.4
	東海		839	11.5
	近畿		1,028	14.1
	中国		567	7.8
	四国		255	3.5
	九州		921	12.6
	無回答		23	0.3
従業員は全員、事業主と同居し、生計を同一にする親族か否か				
	そうである		841	11.5
	そうでない		6,458	88.5

全体			n 7,299	% 100.0
所属企業全体 経営形態	会社（法人）		5,065	69.4
	（外国資本比率：0％）		(4,454)	(88.0)
	（外国資本比率：0％超〜3分の1以下）		(124)	(2.4)
	（外国資本比率：3分の1超）		(43)	(0.9)
	（無回答）		(443)	(8.8)
	会社以外の法人		711	9.7
	（協同組合、信用金庫、財団・社団 法人、医療・学校・宗教法人等）			
	個人経営（個人事業主）		1,361	18.6
	その他（法人格をもたない団体）		61	0.8
	無回答		101	1.4
従業員規模	4人以下		1,810	24.8
	5〜9人		1,482	20.3
	10〜29人		1,145	15.7
	30〜99人		769	10.5
	100〜299人		693	9.5
	300〜999人		571	7.8
	1,000人以上		800	11.0
	無回答		29	0.4

図表 2-1-1(b) 回答事業所の属性（n=7,299）※復元前（ウェイトバック集計前）

全体		n 7,299	% 100.0
本社か否か	本社	3,785	51.9
	（本社以外にも国内事業所がある）	(1,463)	(38.7)
	（事業所は本社のみ＝単独事業所）	(1,630)	(43.1)
	（無回答）	(692)	(18.3)
	本社でない	3,472	47.6
	無回答	42	0.6
従業員規模	4人以下	1,014	13.9
	5～9人	947	13.0
	10～29人	1,235	16.9
	30～99人	1,250	17.1
	100～299人	1,389	19.0
	300～999人	1,015	13.9
	1,000人以上	449	6.2
産業分類	鉱業，採石業，砂利採取業	434	5.9
	建設業	505	6.9
	製造業	609	8.3
	電気・ガス・熱供給・水道業	487	6.7
	情報通信業	263	3.6
	運輸業，郵便業	658	9.0
	卸売業，小売業	516	7.1
	金融業，保険業	483	6.6
	不動産業，物品賃貸業	202	2.8
	学術研究，専門・技術サービス業	326	4.5
	宿泊業，飲食サービス業	262	3.6
	生活関連サービス業，娯楽業	211	2.9
	教育，学習支援業	485	6.6
	医療，福祉	604	8.3
	複合サービス事業（郵便局，協同組合など）	430	5.9
	サービス業（他に分類されないもの）	824	11.3
形態	事務所	2,881	39.5
	営業所、出張所	948	13.0
	店舗、飲食店	641	8.8
	工場、作業所	913	12.5
	輸送・配送センター	142	1.9
	病院、医療・介護施設	520	7.1
	研究所	125	1.7
	学校、保育所、学習支援塾等	510	7.0
	旅館、ホテル等の宿泊施設	92	1.3
	その他	392	5.4
	無回答	135	1.8

全体		n 7,299	% 100.0
事業所所在地	北海道	403	5.5
	東北	624	8.5
	北関東・甲信	562	7.7
	南関東	1,878	25.7
	北陸	392	5.4
	東海	816	11.2
	近畿	1,031	14.1
	中国	483	6.6
	四国	283	3.9
	九州	798	10.9
	無回答	29	0.4

従業員は全員、事業主と同居し、生計を同一にする親族か否か			
そうである		253	3.5
そうでない		7,046	96.5

全体		n 7,299	% 100.0
所属企業全体 経営形態	会社（法人）	5,264	72.1
	（外国資本比率：0％）	(4,214)	(80.1)
	（外国資本比率：0％超～3分の1以下）	(371)	(7.0)
	（外国資本比率：3分の1超）	(92)	(1.7)
	（無回答）	(587)	(11.2)
	会社以外の法人	1,431	19.6
	（協同組合、信用金庫、財団・社団法人、医療・学校・宗教法人等）		
	個人経営（個人事業主）	435	6.0
	その他（法人格をもたない団体）	46	0.6
	無回答	123	1.7
従業員規模	4人以下	669	9.2
	5～9人	568	7.8
	10～29人	680	9.3
	30～99人	790	10.8
	100～299人	928	12.7
	300～999人	973	13.3
	1,000人以上	2,663	36.5
	無回答	28	0.4

図表 2-1-2（a）　集計対象事業所（労働者あり）の属性（n=6,458）　※復元後（ウェイトバック集計後）

全体			n 6,458	% 100.0
本社か否か	本社		4,088	63.3
		（本社以外にも国内事業所がある）	(971)	(23.8)
		（事業所は本社のみ＝単独事業所）	(2,230)	(54.5)
		（無回答）	(887)	(21.7)
	本社でない		2,336	36.2
	無回答		34	0.5
従業員規模	4人以下		1,766	27.3
	5～9人		2,076	32.1
	10～29人		1,861	28.8
	30～99人		607	9.4
	100～299人		118	1.8
	300～999人		26	0.4
	1,000人以上		4	0.1
産業分類	鉱業，採石業，砂利採取業		3	-
	建設業		622	9.6
	製造業		666	10.3
	電気・ガス・熱供給・水道業		9	0.1
	情報通信業		104	1.6
	運輸業，郵便業		251	3.9
	卸売業，小売業		1,727	26.7
	金融業，保険業		159	2.5
	不動産業，物品賃貸業		186	2.9
	学術研究，専門・技術サービス業		226	3.5
	宿泊業，飲食サービス業		739	11.4
	生活関連サービス業，娯楽業		348	5.4
	教育，学習支援業		177	2.7
	医療，福祉		751	11.6
	複合サービス事業（郵便局，協同組合など）		71	1.1
	サービス業（他に分類されないもの）		417	6.5
形態	事務所		2,198	34.0
	営業所，出張所		660	10.2
	店舗，飲食店		1,598	24.7
	工場，作業所		695	10.8
	輸送・配送センター		60	0.9
	病院、医療・介護施設		595	9.2
	研究所		23	0.4
	学校、保育所、学習支援塾等		217	3.4
	旅館、ホテル等の宿泊施設		81	1.3
	その他		202	3.1
	無回答		128	2.0

全体		n 6,458	% 100.0
所在地	北海道	307	4.7
	東北	613	9.5
	北関東・甲信	563	8.7
	南関東	1,411	21.9
	北陸	320	5.0
	東海	737	11.4
	近畿	921	14.3
	中国	491	7.6
	四国	219	3.4
	九州	855	13.2
	無回答	21	0.3
事業所	従業員は全員、事業主と同居し、生計を同一にする親族か否か		
	そうである	0	0.0
	そうでない	6,458	100.0
事業所の独立性	独立性のある事業場。単独で「1事業場」となっている	4811	74.5
	独立性のある事業場。近くの独立性のない事業場を一括して「1事業場」となっている.	554	8.6
	独立性のない事業場。近くの本社や支社等に一括されている	942	14.6
	無回答	150	2.3

全体		n 6,458	% 100.0
所属企業全体	経営形態		
	会社（法人）	4,708	72.9
	（外国資本比率：0％）	(4,136)	(87.8)
	（外国資本比率：0％超～3分の1以下）	(124)	(2.6)
	（外国資本比率：3分の1超）	(43)	(0.9)
	（無回答）	(406)	(8.6)
	会社以外の法人	675	10.5
	（協同組合、信用金庫、財団・社団法人、医療・学校・宗教法人等）		
	個人経営（個人事業主）	927	14.4
	その他（法人格をもたない団体）	57	0.9
	無回答	89	1.4
従業員規模	4人以下	1,101	17.0
	5～9人	1,399	21.7
	10～29人	1,117	17.3
	30～99人	759	11.8
	100～299人	689	10.7
	300～999人	571	8.8
	1,000人以上	798	12.4
	無回答	23	0.4

図表 2-1-2(b)　集計対象事業所（労働者あり）の属性（n=7,046）　※復元前（ウェイトバック集計前）

全体			n 7,046	% 100.0
本社か否か	本社		3,563	50.6
		（本社以外にも国内事業所がある）	(1,452)	(40.8)
		（事業所は本社のみ＝単独事業所）	(1,480)	(41.5)
		（無回答）	(631)	(17.7)
	本社でない		3,452	49.0
	無回答		31	0.4
従業員規模	4人以下		787	11.2
	5～9人		930	13.2
	10～29人		1,227	17.4
	30～99人		1,249	17.7
	100～299人		1,389	19.7
	300～999人		1,015	14.4
	1,000人以上		449	6.4
事業所 産業分類	鉱業，採石業，砂利採取業		416	5.9
	建設業		488	6.9
	製造業		583	8.3
	電気・ガス・熱供給・水道業		480	6.8
	情報通信業		262	3.7
	運輸業，郵便業		650	9.2
	卸売業，小売業		475	6.7
	金融業，保険業		475	6.7
	不動産業，物品賃貸業		186	2.6
	学術研究，専門・技術サービス業		301	4.3
	宿泊業，飲食サービス業		234	3.3
	生活関連サービス業，娯楽業		200	2.8
	教育，学習支援業		480	6.8
	医療，福祉		595	8.4
	複合サービス事業（郵便局，協同組合など）		430	6.1
	サービス業（他に分類されないもの）		791	11.2
形態	事務所		2,791	39.6
	営業所、出張所		944	13.4
	店舗、飲食店		560	7.9
	工場、作業所		880	12.5
	輸送・配送センター		139	2.0
	病院、医療・介護施設		510	7.2
	研究所		124	1.8
	学校、保育所、学習支援塾等		505	7.2
	旅館、ホテル等の宿泊施設		90	1.3
	その他		373	5.3
	無回答		130	1.8

全体		n 7,046	% 100.0
所在地	北海道	394	5.6
	東北	601	8.5
	北関東・甲信	532	7.6
	南関東	1,818	25.8
	北陸	374	5.3
	東海	789	11.2
	近畿	998	14.2
	中国	467	6.6
	四国	269	3.8
	九州	776	11.0
	無回答	28	0.4
事業所	**従業員は全員、事業主と同居し、生計を同一にする親族か否か**		
	そうである	0	0.0
	そうでない	**7,046**	100.0
事業所の独立性	独立性のある事業場。単独で「1事業場」となっている	5198	73.8
	独立性のある事業場。近くの独立性のない事業場を一括して「1事業場」となっている.	844	12.0
	独立性のない事業場。近くの本社や支社等に一括されている	858	12.2
	無回答	146	2.1

全体			n 7,046	% 100.0
所属企業全体 経営形態	会社（法人）		5,150	73.1
		（外国資本比率：0％）	(4,111)	(79.8)
		（外国資本比率：0％超～3分の1以下）	(371)	(7.2)
		（外国資本比率：3分の1超）	(92)	(1.8)
		（無回答）	(576)	(11.2)
	会社以外の法人（協同組合、信用金庫、財団・社団法人、医療・学校・宗教法人等）		1,417	20.1
	個人経営（個人事業主）		315	4.5
	その他（法人格をもたない団体）		45	0.6
	無回答		119	1.7
従業員規模	4人以下		455	6.5
	5～9人		546	7.7
	10～29人		672	9.5
	30～99人		786	11.2
	100～299人		927	13.2
	300～999人		972	13.8
	1,000人以上		2,662	37.8
	無回答		26	0.4

２．本調査の集計対象事業所の属性

次に、「過半数代表」に関する調査対象事業所（n=6,458）の大まかな属性を確認する。**図表 2-1-2(a)** をみると、当該事業所が「本社」であると回答したのは約６割（63.3%）で、このうち「事業所は本社のみ」が半数強（54.5%）となっている。つまり、全体の約３分の１（34.5%）が単独事業所である。また、単独事業所の９割以上（93.6%）が 29 人以下の事業所である。

事業所の従業員規模は、「４人以下」27.3%、「5〜9 人」32.1%、「10〜29 人」28.8%となっており、9人以下の事業所が全体の約６割（59.4%）を、29人以下では全体の９割弱（88.2%）を占めている。「300〜999 人」は 0.4%、「1,000 人以上」では 0.1%と極めて少ない。

産業別では「卸売業，小売業」が 26.7%と最も高く、「医療，福祉」11.6%、「宿泊業，飲食サービス業」11.4%、「製造業」10.3%の順となっている。

所属する企業全体についてみると、経営形態は「会社」が 72.9%、「会社以外の法人」が 10.5%、「個人経営」が 14.4%など。このうち「会社」については、外国資本比率「０％」が 87.8%、「０％超〜３分の１以下」が 2.6%、「３分の１以上」が 0.9%などで、「０％」が９割弱を占めている。所属する企業全体の従業員規模は、事業所ほどの規模間のばらつきはなく、「４人以下」17.0%、「5〜9 人」21.7%、「10〜29 人」17.3%、「30〜99 人」11.8%、「100〜299 人」10.7%、「300〜999 人」8.8%、「1,000 人以上」12.4%となっている。

図表 2-1-3 は、事業所と所属企業の従業員規模別のクロス表である。これによると、事業所規模が所属企業の規模と同一の割合は、「1,000 人以上」を除き、事業所規模が小さいほど同一の割合が高くなっている。また例えば、「４人以下」事業所の場合、所属企業規模は、同一（「４人以下」）規模が約６割（62.3%）を占める以外は規模間で顕著な差はみられず、「1,000人以上」でも 4.9%を占めている。

図表 2-1-3　回答事業所（労働者あり）の属性／事業所規模×所属企業規模（n=6,458，%）

| | | 所属企業規模 | | | | | | | | |
		全体	4人以下	5～9人	10～29人	30～99人	100～299人	300～999人	1,000人以上	無回答
		6,458	1,101	1,399	1,117	759	689	571	798	23
		100.0	17.0	21.7	17.3	11.8	10.7	8.8	12.4	0.4
事業所規模	4人以下	1,766	1,101	119	126	121	116	92	86	5
		100.0	62.3	6.7	7.2	6.9	6.6	5.2	4.9	0.3
	5～9人	2,076	-	1,280	116	155	187	153	172	12
		100.0	-	61.7	5.6	7.5	9.0	7.4	8.3	0.6
	10～29人	1,861	-	-	875	228	235	210	310	4
		100.0	-	-	47.0	12.2	12.6	11.3	16.6	0.2
	30～99人	607	-	-	-	255	104	82	162	3
		100.0	-	-	-	42.1	17.1	13.6	26.7	0.4
	100～299	118	-	-	-	-	47	25	46	-
		100.0	-	-	-	-	39.5	21.0	39.0	0.4
	300～999	26	-	-	-	-	-	9	17	-
		100.0	-	-	-	-	-	33.2	66.4	0.4
	1,000人以	4	-	-	-	-	-	-	4	-
		100.0	-	-	-	-	-	-	98.7	1.3

　このほか、企業形態と従業員規模、産業別のクロスも集計しており、付属統計表（95～104頁）に掲載している。

事業場の独立性

　最後に、事業所（事業場）の独立性について確認する。「事業場」とは、就業規則や労使協定を所管の労働基準監督署に届け出る際の職場単位である。規模が小さく独立性のない事業場の場合は、近くの支社や本社などに一括されて「１事業場」となっているケースがある。そこで、調査対象事業所の「事業場」としての独立性の有無を尋ねる設問を用意した。その結果、「独立性のある事業場で、単独で『１事業場』となっている」のが 74.5%、「独立性のある事業場で、近くの独立性のない事業場を一括して『１事業場』となっている」が 8.6%、「独立性のない事業場として、近くの本社や支社等に一括されている」が 14.6% となっている。なお、「独立性のない事業場」と回答したケースについては、当該事業所を一括して「１事業場」となっている直近上位の機構（本社や支社等）が、労働組合の有無や過半数代表者の選出の有無等を尋ねた問 10 以降の設問の回答主体となっている。

Ⅱ　労働組合および「過半数代表」の状況

1．労働組合の状況

（1）労働組合の状況

　事業所における労働組合の状況は、「労働組合がある」が 12.6%（「労働組合が 1 つある」11.9%＋「労働組合が 2 つ以上ある」0.8%）、「労働組合はない」が 82.8%、「わからない」が 2.3%、「無回答」が 2.3%だった。労働組合がある事業所のうち、単数組合である事業所が 9 割以上（93.8%）を占め、複数組合がある割合は 6.1%である（**図表 2-2-1**）。

　図表 2-2-1　労働組合の有無（n=6,458，%）

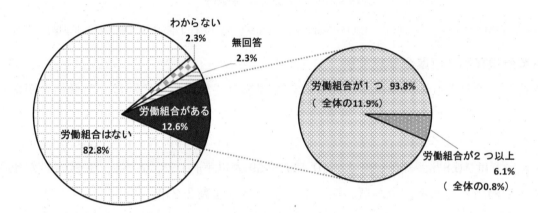

　　注）四捨五入した関係で総数と内訳が一致しない場合もある。
　　　　以降の図表についても同じ。

①事業所規模別

　事業所規模（従業員規模）別に労働組合がある割合をみると、「4 人以下」6.8%、「5～9人」8.1%、「10～29 人」15.0%、「30～99 人」28.9%、「100～299 人」45.6%、「300～999人」66.6%、「1,000 人以上」77.0%と、規模が大きくなるにつれ労働組合がある割合が高くなっている（**図表 2-2-2**）。なお、「30 人以上」になると約 3 分の 1（33.1%）に労働組合があり、「29 人以下」では 1 割弱（9.9%）となった。

　小規模事業所について更にみてみると、労働組合がある「4 人以下」事業所の 45.6%が、「5～9 人」事業所では 41.4%が「独立性のない事業場」と回答している。つまり、「労働組合がある」9 人以下の事業所については、その半数弱が直近上位の機構に一括されて 1 事業場となり、その事業場に「労働組合がある」と理解することができる。

図表 2-2-2　労働組合の有無／事業所規模別（n=6,458, ％）

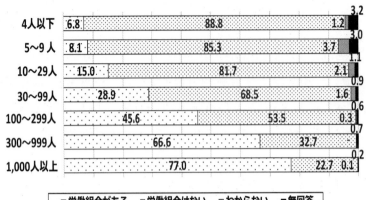

注）労働組合がある「4人以下」事業所の45.6％が、「5〜9人」の41.4％が「独立性のない事業場」と回答。

②事業所規模別×所属企業規模別

　さらに、それぞれの事業所が所属する企業規模（従業員規模）別に、労働組合がある割合をみると、例えば「4人以下」事業所の場合、所属企業規模が「1,000人以上」では、労働組合がある割合は54.3％と5割を超えているが、「300〜999人」になると33.7％、「100〜299人」では10.8％、「30〜99人」10.4％、「29人以下」1.2％などと、企業規模が小さくなるほど労働組合がある割合が概ね低くなっている（**図表 2-2-3**）。

　事業場の独立性との関係についてみると、「1,000人以上」の企業に所属する「4人以下」事業所で「労働組合がある」うちの47.7％が「独立性がない」と回答している。同様に、「300〜999人」の企業に所属する「4人以下」事業所で「労働組合がある」うち、独立性がないのは39.6％だった。

図表 2-2-3　労働組合の有無／「4人以下」事業所×所属企業規模別（n=1,766, ％）

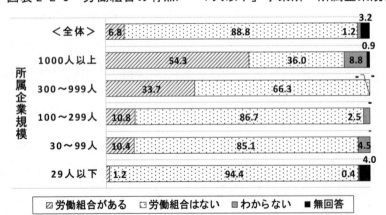

注 1)「全体」は「所属企業規模」が「無回答」を含む。
注 2) 労働組合がある、「1,000人以上」企業に所属する事業所の47.7％が、「300〜999人」企業に所属する事業所の39.6％が「独立性がない事業場」と回答。

図表 2-2-4 をみると、他の事業所規模でも、所属企業規模が大きいほど、労働組合がある割合が高くなる傾向がみてとれる。

図表 2-2-4　労働組合の有無／事業所規模別×所属企業規模別 （%）

所属企業規模	4人以下事業所 (n=1,766)	労働組合がある	労働組合はない	わからない	無回答	5～9人事業所 (n=2,076)	労働組合がある	労働組合はない	わからない	無回答	10～29人事業所 (n=1,861)	労働組合がある	労働組合はない	わからない	無回答
	<全体>	6.8	88.8	1.2	3.2	<全体>	8.1	85.3	3.7	3.0	<全体>	15.0	81.7	2.1	1.1
	1000人以上	54.3	36.0	8.8	0.9	1000人以上	49.5	47.4	2.6	0.5	1000人以上	45.5	50.5	3.4	0.6
	300～999人	33.7	66.3	-	-	300～999人	16.1	80.4	2.7	0.7	300～999人	23.7	74.9	1.0	0.3
	100～299人	10.8	86.7	2.5	-	100～299人	14.3	83.8	1.9	-	100～299人	18.5	77.7	3.8	-
	30～99人	10.4	85.1	4.5	-	30～99人	4.4	92.8	2.8	-	30～99人	9.2	89.1	1.1	0.6
	29人以下	1.2	94.4	0.4	4.0	29人以下	1.6	90.1	4.3	4.0	10～29人	2.8	93.6	1.8	1.9

所属企業規模	30～99人事業所 (n=607)	労働組合がある	労働組合はない	わからない	無回答	100～299人事業所 (n=118)	労働組合がある	労働組合はない	わからない	無回答	300～999人事業所 (n=26)	労働組合がある	労働組合はない	わからない	無回答
	<全体>	28.9	68.5	1.6	0.9	<全体>	45.6	53.5	0.3	0.6	<全体>	66.6	32.7	-	0.7
	1000人以上	60.4	33.4	6.0	0.3	1000人以上	73.8	24.2	0.7	1.3	1000人以上	76.0	23.3	-	0.6
	300～999人	27.7	71.1	-	1.2	300～999人	41.4	58.6	-	-	300～999人	47.5	51.7	-	0.8
	100～299人	23.8	76.2	-	-	100～299人	20.5	79.2	-	0.3					
	30～99人	11.0	87.4	0.1	1.5										

注）「全体」は「所属企業規模」が「無回答」を含む。

③所属企業規模別

では、所属企業規模別に労働組合がある割合をみてみると、やはり規模が大きくなるにつれ労働組合がある割合が高くなり、「1,000 人以上」になると 52.8% と突出している。

図表 2-2-5　労働組合の有無／所属企業規模別 （n=6,458, %）

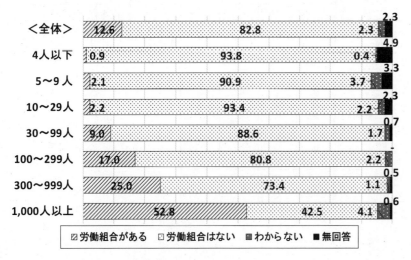

	労働組合がある	労働組合はない	わからない	無回答
<全体>	12.6	82.8	2.3	2.3
4人以下	0.9	93.8	0.4	4.9
5～9人	2.1	90.9	3.7	3.3
10～29人	2.2	93.4	2.2	2.3
30～99人	9.0	88.6	1.7	0.7
100～299人	17.0	80.8	2.2	-
300～999人	25.0	73.4	1.1	0.5
1,000人以上	52.8	42.5	4.1	0.6

☑労働組合がある　☐労働組合はない　■わからない　■無回答

注）「全体」は「所属企業規模」が「無回答」を含む。

④正社員規模別

　事業所における従業員規模と正社員規模をクロスして、それぞれの労働組合がある割合を
みてみると、例えば「300人以上」事業所において、正社員規模が「300人以上」の場合、
労働組合がある割合は7割を超えているが（73.3％）、「100〜299人」では63.2％となり、「30
〜99人」では55.4％、「29人以下」では14.9％と、正社員規模が小さくなると労働組合が
ある割合が低くなっている（**図表2-2-6**）。

　他の事業所規模についても、概ね、正社員規模が大きいほど労働組合がある割合が高い傾
向にある（**図表2-2-7**）。

図表2-2-6　労働組合の有無／「300人以上」事業所×正社員規模別（n=30, %）

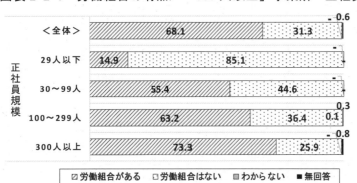

注）「全体」は「正社員規模」が「無回答」を含む。

図表2-2-7　労働組合の有無／事業所の従業員規模別×正社員規模別（単位=%）

正社員規模	300人以上事業所 (n=30)	労働組合がある	労働組合はない	わからない	無回答	100〜299人事業所 (n=118)	労働組合がある	労働組合はない	わからない	無回答	30〜99人事業所 (n=607)	労働組合がある	労働組合はない	わからない	無回答
	<全体>	68.1	31.3	-	0.6	<全体>	45.6	53.5	0.3	0.6	<全体>	28.9	68.5	1.6	0.9
	29人以下	14.9	85.1	-	-	4人以下	13.7	86.3	-	-	4人以下	22.5	66.4	10.5	0.5
	30〜99人	55.4	44.6	-	-	5〜9人	33.8	66.2	-	-	5〜9人	23.1	74.1	2.8	-
	100〜299人	63.2	36.4	0.1	0.3	10〜29人	51.9	45.2	-	2.9	10〜29人	27.3	69.0	1.8	1.8
	300人以上	73.3	25.9	-	0.8	30〜99人	40.8	58.9	-	0.3	30〜99人	30.7	68.5	0.2	0.6
						100〜299人	48.8	50.2	0.5	0.5					

正社員規模	10〜29人事業所 (n=1,861)	労働組合がある	労働組合はない	わからない	無回答	9人以下事業所 (n=3,842)	労働組合がある	労働組合はない	わからない	無回答
	<全体>	15.0	81.7	2.1	1.1	<全体>	7.5	86.9	2.5	3.1
	4人以下	13.9	80.9	5.1	0.2	4人以下	7.3	86.9	2.1	3.8
	5〜9人	12.2	83.7	1.8	2.3	5〜9人	8.1	87.5	3.5	0.9
	10〜29人	16.4	81.4	1.1	1.1					

注）「全体」は「正社員規模」が「無回答」を含む。

⑤産業別

　産業別に労働組合がある割合をみると（**図表 2-2-8**）、「金融業，保険業」（60.7％）が最も高く、次いで「電気・ガス・熱供給・水道業」（56.6％）、「複合サービス事業（郵便局、協同組合など）」（55.1％）、「運輸業，郵便業」（43.2％）などの順となっている。

　一方、労働組合がある割合が低いのは、「医療，福祉」（3.7％）、「建設業」（4.7％）、「不動産業，物品賃貸業」（4.7％）、「学術研究，専門・技術サービス業」（5.6％）、「教育，学習支援業」（8.9％）、「宿泊業，飲食サービス業」（9.2％）の順で、いずれも１割未満となっている。

　なお、労働組合があるか「わからない」と回答している割合が高いのは、「宿泊業，飲食サービス業」（6.0％）、「生活関連サービス業，娯楽業」（4.8％）などの順だった。

図表 2-2-8　労働組合の有無／産業別（n=6,458，％）

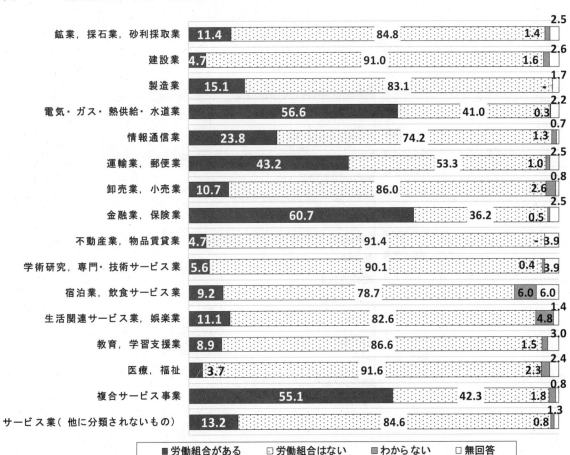

専門・技術サービス業
　　（例）広告業、法律事務所、税理士事務所、経営コンサルタント業、翻訳・通訳業、獣医業、写真業
　　　　など。
サービス業（他に分類されないもの）
　　（例）廃棄物処理業、自動車整備業、機械等修理業、労働者派遣業、警備業、コールセンター業など。

次に、同じ産業でも規模の違いによる相違はどの程度あるのだろうか。事業所規模を「29人以下」と「30人以上」に分けて労働組合がある割合をみると（**図表 2-2-9**）、全規模で上位を占める「金融業，保険業」は「29人以下」56.5%、「30人以上」82.1%、「電気・ガス・熱供給・水道業」は同 40.4%、同 85.6%、「複合サービス事業」は同 53.9%、同 72.1%となっており、「電気・ガス・熱供給・水道業」の「29人以下」（40.4%）が相対的に低い。

一方、下位に目を向けると、「医療，福祉」（全規模 3.7%、「29人以下」2.6%、「30人以上」10.2%）の低さが際立っている。また「生活関連サービス業，娯楽業」（同 11.1%、同10.9%、同 13.5%）や「不動産業，物品賃貸業」（同 4.7%、同 4.1%、同 15.0%）もいずれの規模でも相対的に低い。一方、「建設業」（同 4.7%、同 3.6%、同 23.3%）、「学術研究，専門・技術サービス業」（同 5.6%、同 4.0%、同 24.5%）、「教育，学習支援業」（同 8.9%、同5.2%、同 35.4%）は、全規模では1割を切っているものの、「30人以上」ではいずれも約4分の1以上に労働組合がある。

図表 2-2-9　労働組合がある割合／産業別×事業所規模別（2区分）(n=6,458，%)

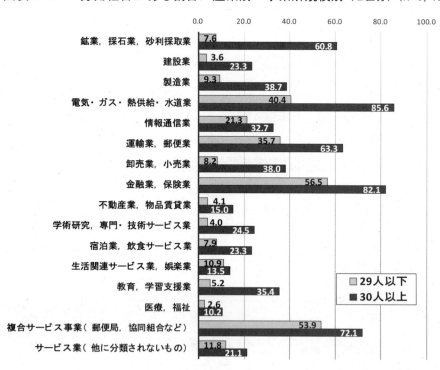

労働組合がある事業所（n=816）のうち、複数組合がある事業所が占める割合をみると（**図表 2-2-10**）、「金融業，保険業」（16.3%）、「教育，学習支援業」（13.6%）、「運輸業，郵便業」（13.5%）、「複合サービス事業」（11.5%）などで相対的に高く、1割以上となっている。「電気・ガス・熱供給・水道業」は「労働組合がある」割合が高く（56.6%）、かつ複数組合の割合が 0.3%と極めて低いことから、全事業所の半数以上に単数組合があると言える。

図表 2-2-10　労働組合がある事業所のうち複数組合がある事業所が占める割合／産業別

（n=816，%）

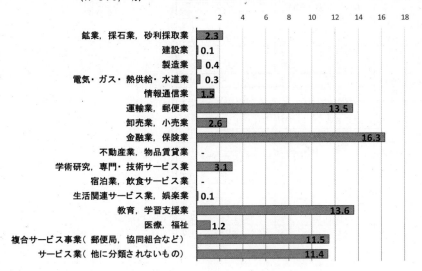

産業（全体）の企業経営形態別・規模別にみた特徴

　図表 2-2-8 のとおり、産業により労働組合がある割合が大きく異なるが、どのような要因が考えられるのだろうか。以下で、それぞれの産業を企業経営形態別や規模別にみてみる。

　まず、企業経営形態別にみたものが**図表 2-2-11** である。これによると、「個人経営（個人事業主）」の割合が高いのは、「学術研究，専門・技術サービス業」（30.9%）、「宿泊業，飲食サービス業」（32.5%）、「医療，福祉」（25.0%）などの順となっている。「宿泊業，飲食サービス業」では個人経営の飲食店が、「学術研究，専門・技術サービス業」では税理士、会計士、設計士などの個人の事務所が、また「医療，福祉」では個人が開業したクリニックや医院等が占める割合が一定程度あるものと推測される。

　次に、事業所規模別にみると（**図表 2-2-12**）、「4 人以下」の割合が高いのは、「不動産業，物品賃貸業」（41.4%）、「生活関連サービス業」（39.1%）、「学術研究，専門・技術サービス業」（38.6%）、「建設業」（35.1%）などの順となっている。特に「不動産業，物品賃貸業」、「学術研究，専門・技術サービス業」、「複合サービス業」および「建設業」では「9 人以下」が 7 割以上を占めている。

　さらに所属企業規模別にみると（**図表 2-2-13**）、「4 人以下」の割合が高いのは、「不動産業，物品賃貸業」、「学術研究，専門・技術サービス業」、「建設業」などの順となっている。

図表 2-2-11　産業別×企業経営形態別 (n＝6,458，%)

企業形態／産業		会社	会社以外の法人	個人経営（個人事業主）	その他（法人格をもたない団体）	無回答
鉱業，採石業，砂利採取業	100.0	90.9	2.9	3.9	0.4	1.8
建設業	100.0	93.2	0.7	4.6	0.7	1.0
製造業	100.0	88.1	1.0	8.8	0.5	1.5
電気・ガス・熱供給・水道業	100.0	90.5	8.0	0.9	0.5	-
情報通信業	100.0	98.4	-	1.3	-	0.3
運輸業，郵便業	100.0	94.6	1.4	1.6	-	2.4
卸売業，小売業	100.0	84.2	2.9	11.0	0.9	1.0
金融業，保険業	100.0	63.0	32.8	1.7	0.7	1.8
不動産業，物品賃貸業	100.0	83.2	3.6	11.3	-	1.9
学術研究，専門・技術サービス業	100.0	47.4	17.3	30.9	3.2	1.1
宿泊業，飲食サービス業	100.0	63.0	0.4	32.5	0.7	3.4
生活関連サービス業，娯楽業	100.0	80.7	2.3	16.3	-	0.7
教育，学習支援業	100.0	33.5	44.2	19.6	2.4	0.3
医療，福祉	100.0	29.6	43.7	25.0	0.9	0.9
複合サービス事業	100.0	41.2	54.1	1.5	1.1	2.1
サービス業（他に分類されないもの）	100.0	76.1	13.6	7.3	2.0	1.0

図表 2-2-12　産業別×事業所規模 (n＝6,458，%)

事業所規模／産業	100.0	4人以下	5～9人	10～29人	30～99人	100～299人	300人以上
鉱業，採石業，砂利採取業	100.0	26.9	36.3	29.6	6.1	0.8	0.2
建設業	100.0	35.1	35.3	23.9	5.1	0.6	0.1
製造業	100.0	20.1	28.4	31.5	14.7	4.0	1.3
電気・ガス・熱供給・水道業	100.0	12.0	20.4	31.9	22.3	11.4	2.1
情報通信業	100.0	24.7	25.7	27.8	15.2	4.9	1.8
運輸業，郵便業	100.0	11.4	22.2	39.2	22.0	4.5	0.7
卸売業，小売業	100.0	28.2	33.9	29.6	7.0	1.1	0.2
金融業，保険業	100.0	18.4	22.0	43.1	14.4	1.6	0.5
不動産業，物品賃貸業	100.0	41.4	32.4	20.9	4.3	0.8	0.2
学術研究，専門・技術サービス業	100.0	38.6	33.1	20.4	6.0	1.4	0.4
宿泊業，飲食サービス業	100.0	25.8	34.7	31.1	7.8	0.6	0.1
生活関連サービス業，娯楽業	100.0	39.1	29.2	23.3	7.5	0.7	0.1
教育，学習支援業	100.0	29.4	27.3	30.9	9.8	1.8	0.7
医療，福祉	100.0	18.0	36.6	30.4	11.9	2.4	0.7
複合サービス事業	100.0	26.3	44.7	22.1	3.6	2.6	0.7
サービス業（他に分類されないもの）	100.0	34.3	27.1	23.2	11.0	3.4	0.9

図表 2-2-13　産業別×所属企業規模別 (n＝6,458，%)

所属企業規模／産業	100.0	4人以下	5～9人	10～29人	30～99人	100～299人	300～999人	1000人以上
鉱業，採石業，砂利採取業	100.0	16.5	26.8	26.4	19.6	4.0	2.0	4.4
建設業	100.0	27.2	28.2	20.8	8.2	6.3	4.4	3.7
製造業	100.0	16.4	23.6	21.1	15.2	9.9	3.7	10.0
電気・ガス・熱供給・水道業	100.0	4.5	5.0	10.0	12.2	10.5	3.6	54.3
情報通信業	100.0	18.9	16.7	19.4	13.1	11.5	5.6	14.8
運輸業，郵便業	100.0	6.1	9.1	19.9	17.0	9.2	7.8	30.9
卸売業，小売業	100.0	14.7	20.0	19.7	11.7	12.9	8.5	12.4
金融業，保険業	100.0	6.1	5.9	4.6	2.1	14.0	15.5	51.5
不動産業，物品賃貸業	100.0	33.9	28.5	13.9	6.7	5.2	4.9	7.1
学術研究，専門・技術サービス業	100.0	32.9	30.6	16.2	9.3	3.4	3.7	3.2
宿泊業，飲食サービス業	100.0	17.7	23.7	13.0	9.6	9.3	11.4	15.3
生活関連サービス業，娯楽業	100.0	12.4	22.2	12.0	11.2	10.9	21.4	8.6
教育，学習支援業	100.0	20.8	13.4	22.3	13.3	13.1	10.4	6.7
医療，福祉	100.0	11.7	28.1	17.2	16.6	13.1	7.6	5.4
複合サービス事業	100.0	8.3	6.8	5.8	2.8	7.4	20.1	47.9
サービス業（他に分類されないもの）	100.0	19.5	13.3	13.3	11.8	12.8	13.3	15.3

⑥企業の経営形態別

　企業の経営形態別に労働組合がある割合をみると、「会社（法人）」が 14.3％、「会社以外の法人」が 17.5％、「個人経営」が 0.7％、「その他（法人格をもたない団体）」が 4.1％となっており、「個人経営」の割合が極めて低い（**図表 2-2-14**）。

　「個人経営」の労働組合がある事業所を規模別にみると、「5～9 人」が 90.1％、「10～29 人」が 9.7％、「4 人以下」が 0.1％となっており、9 人以下が 9 割以上を占めている。

図表 2-2-14　労働組合の有無／企業経営形態別（n=6,458,　%）

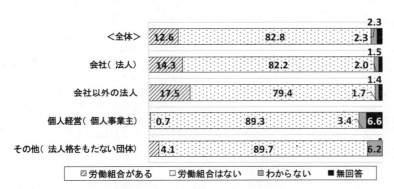

注 1)「全体」は「企業経営形態」が「無回答」を含む。
注 2)「会社以外の法人」は、協同組合、信用金庫、財団・社団法人、医療・学校・宗教法人等。

⑦外国資本比率別

　「会社（法人）」（n=4,708）については外国資本比率を尋ねている。比率別に労働組合がある割合をみると、外国資本比率「0％」が 13.0％、「3 分の 1 超」が 17.7％の一方、「0％超～3 分の 1 以下」が 62.0％と突出している（**図表 2-2-15**）。

図表 2-2-15　労働組合の有無／「会社（法人）」の外国資本比率別（n=4,708,　%）

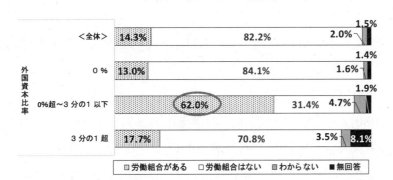

注)「全体」は「外国資本比率」が「無回答」を含む。

（a）外国資本比率別にみた特徴

そこで、「会社（法人）」全体の外国資本比率別の特徴を確認しておきたい。

回答事業所の属性（図表 2-1-2(a)）にあるとおり、外国資本比率「0％」が「会社（法人）」全体の9割弱（87.8％）を占め、「0％超～3分の1以下」が2.6％、「3分の1超」が0.9％などとなっている。

産業別にみると、いずれも「卸売業，小売業」が3割程度と最も高い。「0％」および「0％超～3分の1以下」については「建設業」および「製造業」がそれぞれ1割強を占め、「0％超～3分の1以下」では「金融業，保険業」も 11.7％占めている。一方、「3分の1超」は「宿泊業，飲食サービス業」（23.4％）が相対的に高く、「不動産業，物品賃貸業」が17.4％、「医療・福祉」が 13.6％を占めている（**図表 2-2-16**）。

図表 2-2-16　外国資本比率別の特徴①（n=4,708，％）

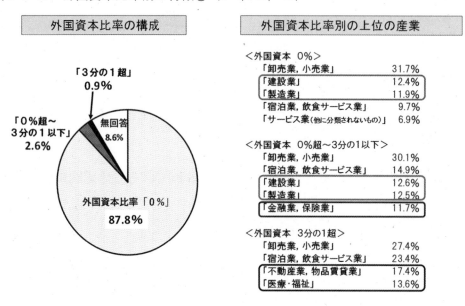

事業所規模別にみると、外国資本比率「0％」は「29 人以下」が 88.2％と小規模事業所の割合が相対的に高く、「300 人以上」は僅か0.4％である。一方、「0％超～3分の1以下」および「3分の1超」における「300 人以上」の割合はそれぞれ 2.7％、2.4％となっている。

所属企業規模別にみると、「1,000 人以上」の企業傘下の事業所は、外国資本比率「0％超～3分の1以下」が 70.4％と最も高く、「3分の1超」が 53.4％、「0％」が 13.0％となっている（**図表 2-2-17**）。

図表 2-2-17　外国資本比率別の特徴②（n=4,708，%）

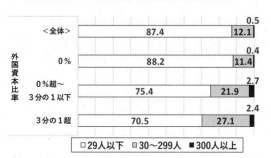

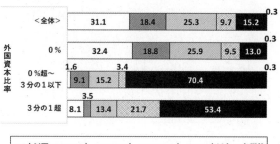

注）「全体」は「外国資本比率」が「無回答」を含む

　そのうえで、外国資本比率別に事業所規模（29 人以下、30〜299 人、300 人以上）と労働組合の有無をクロスしたものが**図表 2-2-18** である（各数値は総和に占めるパーセンテージ）。これをみると、外国資本比率「０％」の約４分の３（76.2％）が 29 人以下の「労働組合はない」事業所である。また、「０％超〜３分の１以下」の４割強（42.1％）が 29 人以下の「労働組合がある」事業所であり、「３分の１超」の半数強（56.7％）が 29 人以下の「労働組合はない」事業所となっている。

図表 2-2-18　外国資本比率別×事業所規模別（３区分）×労働組合の有無（n=4,708，%）

外国資本比率	事業所規模	労働組合がある	労働組合はない	わからない	無回答	合計
0%	29人以下	9.2%	76.2%	1.5%	1.3%	88.2%
	30〜299人	3.5%	7.7%	0.1%	0.1%	11.4%
	300人以上	0.2%	0.1%	0.0%	0.0%	0.4%
	合計	① 13.0%	84.1%	1.6%	1.4%	100.0%
0%超〜3分の1以下	29人以下	42.1%	26.9%	4.7%	1.7%	75.4%
	30〜299人	17.5%	4.2%	0.0%	0.2%	21.9%
	300人以上	2.4%	0.3%	0.0%	0.0%	2.7%
	合計	② 62.0%	31.4%	4.7%	1.9%	100.0%
3分の1超	29人以下	5.7%	56.7%	0.0%	8.1%	70.5%
	30〜299人	10.5%	13.1%	3.5%	0.0%	27.1%
	300人以上	1.4%	1.0%	0.0%	0.0%	2.4%
	合計	③ 17.7%	70.8%	3.5%	8.1%	100.0%
全体 (注)	29人以下	10.0%	74.3%	1.8%	1.4%	87.4%
	30〜299人	4.0%	7.8%	0.2%	0.1%	12.1%
	300人以上	0.3%	0.1%	0.0%	0.0%	0.5%
	合計	14.3%	82.2%	2.0%	1.5%	100.0%

注）「全体」は「外国資本比率」が「無回答」を含む。

① 外国資本比率「0%」

「卸売業, 小売業」	23.6%
「製造業」	14.8%
「運輸業, 郵便業」	14.5%
「宿泊業, 飲食サービス業」	10.0%
「1,000人以上」企業に所属	48.5%
「300人以上」企業に所属	1.9%

② 外国資本比率「0%超〜3分の1以下」

「卸売業, 小売業」	25.4%
「宿泊業, 飲食サービス業」	16.6%
「製造業」	16.5%
「金融業, 保険業」	16.1%
「1,000人以上」企業に所属	88.2%
「300人以上」企業に所属	2.7%

③ 外国資本比率「3分の1超」

「製造業」	33.0%
「医療・福祉」	32.4%
「宿泊業, 飲食サービス業」	19.7%
「1,000人以上」企業に所属	76.9%
「300人以上」企業に所属	2.4%

（b）外国資本比率別にみた「労働組合がある」事業所の特徴

　さらに、外国資本比率別に「労働組合がある」事業所（**図表 2-2-18** の①～③）の中身をみていく。まず、外国資本比率「0％」の「労働組合がある」事業所（表中①）を産業別にみると、「卸売業，小売業」が 23.6％、「製造業」が 14.8％、「運輸業，郵便業」が 14.5％、「宿泊業，飲食サービス業」が 10.0％を占めている。また、「1,000 人以上」企業に所属する事業所割合は 48.5％、「300 人以上」の事業所割合は 1.9％である。

　次に、「0％超～3分の1以下」の「労働組合がある」事業所（表中②）について産業別にみると、「卸売業，小売業」が 25.4％、「宿泊業，飲食サービス業」が 16.6％、「製造業」が 16.5％、「金融業，保険業」が 16.1％を占めている。「1,000 人以上」企業に所属する事業所割合は 88.2％、「300 人以上」の事業所割合は 2.7％である。

　最後に「3分の1超」の「労働組合がある」事業所（表中③）について産業別にみると、「製造業」が 33.0％、「医療・福祉」が 32.4％、「宿泊業，飲食サービス業」が 19.7％を占めている。「1,000 人以上」企業に所属する事業所割合は 76.9％、「300 人以上」の事業所割合は 2.4％となっている。

⑧事業所形態別

　事業所形態別に労働組合がある割合をみると（**図表 2-2-19**）、「研究所」（68.0％）が最も高く、「営業所、出張所」（33.7％）、「輸送・配送センター」（27.1％）などの順となっている。一方、「病院、医療・介護施設」（2.6％）が最も低く、「学校、保育所、学習支援塾等」（7.1％）と「工場、作業所」（9.6％）も1割未満である。

図表 2-2-19　労働組合の有無／事業所形態別 （n=6,458，％）

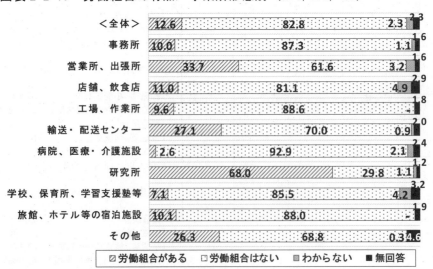

注1）「全体」は「事業所形態」が「無回答」を含む。

注2）「工場、作業所」は鉄道の駅や発電所、倉庫を含む。

事業所形態を「29 人以下」と「30 人以上」の事業所規模に分けて、労働組合がある割合をみてみると（**図表 2-2-20**）、いずれの事業所形態でも「30 人以上」のほうが「29 人以下」より高い。「研究所」がどちらの規模別でも最も高く、「病院、医療・介護施設」がいずれも最下位である。規模間の乖離をみると、「学校、保育所、学習支援塾等」（「29 人以下」3.3%、「30 人以上」25.2%）、「事務所」（同 6.8%、同 34.7%）、「店舗、飲食店」（同 8.9%、同 40.6%）などが大きくなっている。

図表 2-2-20　労働組合がある割合／事業所形態別×事業所規模別（2区分）（n=6,458, %）

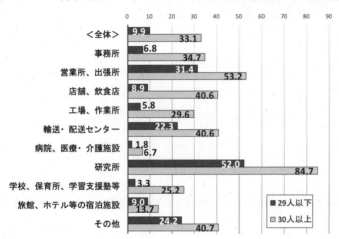

注1）「全体」は「事業所形態」が「無回答」を含む。
注2）「工場、作業所」は鉄道の駅や発電所、倉庫を含む。

（2）過半数労働組合の状況

　労働組合がある事業所（n=816）のうち、「過半数労働組合（以下「過半数組合」）がある」割合は 65.5%であり、全体の 8.3%を占める。「労働組合はあるが、過半数組合はない」が23.9%（全体の 3.0%）、「労働組合はあるが、過半数組合があるか『不明（わからない）』」は 3.8%（全体の 0.5%）、「労働組合はあるが、過半数組合があるか『無回答』」は 6.8%（全体の 0.8%）だった（**図表 2-3-1**）。

図表 2-3-1　過半数組合がある割合

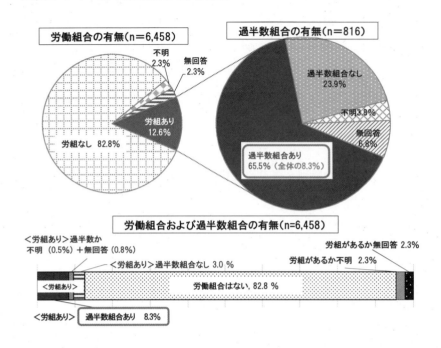

① 事業所規模別

　事業所規模別に過半数組合がある割合をみると、「4人以下」3.0%、「5〜9人」5.6%、「10〜29人」9.9%、「30〜99人」20.5%、「100〜299人」35.5%、「300人以上」50.6%と、規模が大きいほど過半数組合のある割合が高い（図表 2-3-2）。

　なお、小規模事業所の「独立性」についてみると、過半数組合がある「4人以下」事業所の51.5%が、同じく「5〜9人」事業所の36.0%が「独立性がない」事業所だった。

図表 2-3-2　過半数組合がある割合／事業所規模別（n=6,458, ％）

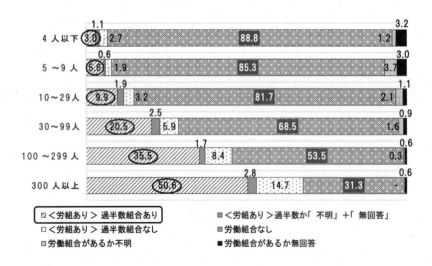

注）過半数組合がある「4人以下」事業所の51.5%が、「5〜9人」事業所の36.0%が「独立性がない事業場」と回答。

労働組合がある事業所のうち、過半数組合がある事業所が占める割合は、「4 人以下」43.6%、「5～9 人」69.3%、「10～29 人」66.0%、「30～99 人」70.9%、「100～299 人」77.9%、「300人以上」74.8%と、「4 人以下」以外は 60～70%台にある（**図表 2-3-3**）。

図表 2-3-3　労働組合がある事業所のうち過半数組合がある事業所が占める割合／事業所規模別（n=816, %）

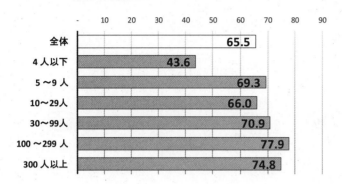

②事業所規模別×所属企業規模別

それぞれの事業所が所属する企業規模別に、過半数組合がある割合をみると、所属企業規模が大きいほど過半数組合がある割合が概ね高くなっている。いずれの事業所規模でも、とりわけ企業規模「1,000 人以上」が突出しており、「4 人以下」事業所では 36.1%、「5～9 人」で 37.2%、「10～29 人」で 27.9%と、29 人以下の「1,000 人以上」企業に所属する事業所の約 3～4 割に過半数組合があると言える。30 人以上になると、「30～99 人」46.2%、「100～299 人」59.1%、「300～999 人」57.5%と、過半数組合がある割合は約 5～6 割に上昇する（**図表 2-3-4**）。

図 2-3-4　過半数組合がある割合／事業所規模別×所属企業規模別

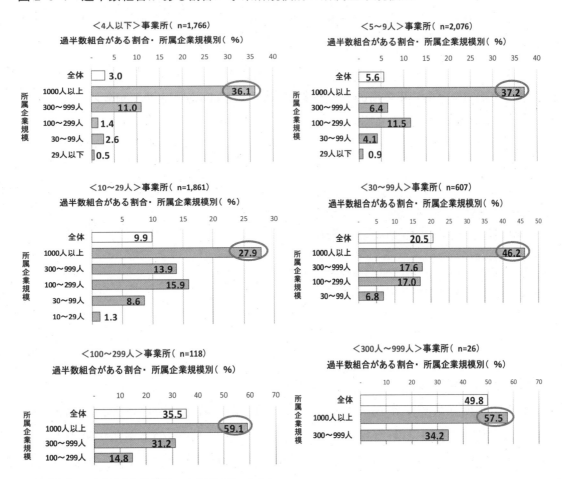

注)「全体」は「所属企業規模」が「無回答」を含む。

③所属企業規模別

　所属企業規模別に過半数組合がある割合をみると、「4 人以下」0.6%、「5～9 人」0.9%、「10～29 人」1.0%、「30～99 人」6.1%、「100～299 人」12.4%、「300～999 人」13.0%、「1,000 人以上」37.1%となっており、規模が大きいほど過半数組合のある割合が高く、「1,000 人以上」が突出している（**図表 2-3-5**）。

図 2-3-5　過半数組合がある割合／所属企業規模別（n=6,458,　%）

全体	8.3
4 人以下	0.6
5 ～9 人	0.9
10～29 人	1.0
30～99 人	6.1
100～299 人	12.4
300～999 人	13.0
1,000 人以上	37.1

注)「全体」は「所属企業規模」が「無回答」を含む。

④正社員規模別

　事業所の従業員規模と正社員規模をクロスして、過半数組合のある割合をみると、正社員規模が大きいほど過半数組合のある割合が概ね高い（**図表 2-3-6**）。例えば、事業所規模が「300人以上」で、正社員規模が「29 人以下」の場合、過半数組合がある割合は 6.4%だが、正社員規模「30〜99 人」になると 38.5%、「100〜299 人」では 40.6%、「300 人以上」では 57.2%など、正社員規模が大きくなると過半数組合のある割合が高くなっている。

図表 2-3-6　過半数組合がある割合／事業所の従業員規模別×正社員規模別

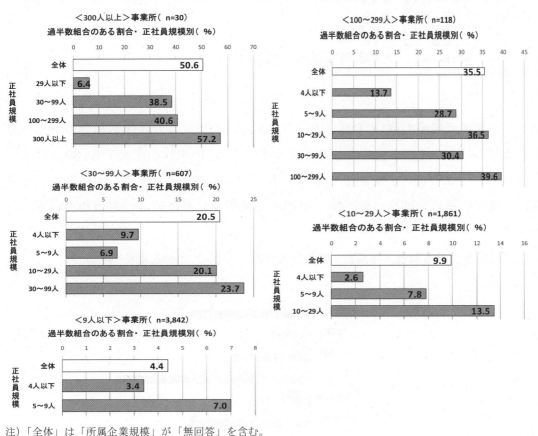

注）「全体」は「所属企業規模」が「無回答」を含む。

⑤産業別

　産業別に過半数組合のある割合をみると（**図表 2-3-7**）、「電気・ガス・熱供給・水道業」（51.1%）、「金融業，保険業」（44.2%）、「複合サービス事業」（39.4%）、「運輸業，郵便業」（32.5%）の順に高い。順位は違うものの、「労働組合がある」割合の上位 4 つと同じである。

　一方、過半数組合のある割合が低いのは、「医療，福祉」（1.9%）、「生活関連サービス業，娯楽業」（2.0%）、「宿泊業，飲食サービス業」（2.1%）、「学術研究，専門・技術サービス業」（2.7%）、「建設業」（3.2%）、「不動産業，物品賃貸業」（3.6%）などで、いずれも 5％を切っている。

図表 2-3-7　過半数組合がある割合／産業別（n=6,458，%）

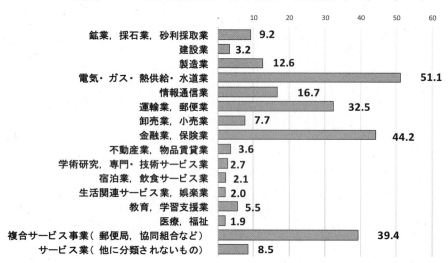

産業	%
鉱業，採石業，砂利採取業	9.2
建設業	3.2
製造業	12.6
電気・ガス・熱供給・水道業	51.1
情報通信業	16.7
運輸業，郵便業	32.5
卸売業，小売業	7.7
金融業，保険業	44.2
不動産業，物品賃貸業	3.6
学術研究，専門・技術サービス業	2.7
宿泊業，飲食サービス業	2.1
生活関連サービス業，娯楽業	2.0
教育，学習支援業	5.5
医療，福祉	1.9
複合サービス事業（郵便局，協同組合など）	39.4
サービス業（他に分類されないもの）	8.5

　同じ産業でも、事業所規模の違い（29人以下・30人以上）により過半数組合のある割合がどの程度乖離しているかを示したものが図表2-3-8である。いずれの産業でも「30人以上」のほうが「29人以下」より高く、どちらの規模でも「電気・ガス・熱供給・水道業」、「金融業，保険業」、「複合サービス事業」および「運輸業，郵便業」が上位4つを占めている。

図表 2-3-8　過半数組合がある割合／産業別×事業所規模別（2区分）（n=6,458，%）

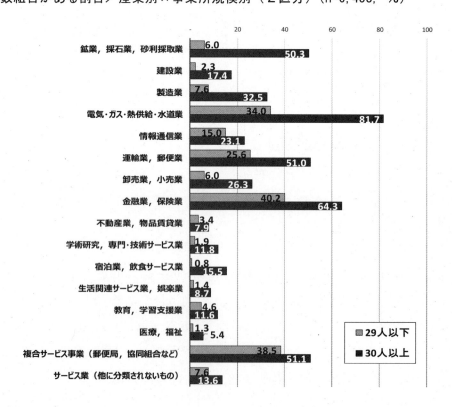

産業	29人以下	30人以上
鉱業，採石業，砂利採取業	6.0	50.3
建設業	2.3	17.4
製造業	7.6	32.5
電気・ガス・熱供給・水道業	34.0	81.7
情報通信業	15.0	23.1
運輸業，郵便業	25.6	51.0
卸売業，小売業	6.0	26.3
金融業，保険業	40.2	64.3
不動産業，物品賃貸業	3.4	7.9
学術研究，専門・技術サービス業	1.9	11.8
宿泊業，飲食サービス業	0.8	15.5
生活関連サービス業，娯楽業	1.4	8.7
教育，学習支援業	4.6	11.6
医療，福祉	1.3	5.4
複合サービス事業（郵便局，協同組合など）	38.5	51.1
サービス業（他に分類されないもの）	7.6	13.6

過半数組合がある事業所が労働組合がある事業所に占める割合をみると、「電気・ガス・熱供給・水道業」90.3％が最も高く、「製造業」83.0％、「鉱業，採石業，砂利採取業」80.5％などの順。一方、「生活関連サービス業，娯楽業」（18.0％）と「宿泊業，飲食サービス業」（22.4％）が2割前後で目立って低くなっている（図表2-3-9）。

図表2-3-9　労働組合がある事業所のうち過半数組合がある事業所が占める割合／産業別
（n=816，％）

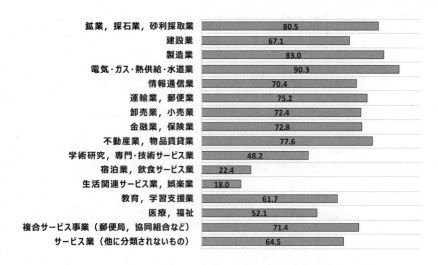

⑥企業の経営形態別

　企業の経営形態別に過半数組合がある割合をみると、「会社」9.8％、「会社以外の法人」8.4％、「個人経営」0.7％、「その他（法人格を持たない団体）」3.0％となっており、「個人経営」の割合が極めて低い。

　過半数組合が、労働組合がある事業所に占める割合をみると、「会社」68.2％、「会社以外の法人」48.2％、「個人経営」99.9％、「法人格をもたない団体」71.7％となっており、「個人経営」の事業所の労働組合は、ほぼ全てが過半数組合だと言える。

⑦事業所形態別

　事業所形態別に過半数組合がある割合をみると（図表 2-3-10）、「研究所」（43.7％）が最も高く、「営業所、出張所」（23.2％）、「輸送・配送センター」（22.6％）などの順となっている。一方、過半数組合のある割合が低いのは、「旅館、ホテル等の宿泊施設」（0.5％）、「病院、医療・介護施設」（0.9％）が顕著で、どちらも1％にも満たない。

　さらに「29人以下」と「30人以上」の事業所規模に分けて過半数組合のある割合をみたものが図表2-3-11である。

図表 2-3-10　過半数組合がある割合／事業所形態別（n=6,458，%）

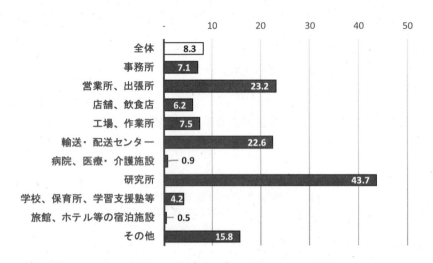

注 1)「全体」は「事業所形態」が「無回答」を含む。
注 2)「工場、作業所」は鉄道の駅や発電所、倉庫を含む。

図表 2-3-11　過半数組合がある割合／事業所形態別×事業所規模別（2区分）（n=6,458，%）

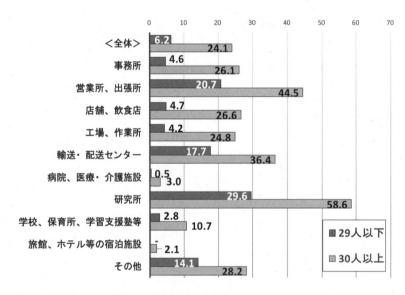

注 1)「全体」は「事業所形態」が「無回答」を含む。
注 2)「工場、作業所」は鉄道の駅や発電所、倉庫を含む。

　労働組合がある事業所のうち、過半数組合が占める割合をみると（**図表 2-3-12**）、「旅館、ホテル等の宿泊施設」が 4.8％と極めて低い。「旅館、ホテル等の宿泊施設」の労働組合がある割合は約 1 割（10.1％）だが、そのなかでも過半数組合がある事業所は僅か 5％足らずということである。

図表 2-3-12 労働組合がある事業所のうち過半数組合がある事業所が占める割合／事業所形態別
　　　　　　（n=816，％）

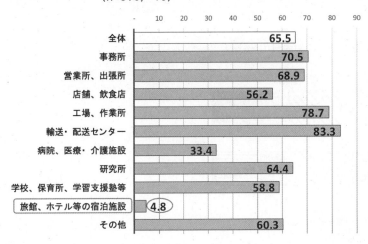

注 1)「全体」は「事業所形態」が「無回答」を含む。
注 2)「工場、作業所」は鉄道の駅や発電所、倉庫を含む。

（3）非正社員の労働組合への加入状況

　労働組合がある事業所（n=816）のうち、非正社員が労働組合に「加入している」（38.5％）と「加入していない」（38.0％）がどちらも 4 割弱で、「わからない」が 3.7％、「非正社員はいない」が 8.9％、「無回答」10.9％となっている（**図表 2-4-1**）。「加入している」事業所のうち、「ほぼ全員加入」が 42.4％、「一部のみ加入」が 57.6％だった。

図表 2-4-1　非正社員の組合加入の有無（n=816，％）

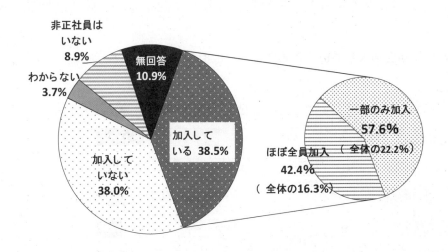

　労働組合の数（単数か複数か）と非正社員の組合加入の関係についてみると、「労働組合が 1 つある」事業所において非正社員が組合加入しているのは 37.1％（「ほぼ全員加入」16.5％＋「一部のみ加入」20.6％）に対し、「労働組合が 2 つ以上ある」では 60.0％（同 12.5％＋

同 47.5%）となっており、複数組合のある事業所のほうが、非正社員が組合に加入している
事業所割合が高い（**図表 2-4-2**）。

図表 2-4-2　労働組合の数と非正社員の組合加入（n=816, %）

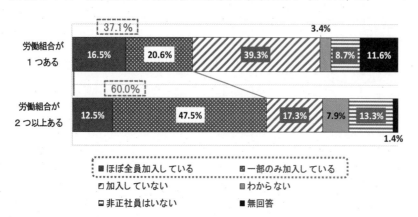

①事業所規模別

　労働組合がある事業所において、事業所規模別に非正社員の組合加入事業所の割合をみる
と、「4 人以下」39.0%、「5～9 人」26.1%、「10～29 人」43.8%、「30～99 人」40.3%、「100
～299 人」41.5%、「300～999 人」40.7%、「1,000 人以上」39.7%となっている。最も低い
のが「5～9 人」の 26.1%だが、その他はいずれも 30～40%台で、規模間に大きな差はみら
れない。ただし、非正社員が「ほぼ全員加入している」割合については、「30～99 人」の 18.6%
が最も多く、さらに規模が大きくなると、その割合は徐々に低くなっている（**図表 2-4-3**）。

図表 2-4-3　非正社員が組合加入している事業所割合（n=816, %）

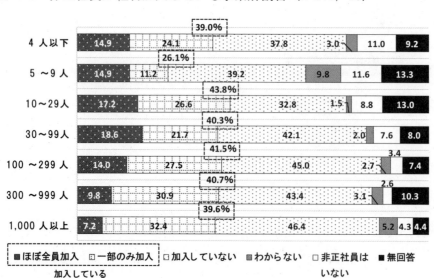

②正社員規模別

　労働組合がある事業所における正社員規模と非正社員の組合加入の関係についてみると、例えば「300人以上」事業所で正社員規模が「300人以上」の場合、非正社員が組合に加入している事業所割合は32.3%、「100〜299人」の場合は59.3%、「30〜99人」は64.3%、「29人以下」は90.6%と、正社員規模が小さいほど、非正社員が組合加入している事業所の割合が高い。同様に、他の事業所規模においても、正社員規模が小さいほど非正社員が組合加入している事業所割合は高くなっている（**図表2-4-4**）。

図表2-4-4　非正社員が組合加入している事業所割合／事業所の従業員規模別×正社員規模別（%）

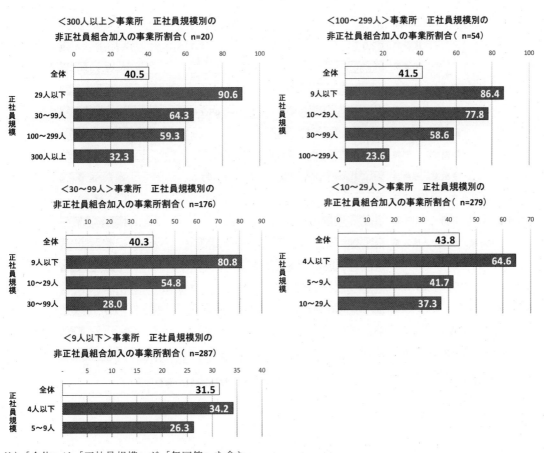

注）「全体」は「正社員規模」が「無回答」を含む。

③産業別

　労働組合がある事業所において、非正社員が労働組合に加入している事業所割合を産業別にみると、「宿泊業，飲食サービス業」（61.7%）が最も高く、次いで「卸売業，小売業」（55.6%）、「医療，福祉」（54.5%）、「生活関連サービス業，娯楽業」（47.6%）などの順となっている。

　なお、これらの産業は、労働組合がある事業所割合が相対的に低く（**図表2-2-8**参照）、ま

た複数組合が占める割合も低い産業である（**図表 2-2-10** 参照）。

　一方、非正社員の組合加入事業所の割合が低い産業は、「不動産業，物品賃貸業」（1.1%）、
「建設業」（2.0%）、「鉱業，採石業，砂利採取業」（8.4%）などの順となっており、このう
ち「建設業」と「不動産業，物品賃貸業」では、「非正社員はいない」がそれぞれ 37.7%、
19.8%と相対的に高くなっている。（**図表 2-4-5**）

　＜参考１＞は、労働力調査（2017 年平均）の集計結果より作成した非正規の職員・従業員
が雇用者（役員を除く）に占める割合を示したものである。**図表 2-4-5** と対比すると、「宿泊
業，飲食サービス業」、「生活関連サービス業，娯楽業」および「卸売業，小売業」について
は、非正規雇用者の割合と非正社員の組合加入の事業所割合がともに高い。

図表 2-4-5　非正社員が組合加入している事業所割合／産業別（n=816，%）

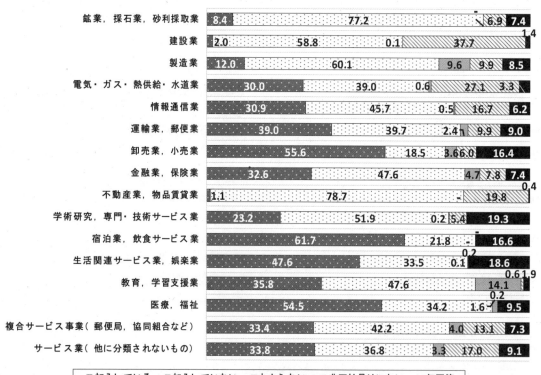

<参考1> 非正規の職員・従業員が雇用者（役員を除く）に占める割合・産業別（％）

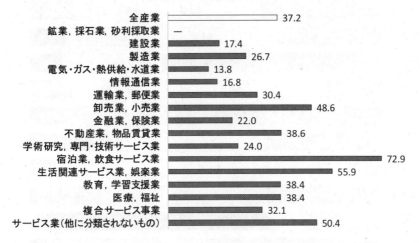

非正規の職員・従業員が雇用者に占める割合・産業別
（2017年平均・労働力調査）

産業	割合
全産業	37.2
鉱業，採石業，砂利採取業	—
建設業	17.4
製造業	26.7
電気・ガス・熱供給・水道業	13.8
情報通信業	16.8
運輸業，郵便業	30.4
卸売業，小売業	48.6
金融業，保険業	22.0
不動産業，物品賃貸業	38.6
学術研究，専門・技術サービス業	24.0
宿泊業，飲食サービス業	72.9
生活関連サービス業，娯楽業	55.9
教育，学習支援業	38.4
医療，福祉	38.4
複合サービス事業	32.1
サービス業（他に分類されないもの）	50.4

出所）総務省「労働力調査」（2017年平均）より作成
注）「全産業」は上記の16産業以外に、「農業、林業」「漁業」「公務」「分類不能な産業」を含む。

④企業の経営形態別

　企業の経営形態別に非正社員の組合加入事業所の割合をみると、「会社（法人）」38.5％、「会社以外の法人」32.4％、「個人経営」77.5％、「その他（法人格を持たない団体）」47.5％となっており、労働組合がある「個人経営」事業所の約8割（77.5％）で、非正社員が組合に加入している。

⑤事業所形態別

　事業所形態別に非正社員の組合加入事業所の割合をみると（**図表 2-4-6**）、「店舗、飲食店」（62.6％）と「輸送・配送センター」（59.0％）が5割を上回っている。一方、割合が低いのは「研究所」（8.0％）、「工場、作業所」（17.7％）、「旅館、ホテル等の宿泊施設」（21.8％）などの順。「旅館、ホテル等の宿泊施設」については約7割（68.3％）が「無回答」だった。

図表 2-4-6　非正社員が組合加入している事業所割合／事業所形態別（n=816, %）

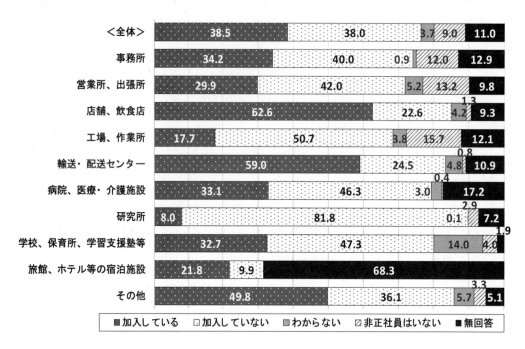

注 1）「全体」は「事業所形態」が「無回答」を含む。

注 2）「工場、作業所」は鉄道の駅や発電所、倉庫を含む。

２．過半数代表者の選出状況

（１）過半数代表者の選出状況

　過半数組合がある事業所を含め、すべての事業所に対して過去３年間に過半数代表者の選出をしたことがあるか尋ねたところ、「ある」が 43.1%、「ない」が 39.9%、「わからない」が 10.1%、「無回答」が 6.8% だった。（図表 2-5-1）

図表 2-5-1　過去３年間の過半数代表者の選出状況（n=6,458, %）

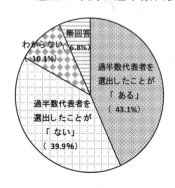

注）過半数代表者を選出したことが「ない」「わからない」「無回答」のなかには、
　　「過半数労働組合がある」事業所が含まれている。

（2）選出しなかった理由

　過半数代表者を選出しなかった事業所（n=2,580）にその理由（複数回答）を尋ねたところ、「事業場に過半数労働組合があり、過半数代表者を選出する必要がなかったから」が13.8%、「労使協定や就業規則に関する手続が発生しなかったから」が56.6%、「その他」20.9%、「無回答」9.3%となった。

　事業所規模別にみると、規模が小さいほど「労使協定や就業規則に関する手続が発生しなかったから」と回答する割合が概ね高く、規模が大きいほど「事業場に過半数労働組合があり、過半数代表者を選出する必要がなかったから」の割合が高くなっている（**図表 2-5-2**）。

図表 2-5-2　過半数代表者を選出しなかった理由／事業所規模別（%）複数回答

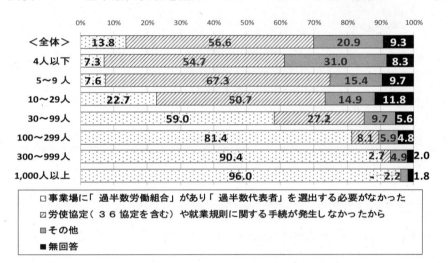

3．「過半数代表」の選出状況

（1）「過半数代表」の選出状況

　本節では、労使協定の締結等において事業場の従業員代表としての役割を果たす「過半数代表」が存在する割合を確認していく。「過半数代表」とは、事業場における過半数組合または過半数代表者である。

　図表 2-6-1 の内側の円グラフのとおり、「過半数組合がある」が 8.3%、「過半数代表者の選出がある」が 43.1%、「過半数代表者の選出がない」（「過半数組合がある」を除く）が 36.0%などとなった。したがって、全事業所の半数強（51.4%）で「過半数代表」が存在することになる。

　「過半数代表者の選出がない」事業所に対して選出しなかった理由（複数回答）を尋ねたところ、「手続が発生しなかったから」が 62.8%、「その他」23.1%、「無回答」14.8%となっている。

　「その他」の内容（自由記述）は、「それ（過半数代表者）自体知らなかったので」、「その

ようなもの（過半数代表者）をおく必要があるのか分からなかった」、「全員非正社員」、「小規模の企業なので従業員と話し合いで決める」、「問題事案が起きていない」、「必要ない」、「考えたことがない」など様々であり、とりわけ小規模事業所においては「過半数代表者」という言葉が認知されていないといった回答が多くみられた。

図表 2-6-1　「過半数代表」の有無（n=6,458,%）

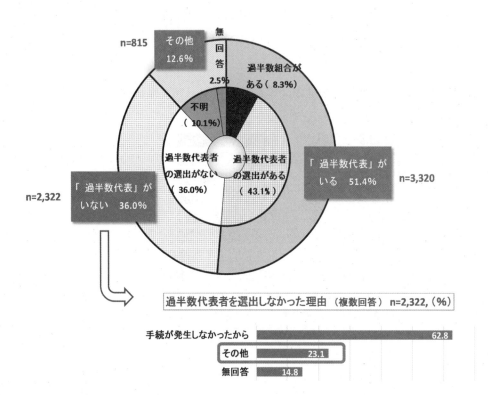

①事業所規模別

　事業所規模別に「過半数代表」がある割合をみてみると、「4 人以下」29.3%、「5〜9 人」41.1%、「10〜29 人」69.5%、「30〜99 人」85.5%、「100〜299 人」92.7%、「300〜999 人」94.3%、「1,000 人以上」96.3%となっており、規模が大きいほど高くなる（**図表 2-6-2**）。なお「29 人以下」では 46.7%、「30 人以上」は 86.9%、「9 人以下」では 35.7%、「10 人以上」は 74.5%となっている。小規模事業所の「独立性」をみると、「過半数代表」がある「4 人以下」事業所の約 3 分の 1（33.8%）が、また「5〜9 人」事業所の約 5 分の 1（20.2%）が「独立性がない」事業所だった。

　「過半数代表」の内訳をみると、(a)「過半数組合がある」割合は事業所規模が大きいほど高くなる一方、(b)「過半数代表者の選出がある」割合は、「30〜99 人」（64.9%）で最も高くなっている。また、「不明（過半数代表者を選出したことがあるか分からない）」は「4 人以下」で 12.7%、「5〜9 人」で 12.1%となっており、9 人以下の事業所では 1 割強が「不明」と回答している。

過半数代表者が「過半数代表」に占める割合は、小さい事業所ほど高く、「4人以下」では約9割（89.8%）を占める（**図表2-6-3**）。

図表2-6-2　「過半数代表」の有無／事業所規模別（n=6,458，%）

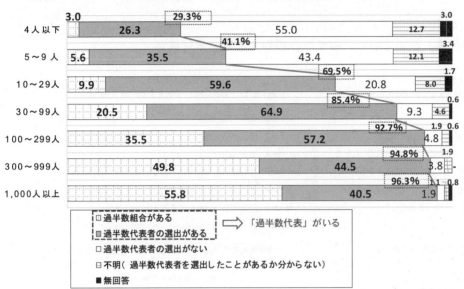

図表2-6-3　過半数代表者が「過半数代表」に占める割合／事業所規模別（n=3,320,%）

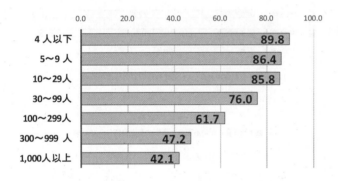

②事業所規模別×所属企業規模別

　所属する企業規模別に「過半数代表」のある割合をみると、例えば「4人以下」事業所において、所属企業規模が「9人以下」の場合は15.1%だが、「10～29人」では44.7%、「30～99人」63.0%、「100～299人」64.0%、「300～999人」68.6%、「1,000人以上」70.6%と、所属企業規模が大きくなるほど高くなる。他の事業所規模についても、所属企業規模が大きいほど「過半数代表」がある割合は概ね高くなっている（**図表2-6-4**）。

　小規模事業所の「独立性」についてみると、「過半数代表」がある「4人以下」事業所のうち、所属企業規模が「1,000人以上」の39.2%が「独立性がない」と回答しており、所属企業規模「300～999人」の63.0%、同「100～299人」の52.1%が「独立性がない」事業場

として、直近上位機構に一括されている。

同様に、「過半数代表」がある「5～9 人」事業所のうち、所属企業規模「1,000 人以上」
の 28.0％、同「300～999 人」の 24.6％、同「100～299 人」の 15.3％が、「独立性がない」
事業場であった。

図表 2-6-4 「過半数代表」がある割合／事業所規模別×所属企業規模別

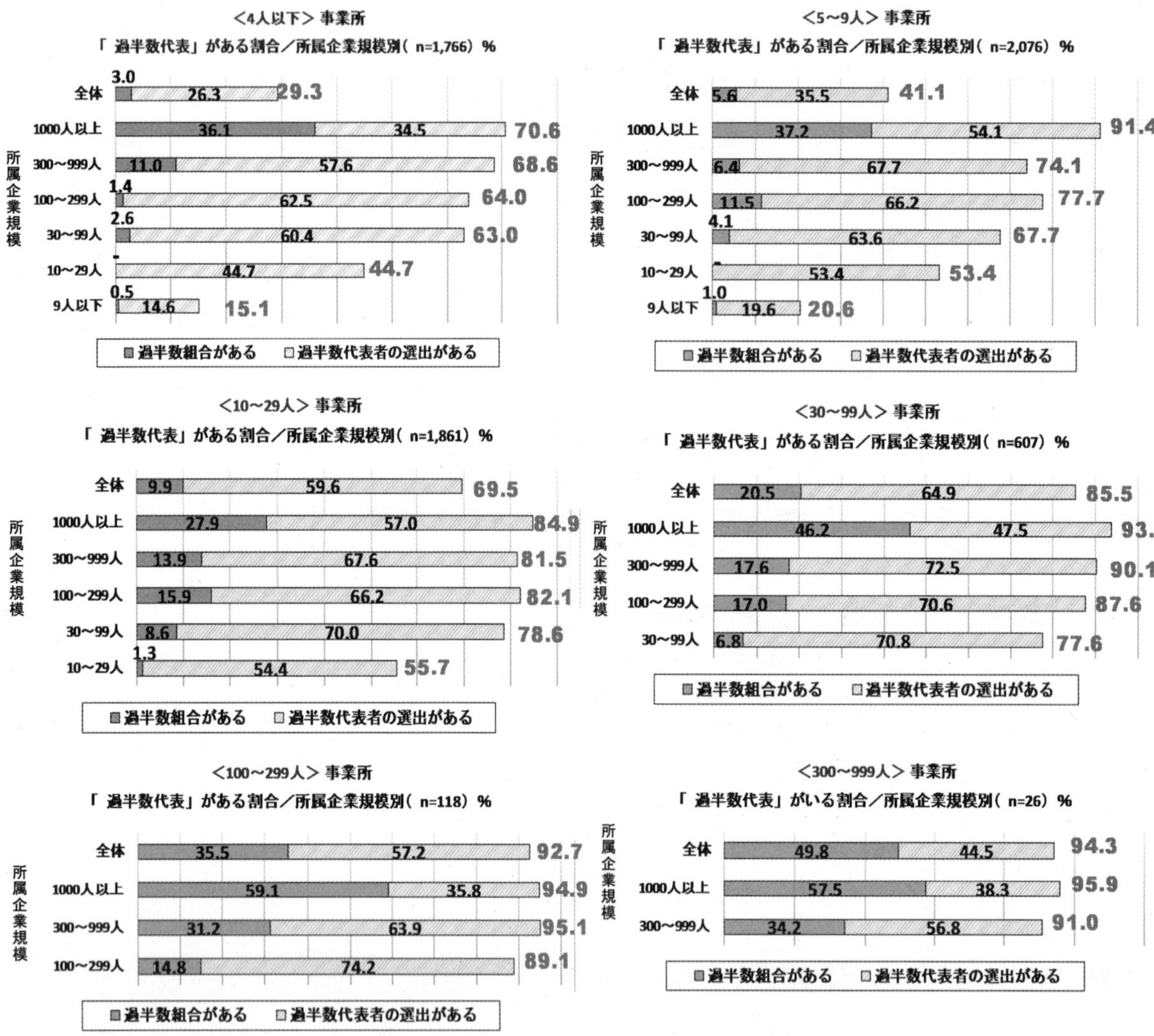

<10～29人> 事業所

<4人以下> 事業所
「過半数代表」がある割合／所属企業規模別（ n=1,766）%

- 全体: 3.0 / 26.3 / 29.3
- 1000人以上: 36.1 / 34.5 / 70.6
- 300～999人: 11.0 / 57.6 / 68.6
- 100～299人: 1.4 / 62.5 / 64.0
- 30～99人: 2.6 / 60.4 / 63.0
- 10～29人: 44.7 / 44.7
- 9人以下: 0.5 / 14.6 / 15.1

所属企業規模

■過半数組合がある　□過半数代表者の選出がある

<5～9人> 事業所
「過半数代表」がある割合／所属企業規模別（ n=2,076）%

- 全体: 5.6 / 35.5 / 41.1
- 1000人以上: 37.2 / 54.1 / 91.4
- 300～999人: 6.4 / 67.7 / 74.1
- 100～299人: 11.5 / 66.2 / 77.7
- 30～99人: 4.1 / 63.6 / 67.7
- 10～29人: 53.4 / 53.4
- 9人以下: 1.0 / 19.6 / 20.6

所属企業規模

■過半数組合がある　□過半数代表者の選出がある

<10～29人> 事業所
「過半数代表」がある割合／所属企業規模別（ n=1,861）%

- 全体: 9.9 / 59.6 / 69.5
- 1000人以上: 27.9 / 57.0 / 84.9
- 300～999人: 13.9 / 67.6 / 81.5
- 100～299人: 15.9 / 66.2 / 82.1
- 30～99人: 8.6 / 70.0 / 78.6
- 10～29人: 1.3 / 54.4 / 55.7

所属企業規模

■過半数組合がある　□過半数代表者の選出がある

<30～99人> 事業所
「過半数代表」がある割合／所属企業規模別（ n=607）%

- 全体: 20.5 / 64.9 / 85.5
- 1000人以上: 46.2 / 47.5 / 93.8
- 300～999人: 17.6 / 72.5 / 90.1
- 100～299人: 17.0 / 70.6 / 87.6
- 30～99人: 6.8 / 70.8 / 77.6

所属企業規模

■過半数組合がある　□過半数代表者の選出がある

<100～299人> 事業所
「過半数代表」がある割合／所属企業規模別（ n=118）%

- 全体: 35.5 / 57.2 / 92.7
- 1000人以上: 59.1 / 35.8 / 94.9
- 300～999人: 31.2 / 63.9 / 95.1
- 100～299人: 14.8 / 74.2 / 89.1

所属企業規模

■過半数組合がある　□過半数代表者の選出がある

<300～999人> 事業所
「過半数代表」がいる割合／所属企業規模別（ n=26）%

- 全体: 49.8 / 44.5 / 94.3
- 1000人以上: 57.5 / 38.3 / 95.9
- 300～999人: 34.2 / 56.8 / 91.0

所属企業規模

■過半数組合がある　□過半数代表者の選出がある

注）「全体」は「所属企業規模」が「無回答」を含む。

③正社員規模別

事業所の正社員規模別に「過半数代表」のある割合を確認する。「300 人以上」事業所にお
いて、正社員規模が「300 人以上」の場合は 97.1％に「過半数代表」がある。同様に、正社
員規模「100～299 人」では 92.1％、同「30～99 人」で 87.0％、同「29 人以下」で 78.9％
となっており、正社員規模が小さくなると「過半数代表」がある割合が低くなる。他の事業

所規模においても、正社員規模が大きくなると「過半数代表」がある割合が概ね高くなる傾向にある（**図表 2-6-5**）。

図表 2-6-5　「過半数代表」がある割合／事業所の従業員規模別×正社員規模別

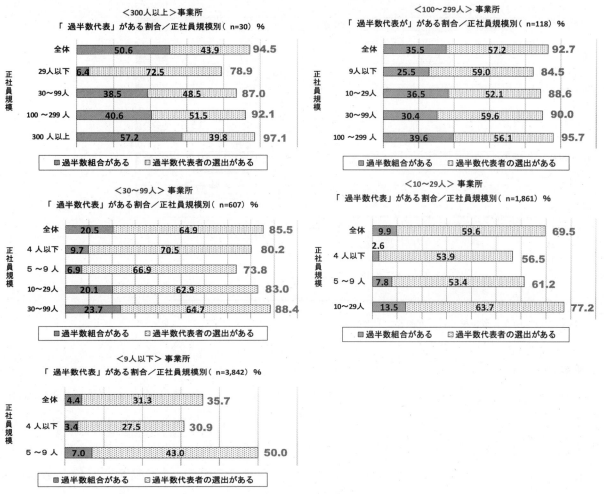

注）「全体」は「正社員規模」が「無回答」を含む。

④所属企業規模別

　では所属企業規模別に「過半数代表」がある割合をみてみると（**図表 2-6-6**）、「4 人以下」13.4%、「5～9 人」21.5%、「10～29 人」54.2%、「39～99 人」73.6%、「100～299 人」79.2%、「300～999 人」79.4%、「1,000 人以上」87.4%と、規模が大きいほど高くなる。規模間格差をみると、9 人以下と 10 人以上の間に大きな開きがある。「9 人以下」全体では「過半数代表」がある割合は 17.9%、「10 人以上」は 74.5%であり、「29 人以下」は 29.2%、「30 人以上」は 79.8%である。

　「過半数代表」の内訳をみると、(a)「過半数組合がある」割合は企業規模が大きいほど高くなる一方、(b)「過半数代表者の選出がある」割合は、「30～99 人」（67.5%）で最も高くなっている。

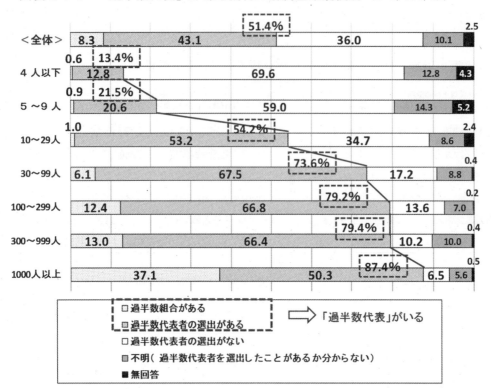

図表 2-6-6 「過半数代表」がある割合／所属企業規模別 (n=6,458, %)

注)「全体」は「所属企業規模」が「無回答」を含む。

⑤産業別

　産業別に「過半数代表」がある割合をみると、「電気・ガス・熱供給・水道業」（87.4%）が最も高く、次いで「運輸業，郵便業」（84.4%）、「金融業，保険業」（80.4%）、「複合サービス事業」（78.4%）などの順。「過半数代表」がある割合が低いのは、「宿泊業，飲食サービス業」（34.5%）、「学術研究，専門・技術サービス業」（37.0%）、「不動産業，物品賃貸業」（40.7%）などの順である。一方、「宿泊業，飲食サービス業」の約２割（19.7%）、「生活関連サービス業，娯楽業」（15.9%）、「医療，福祉」（13.3%）、「卸売業，小売業」（10.9%）の１割以上が「過半数代表者を選出したことがあるか分からない」と回答している（**図表 2-6-7**）。

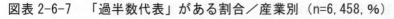

図表 2-6-7 「過半数代表」がある割合／産業別 (n=6,458,%)

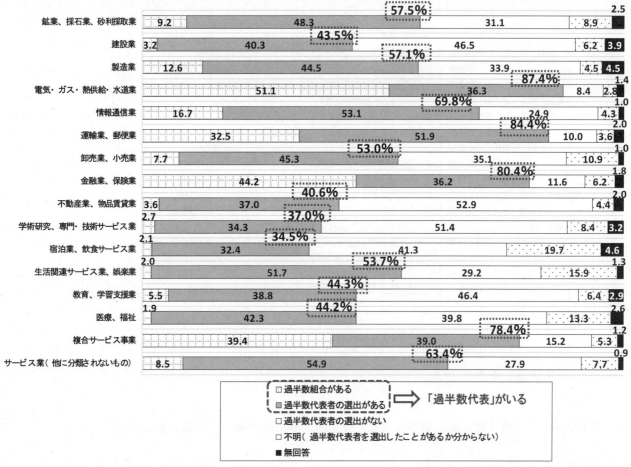

過半数代表者が「過半数代表」に占める割合をみると、「生活関連サービス業，娯楽業」
（96.3%）、「医療，福祉」（95.5%）、「宿泊業，飲食サービス業」（93.9%）、「建設業」（92.9%）、
「学術研究，専門・技術サービス業」（92.7%）、「不動産業，物品賃貸業」（90.9%）で９割
を超えている（**図表 2-6-8**）。

図表 2-6-8　過半数代表者が「過半数代表」に占める割合／産業別（n=3,320，%）

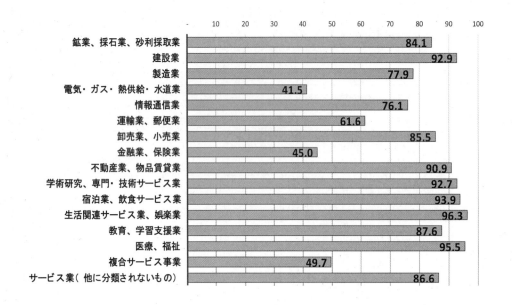

産業別に、さらに従業員規模別（29 人以下・30 人以上）に「過半数代表」がある割合をみたものが**図表 2-6-9**である。

図表 2-6-9　「過半数代表」がある割合／産業別・事業所規模別（2 区分）（n=3,320，%）

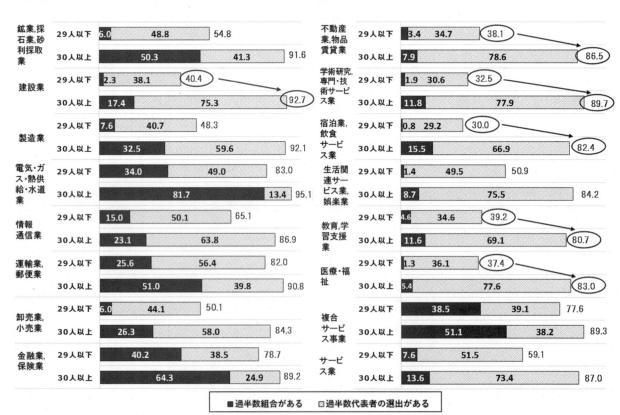

「過半数代表」がある割合の規模間格差をみると、「学術研究，専門・技術サービス業」が「29 人以下」32.5%、「30 人以上」89.7%、「建設業」が同 40.4%、同 92.7%、「宿泊業，飲食サービス業」が同 30.0%、同 82.4%、「不動産業，物品賃貸業」が同 38.1%、同 86.5%、「医療，福祉」が同 37.4%、同 83.0%、「教育，学習支援業」が同 39.2%、同 80.7%などとなっており、これら 6 つの産業では「29 人以下」の「過半数代表」がある割合は約 3 〜 4 割だが、「30 人以上」になると約 8 〜 9 割に上昇している。

　一方、規模間の乖離が小さいものとして、「運輸業，郵便業」（同 82.0%、90.8%）、「金融業，保険業」（78.7%、89.2%）、「複合サービス事業」（77.6%、89.3%）、「電気・ガス・熱供給・水道業」（83.0%、95.1%）などが挙げられる。これら 4 つの産業は全規模で「過半数代表」がある割合、および過半数組合がある割合においても上位に位置している。

⑥企業の経営形態別

　企業の経営形態別に「過半数代表」がある割合をみると、「会社（法人）」58.5%、「会社以外の法人」61.3%、「個人経営」12.1%、「その他（法人格を持たない団体）」11.8%となっており、後者の 2 つが 10%強と低くなっている（**図表 2-6-10**）。

図表 2-6-10　「過半数代表」がある割合／企業の経営形態別（n=3,320，%）

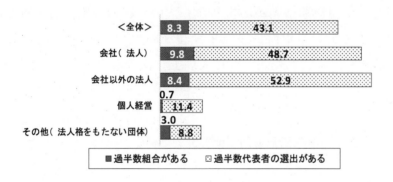

注 1）「全体」は「企業の経営形態」が「無回答」を含む。
注 2）「会社以外の法人」は、協同組合、信用金庫、財団・社団法人、医療・学校・宗教法人等。

⑦外国資本比率別

　「会社（法人）」の外国資本比率別に「過半数代表」がある割合をみると（**図表 2-6-11**）、外国資本比率「0％」が 57.7%、「0％超〜 3 分の 1 以下」が 82.2%、「3 分の 1 超」が 91.9%となっている。内訳をみると、「0％超〜 3 分の 1 以下」の「過半数組合がある」割合が 43.1%と突出している（これについては 20〜22 頁の（a）外国資本比率別にみた特徴、および（b）外国資本比率別にみた「労働組合がある」事業所の特徴　を参照）。

図表 2-6-11　「過半数代表」がある割合／「会社」の外国資本比率別（n=4,708, ％）

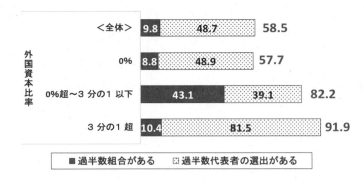

注）「全体」は「企業の経営形態」が「無回答」を含む。

⑧事業所形態別

　事業所形態別に「過半数代表」がある割合をみると、「研究所」（82.9％）、「輸送・配送セ
ンター」（82.8％）、「営業所、出張所」（75.9％）が突出して高くなっている。それ以外につ
いては、「病院、医療・介護施設」（39.7％）と「店舗、飲食店」（40.6％）が4割前後、その
他はいずれも約5～6割となっている（図表2-6-12）。

　さらに「29人以下」と「30人以上」に分けて「過半数代表」がある割合をみたものが図
表2-6-13である。「研究所」（「29人以下」80.2％、「30人以上」85.8％）と「輸送・配送セ
ンター」（同82.3％、同83.8％）は規模間格差があまりなく、いずれの規模でも8割を超え
て高くなっている。全規模で割合の低い「病院、医療・介護施設」や「店舗、飲食店」は、
「29人以下」ではそれぞれ32.0％と37.7％だが、「30人以上」になるとそれぞれ83.9％と
79.4％になっている。

図表 2-6-12　「過半数代表」がある割合／事業所形態別（n=3,320, ％）

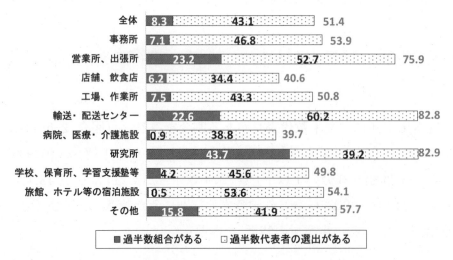

注1）「全体」は「事業所形態」が「無回答」を含む。
注2）「工場、作業所」は鉄道の駅や発電所、倉庫を含む。

図表 2-6-13 「過半数代表」がある割合／

事業所形態別×事業所規模別（２区分）（n=3,320,％）

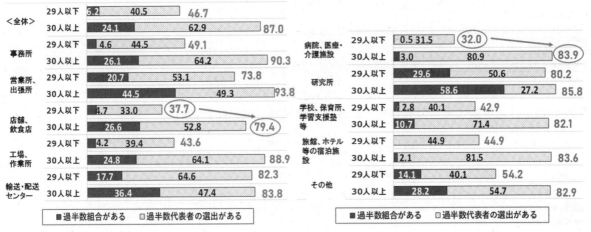

注1)「全体」は「事業所形態」が「無回答」を含む。
注2)「工場、作業所」は鉄道の駅や発電所、倉庫を含む。

（2） 「過半数組合がある」事業所および「過半数代表者の選出がある」事業所の特徴

　ここで、「過半数組合がある」事業所と「過半数代表者の選出がある」事業所、さらに「過半数組合」がない事業所の特徴をみてみる。まず事業所規模別にみると（**図表 2-6-14**）、「4人以下」の割合が「過半数組合あり」は 9.8％に対して、「過半数代表者の選出あり」は 16.7％など、「過半数代表者の選出あり」のほうが小規模事業所の割合が高い。

　所属企業規模別にみると（**図表 2-6-15**）、「1,000 人以上」企業に所属している割合は、「過半数組合あり」が 55.5％に対して、「過半数代表者の選出あり」は 14.4％など、「過半数組合あり」は大企業の傘下事業所の割合が高くなっている。

　企業の経営形態別にみると（**図表 2-6-16**）、「個人経営」の割合は、「過半数組合あり」が 1.2％、「過半数代表者の選出あり」が 3.8％となっている。

　最後に産業別にみると（**図表 2-6-17**）、「過半数組合あり」では「運輸業，郵便業」（15.2％）と「金融業，保険業」（13.1％）の占める割合が「過半数代表者の選出あり」よりも相対的に高く、「過半数代表者の選出あり」は「建設業」（9.0％）、「宿泊業，飲食サービス業」（8.6％）、「医療，福祉」（11.4％）などが相対的に高くなっている。

　なお、過半数代表者を選出したことがない事業所や、不明（過半数代表者を選出したことがあるか分からない事業所）については、事業所・所属企業規模ともに小規模の割合が高く、個人経営の割合も高い。

図表 2-6-14 　「過半代表」の有無別×事業所規模別 （n=6,458, %）

		事業所規模						
		4人以下	5〜9人	10〜29人	30〜99人	100〜299人	300〜999人	1,000人以上
「過半代表」がある								
過半数組合あり	(n=534)	9.8%	21.7%	34.5%	23.3%	7.9%	2.4%	0.4%
過半数代表者の選出あり	(n=2,786)	16.7%	26.5%	39.8%	14.1%	2.4%	0.4%	0.1%
「過半代表」がない								
過半数代表者の選出なし	(n=2,322)	41.8%	38.8%	16.7%	2.4%	0.2%	0.0%	0.0%
不明	(n=655)	34.2%	38.4%	22.7%	4.3%	0.4%	0.1%	0.0%
無回答	(n=160)	33.5%	44.4%	19.2%	2.4%	0.4%	0.0%	0.0%

図表 2-6-15 　「過半数代表」の有無別×所属企業規模別 （n=6,458, %）

		所属企業規模							
		4人以下	5〜9人	10〜29人	30〜99人	100〜299人	300〜999人	1,000人以上	無回答
「過半数代表」がある									
過半数組合あり	(n=534)	1.2%	2.4%	2.2%	8.7%	16.0%	13.9%	55.5%	0.3%
過半数代表者の選出あり	(n=2,786)	5.1%	10.4%	21.3%	18.4%	16.5%	13.6%	14.4%	0.3%
「過半数代表」がない									
過半数代表者の選出なし	(n=2,322)	33.0%	35.5%	16.7%	5.6%	4.0%	2.5%	2.2%	0.4%
不明	(n=655)	21.5%	30.6%	14.7%	10.2%	7.4%	8.7%	6.9%	0.0%
無回答	(n=160)	29.4%	45.4%	16.7%	1.8%	0.8%	1.3%	2.3%	2.2%

図表 2-6-16 　「過半数代表」の有無別×企業の経営形態別 （n=6,458, %）

		企業の経営形態				
		会社（法人）	会社以外の法人	個人経営（個人事業主）	その他（法人格をもたない団体）	無回答
「過半数代表」がある						
過半数組合あり	(n=534)	86.3%	10.7%	1.2%	0.3%	1.5%
過半数代表者の選出あり	(n=2,786)	82.2%	12.8%	3.8%	0.2%	1.0%
「過半数代表」がない						
過半数代表者の選出なし	(n=2,322)	64.2%	8.2%	25.0%	1.6%	1.0%
不明	(n=655)	59.8%	9.2%	24.9%	2.2%	3.9%
無回答	(n=160)	46.2%	5.7%	44.0%	0.0%	4.1%

図表 2-6-17 　「過半数代表」の有無別×産業別 （n=6,458, %）

		産 業 分 類							
		鉱業，採石業，砂利採取業	建設業	製造業	電気・ガス・熱供給・水道業	情報通信業	運輸業，郵便業	卸売業，小売業	金融業，保険業
「過半数代表」がある									
過半数組合あり	(n=534)	0.1%	3.7%	15.7%	0.9%	3.3%	15.2%	25.0%	13.1%
過半数代表者の選出あり	(n=2,786)	0.1%	9.0%	10.6%	0.1%	2.0%	4.7%	28.1%	2.1%
「過半数代表」がない									
過半数代表者の選出なし	(n=2,322)	0.0%	12.5%	9.7%	0.0%	1.1%	1.1%	26.1%	0.8%
不明	(n=655)	0.0%	5.9%	4.6%	0.0%	0.7%	1.4%	28.7%	1.5%
無回答	(n=160)	0.0%	15.1%	18.6%	0.1%	0.6%	3.2%	11.2%	1.8%

		産 業 分 類							
		不動産業，物品賃貸業	学術研究，専門・技術サービス業	宿泊業，飲食サービス業	生活関連サービス業，娯楽業	教育，学習支援業	医療，福祉	複合サービス事業	サービス業（他に分類されないもの）
「過半数代表」がある									
過半数組合あり	(n=534)	1.3%	1.1%	2.9%	1.3%	1.8%	2.7%	5.3%	6.7%
過半数代表者の選出あり	(n=2,786)	2.5%	2.8%	8.6%	6.4%	2.5%	11.4%	1.0%	8.2%
「過半数代表」がない									
過半数代表者の選出なし	(n=2,322)	4.2%	5.0%	13.1%	4.4%	3.5%	12.9%	0.5%	5.0%
不明	(n=655)	1.3%	2.9%	22.2%	8.4%	1.7%	15.2%	0.6%	4.9%
無回答	(n=160)	2.3%	4.5%	21.2%	2.8%	3.2%	12.3%	0.5%	2.5%

（3） 過半数組合がない事業所

　ここで、過半数組合がない事業所という視点でその割合を切り出してみる。直接、「過半数組合がない」という回答を用意していなかったので、次の２つの設問の回答の計を「過半数組合がない」ものとみなす。すなわち、(a)「事業場に労働組合はない」の回答（82.8%）と、(b)「労働組合が１つある」または「労働組合が２つ以上ある」の回答者への付問「そのうち過半数労働組合はあるか」において、「ない」と回答（3.0%）したものである。したがって、両者の計85.8%が「過半数組合がない」割合と言える。このうちの半数弱（48.8%）の事業所では過半数代表者を選出しており、約４割（41.0%）が過半数代表者の「選出がない」、約１割（10.2%）が「不明」または「無回答」となっている（**図表2-6-18**）。

図表 2-6-18　過半数組合がない事業所の割合（n=6,458, %）

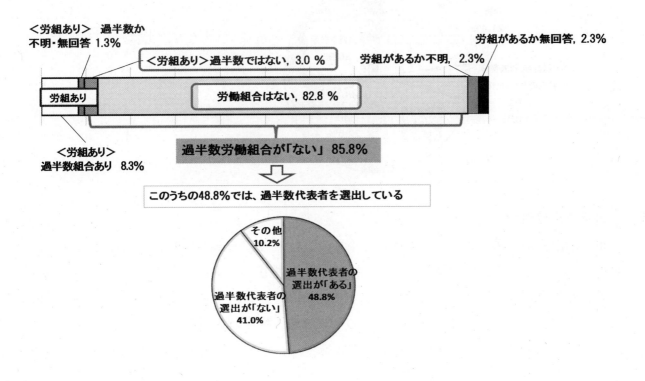

Ⅲ　過半数代表者の選出方法・職位等

1．過半数代表者の選出方法

（1）過半数代表者の選出方法

　過半数代表者を選出したことがある事業所（n=2,786）に選出方法を尋ねたところ、「投票や挙手」30.9%、「信任」22.0%、「話し合い」17.9%、「親睦会の代表者等、特定の者が自動的になる」6.2%、「使用者（事業主や会社）が指名」21.4%、「その他」0.3%、「無回答」1.3%となった（図表 3-1-1）。

図表 3-1-1　過半数代表者の選出方法（n=2,786,%）

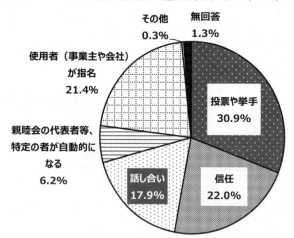

①事業所規模別

　事業所規模別に過半数代表者の選出方法をみると、「投票や挙手」および「信任」の割合は、規模が大きくなるほど概ね高くなり、「話し合い」は規模が小さいほど概ね高い。また「使用者（事業主や会社）」が指名」は、99 人以下で約 2 割を占め、「100～299 人」で 12.2%、「300 人以上」で 6.8%となっている。「親睦会の代表者等、特定の者が自動的になる」はいずれの規模でも 1 割未満である（図表 3-1-2）。

図表 3-1-2　過半数代表者の選出方法／事業所規模別（n=2,786,％）

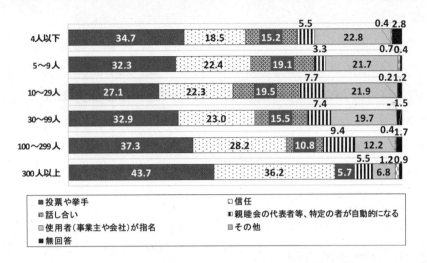

②企業の経営形態別

　企業の経営形態別に過半数代表者の選出方法をみると、「会社（法人）」および「会社以外の法人」は全体の傾向と比べて大きな差はみられないが、「個人経営」では「投票や挙手」の割合が 11.9％と低く、「使用者（事業主や会社）が指名」の割合が 40.3％と高い。「その他（法人格をもたない団体）」についても「投票や挙手」が低く（12.6％）、「その他」と「無回答」が約 6 割を占めている（**図表 3-1-3**）。

図表 3-1-3　過半数代表者の選出方法／企業の経営形態別（n=2,786,％）

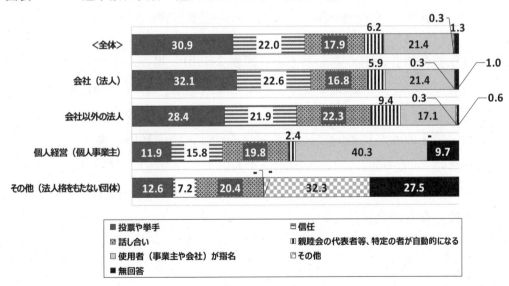

注 1）「全体」は「企業の経営形態」が「無回答」を含む。

注 2）「会社以外の法人」は、協同組合、信用金庫、財団・社団法人、医療・学校・宗教法人等。

（２）信任の候補者の定め方、信任の方法

①信任の候補者の定め方

過半数代表者を「信任」により選出した事業所（n=614）に対し、信任の候補者をどのように定めたのか尋ねたところ、「使用者（事業主や会社）が決める」（54.0%）が最も高く、「その他」（20.1%）、「親睦会の代表者等、特定の者が自動的に候補者となる」（15.3%）、「無回答」（10.6%）の順だった。

企業の経営形態別にみると（**図表 3-1-4**）、いずれも「使用者（事業主や会社）が決める」の割合が最も高く、「個人経営」では約7割（71.6%）を占めている。

図表 3-1-4　信任の候補者の定め方／企業の経営形態別（n=614, %）

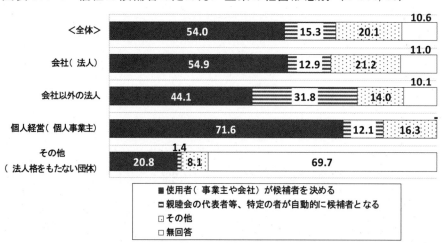

注1)「全体」は「企業の経営形態」が「無回答」を含む。

注2)「会社以外の法人」は、協同組合、信用金庫、財団・社団法人、医療・学校・宗教法人等。

事業所規模別に信任の候補者の定め方をみると（**図表 3-1-5**）、規模が小さくなるほど「使用者（事業主や会社）が決める」割合が高くなっている（「4人以下」71.6%、「5〜9人」56.1%、「10〜29人」49.9%、「30〜99人」49.6%、「100〜299人」34.6%、「300人以上」32.5%）。「親睦会の代表者等、特定の者が自動的に候補者となる」は、いずれの規模でも約1〜2割と大きな差はみられない。「その他」については、「4人以下」（8.2%）が最も低く、「300人以上」（44.9%）が最も高い。「その他」の自由記述には、「前任者からの推薦」や「労働組合からの推薦」、「立候補」などが含まれていた。

図表 3-1-5　信任の候補者の定め方／事業所規模別（n=614, %）

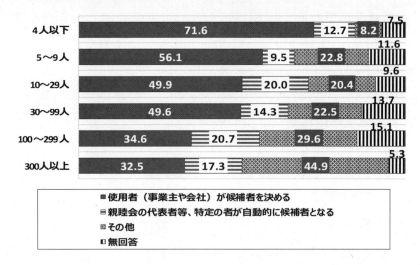

②信任の方法

　信任の方法については、「特段の異議の申出がない限り信任とする」（55.7%）が最も多く、「持ち回り決議」（16.1%）、「挙手」（10.9%）、「投票」（10.4%）などの順となっている。

　企業の経営形態別にみると、「特段の異議の申出がない限り信任とする」が最も高いのは「個人経営」の 73.9% だった（**図表 3-1-6**）。

図表 3-1-6　信任の方法／企業の経営形態別（n=614, %）

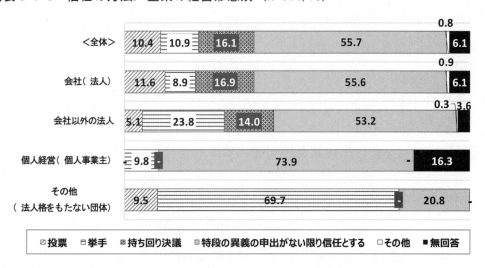

注 1）「全体」は「企業の経営形態」が「無回答」を含む。

注 2）「会社以外の法人」は、協同組合、信用金庫、財団・社団法人、医療・学校・宗教法人等。

事業所規模別に信任の方法をみると（**図表3-1-7**）、規模が小さいほど「特段の異議の申出がない限り信任とする」の割合が概ね高く、規模が大きいほど「投票」の割合が概ね高い。「挙手」については「10〜29人」、「5〜9人」、「100〜299人」で1割を超え、「持ち回り決議」は「30〜99人」と「300人以上」で2割を超えている。

図表3-1-7　信任の方法／事業所規模別（n=614, %）

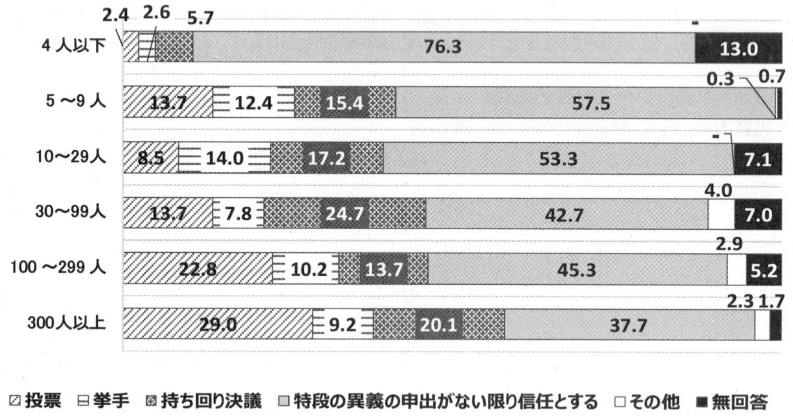

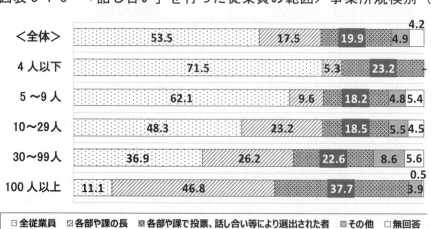

（3）「話し合い」を行った従業員の範囲

過半数代表者を「話し合い」により選出した事業所（n=498）に対し、どの範囲の従業員が話し合いを行ったのか尋ねたところ、「全従業員」（53.5%）が最も多く、「各部や課で投票、話し合い等により選出された者」（19.9%）、「各部や課の長」（17.5%）の順となった。

事業所規模別にみると、規模が小さいほど「全従業員」の割合が高く、規模が大きいほど「各部や課の長」および「各部や課で投票、話し合い等により選出された者」の割合が概ね高くなっている（**図表3-1-8**）。

図表3-1-8　「話し合い」を行った従業員の範囲／事業所規模別（n=498, %）

2．選出の頻度

過半数代表者を選出したことが「ある」事業所（n=2,786）に、選出の頻度を尋ねたところ、「過半数代表者が必要な都度」が 76.2%、「任期を決めて選出」が 18.9%、「その他」3.5%、「無回答」1.4%であり、４分の３以上が「必要な都度」、過半数代表者を選出している（**図表 3-2-1**）。

図表 3-2-1　過半数代表者の選出の頻度（n=2, 786, %）

その他
3.5%
無回答
1.4%
任期を決めて選出
18.9%
「過半数代表者」が必要な手続の都度
76.2%

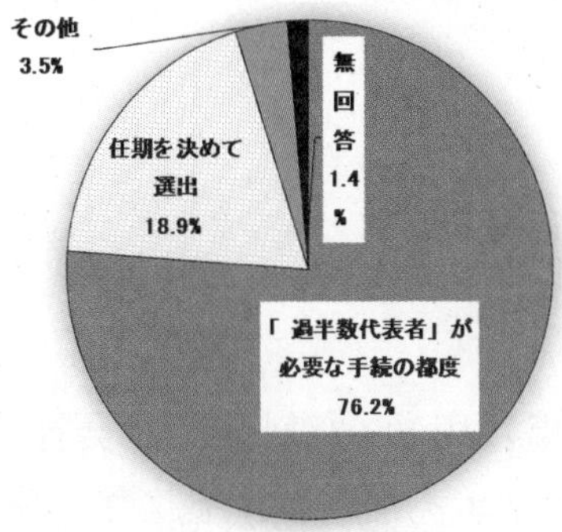

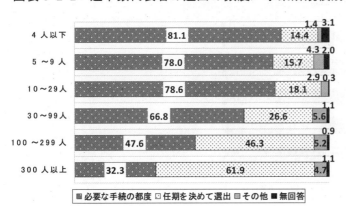

事業所規模別にみると、事業所規模が小さいほど「必要な都度」選出している割合が高く、29 人以下の事業所では約８割を占める。一方、「任期を決めて」選出している割合は規模が大きいほど高く、「300 人以上」事業所では約６割（61.9%）に上る（**図表 3-2-2**）。

図表 3-2-2　過半数代表者の選出の頻度／事業所規模別（n=2, 786, %）

4 人以下
81.1
14.4
1.4
3.1
5 ～9 人
78.0
15.7
4.3
2.0
10～29人
78.6
18.1
2.9
0.3
30～99人
66.8
26.6
5.6
1.1
100 ～299 人
47.6
46.3
5.2
0.9
300 人以上
32.3
61.9
4.7
1.1
必要な手続の都度
任期を決めて選出
その他
無回答

3．選出開始の周知の範囲

過半数代表者を選出したことが「ある」事業所（n=2,786）に、どの範囲の従業員に選出開始を周知しているかを尋ねたところ、「労使協定等が適用される事業場（独立性のない事業所を一括している場合は、それらを含む）の従業員に周知している」（以下「適用事業場に周知」）と回答したのが 76.5%、「労使協定等が適用される事業場のうち、一部の事業所（本社

や支社など）の従業員に周知している」（以下「一部の事業所に周知」）が 10.4%、「周知していない」が 11.7%、「無回答」1.4%だった（**図表 3-3-1**）。

図表 3-3-1　選出開始の周知の範囲（n=2,786,%）

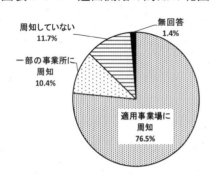

①企業の経営形態別

　企業の経営形態別にみると（**図表 3-3-2**）、「適用事業場に周知」の割合は、「会社」が 76.9%、「会社以外の法人」が 80.0%、「個人経営」が 56.6%、「その他（法人格をもたない団体）」が 100%となっている。次に、「一部の事業所に周知」と回答した割合は、「会社」10.4%、「会社以外の法人」9.6%、「個人経営」16.1%。一方、「周知していない」と回答したのは、「会社」11.4%、「会社以外の法人」9.4%、「個人経営」22.1%と、「個人経営」では 2 割強が「周知していない」と回答している。

図表 3-3-2　選出開始の周知の範囲／企業の経営形態別（n=2,786,%）

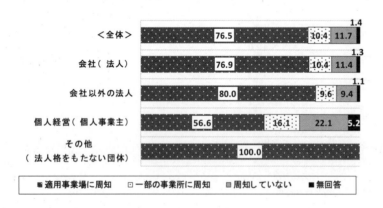

　注 1）「全体」は「企業の経営形態」が「無回答」を含む。
　注 2）「会社以外の法人」は、協同組合、信用金庫、財団・社団法人、医療・学校・宗教法人等。

②事業場の独立性の有無別

　事業場の独立性の有無別にみると（**図表 3-3-3**）、「適用事業場に周知」と回答した割合は、「独立性あり・単独で 1 事業場」（以下「単独事業場」）78.3%、「独立性あり・独立性のない事業場を一括して 1 事業場」（以下「一括事業場」）68.5%、「独立性なし・本社や支社等に一

括されている」（以下「独立性なし」）77.4％となっている。次に、「一部の事業所に周知」と回答した割合は、「単独事業場」が7.8％、「一括事業場」が19.7％、「独立性なし」が13.4％となっており、「一括事業場」の約2割が「一部の事業所に周知している」と回答している。一方、「周知していない」は、「単独事業場」12.6％、「一括事業場」11.3％、「独立性なし」9.1％で、いずれも1割前後である。

図表 3-3-3　選出開始の周知の範囲／事業場の独立性の有無別（n=2,786,％）

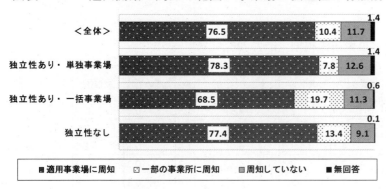

注）「全体」は「事業場の独立性」が「無回答」を含む。

4．過半数代表者の属性
（1）過半数代表者の職位

　過半数代表者を選出したことが「ある」事業所（n=2,786）に、過半数代表者の職位を尋ねたところ、「一般の従業員」が49.4％、「係長・主任・職長・班長クラス」が33.5％、「課長クラス」が5.9％、「部長クラス」が2.9％、「工場長、支店長など事業所の責任者またはこれに準ずる者（以下『工場長、支店長クラス』）」が4.6％、「非正社員」が1.5％などとなり、8割強（82.9％）が「一般の従業員」または「係長・主任・職長・班長クラス」と回答している（図表 3-4-1）。

図表 3-4-1　過半数代表者の職位（n=2,786,％）

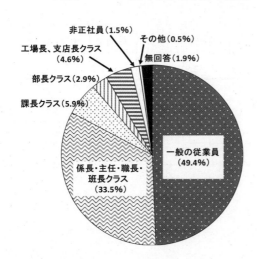

①事業所規模別

　事業所規模別にみると、過半数代表者が「一般の従業員」と回答したのは、「4 人以下」（58.4%）、「5〜9 人」（50.1%）の順に高く、それ以外は40%台後半にあり、顕著な規模間格差はみられない。一方、「係長・主任・職長・班長クラス」の割合は規模が大きいほど高く、「工場長、支店長クラス」の割合は規模が小さいほど高くなっている。なお、従業員規模を「29 人以下」と「30 人以上」に分けた場合、過半数代表者が「工場長、支店長クラス」の割合は、それぞれ 5.4%、0.8%となる。（**図表 3-4-2**）。

図表 3-4-2　過半数代表者の職位／事業所規模別（n=2,786, %）

		一般の従業員	係長・主任・職長・班長クラス	課長クラス	部長クラス	工場長支店長クラス	非正社員	その他	無回答
全体	100.0	49.3	33.5	5.9	2.9	4.6	1.5	0.5	1.9
4人以下	100.0	58.4	22.5	3.2	3.4	6.9	2.4	0.4	2.8
5〜9人	100.0	50.1	31.0	4.7	3.9	6.0	1.4	0.5	2.5
10〜29人	100.0	46.1	36.6	7.5	2.4	4.3	1.2	0.5	1.2
30〜99人	100.0	46.5	40.3	7.2	2.1	0.9	1.4	0.1	1.6
100〜299人	100.0	49.2	41.9	4.5	0.7	0.4	0.3	2.0	1.0
300人以上	100.0	46.4	43.9	3.8	0.9	-	0.1	3.1	1.9
29人以下	100.0	49.8	32.0	5.8	3.1	5.4	1.5	0.5	1.9
30人以上	100.0	46.9	40.6	6.7	1.9	0.8	1.2	0.5	1.5

②企業の経営形態別

　企業の経営形態別にみると、「会社」および「会社以外の法人」では、8 〜 9 割が過半数代表者の職位を「一般の従業員」または「係長・主任・職長・班長クラス」と回答している。「個人経営」では「係長・主任・職長・班長クラス」が 10.1%と低い反面、「工場長、支店長クラス」が 13.0%と高くなっている（**図表 3-4-3**）。

図表 3-4-3　過半数代表者の職位／企業の経営形態別（n=2,786, %）

		一般の従業員	係長・主任・職長・班長クラス	課長クラス	部長クラス	工場長支店長クラス	非正社員	その他	無回答
全体	100.0	49.3	33.5	5.9	2.9	4.6	1.5	0.5	1.9
会社（法人）	100.0	50.0	32.9	6.5	3.2	4.1	1.4	0.2	1.7
会社以外の法人	100.0	42.0	45.9	3.8	0.8	3.7	2.1	0.7	1.0
個人経営（個人事業主）	100.0	56.0	10.1	0.3	2.8	13.0	2.3	5.7	9.7
その他（法人格をもたない団体）	100.0	73.5	26.4	0.1	-	-	-	-	-

注 1)「全体」は「企業の経営形態」が「無回答」を含む。
注 2)「会社以外の法人」は、協同組合、信用金庫、財団・社団法人、医療・学校・宗教法人等。

（2）過半数代表者の職位と選出方法

　過半数代表者の職位別に選出方法をみてみると（**図表 3-4-4**）、「一般の従業員」および「非正社員」は「投票や挙手」で選出された者がそれぞれ 37.2％、34.1％と最も多く、「係長・主任・職長・班長クラス」は「信任」（29.9％）が最も多い。一方、「課長クラス」、「部長クラス」および「工場長、支店長クラス」は、「使用者が指名」がそれぞれ 29.7％、51.3％、33.1％と最も多く、「部長クラス」では半数強が使用者による指名で過半数代表者となっている。「親睦会の代表者等、特定の者が自動的になる」の割合が最も多いのは、「課長クラス」（11.4％）だった。

図表 3-4-4　過半数代表者の職位別の選出方法（n=2,786,%）

		投票や挙手	信任	話し合い	親睦会の代表者等、特定の者が自動的になる	使用者が指名	その他	無回答
全体	100.0	30.9	22.0	17.9	6.2	21.4	0.3	1.3
一般の従業員	100.0	37.2	18.6	19.0	5.2	19.2	0.5	0.2
係長・主任・職長・班長クラス	100.0	27.2	29.9	15.8	6.1	20.4	0.1	0.6
課長クラス	100.0	25.8	13.2	18.9	11.4	29.7	0.0	1.0
部長クラス	100.0	20.0	10.8	13.7	2.8	51.3	1.4	-
工場長、支店長クラス	100.0	12.4	20.2	26.1	8.2	33.1	-	-
非正社員	100.0	34.1	30.7	29.2	-	6.0	0.0	-

注）「全体」は「過半数代表者の職位」が「無回答」を含む。

（3）過半数代表者の組合加入

　過半数代表者が当該事業場の労働組合員か否かを尋ねたところ、「組合員である」と回答したのは 5.7％、「非組合員である」が 2.3％、「事業場に労働組合はない」が 89.6％、「無回答」2.3％だった。なお、この場合の労働組合とは、過半数に満たない労働組合である点に留意されたい（過半数労働組合がある事業所は、過半数代表者を選出する必要がないため）（**図表 3-4-5**）。

図表 3-4-5　過半数代表者の組合加入の有無（n=2,786,%）

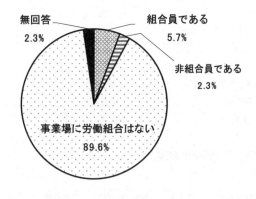

無回答　2.3%
組合員である　5.7%
非組合員である　2.3%
事業場に労働組合はない　89.6%

①事業所規模別

事業所規模別にみると、過半数代表者が「組合員である」と回答した割合は「10〜29人」（4.0％）で最も低くなっているが、それ以降、規模が大きくなるほど「組合員である」の割合は高くなり、「300人以上」では4分の1以上（27.0％）だった（**図表 3-4-6**）。

図表 3-4-6　過半数代表者の組合加入の有無／事業所規模別（n=2,786,％）

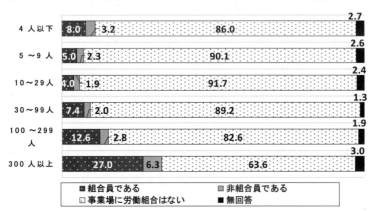

②産業別

産業別にみると、過半数代表者が「組合員である」と回答した割合は、「複合サービス事業」（27.6％）、「金融業，保険業」（23.8％）、「運輸業，郵便業」（12.8％）の順に高くなっており、いずれも「労働組合がある」割合の高い産業である（**図表 3-4-7**）。

図表 3-4-7　過半数代表者の組合加入の有無／産業別（n=2,786,％）

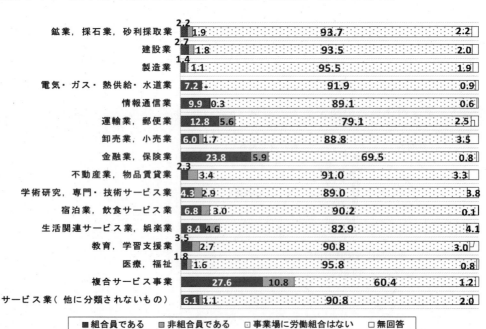

5．複数の過半数代表者

（1）複数代表者の選出の有無

　過半数代表者を選出したことがある事業所（n=2,786）に対し、複数の過半数代表者（以下「複数代表者」）を選出したことがあるかを尋ねたところ、「ある」と答えたのは 2.9%だった。

　複数代表者を選出しているのは、どのような事業所なのだろうか。事業所規模別にみると、規模が大きいほど複数の過半数代表者を選出している割合が多く、「300人以上」では約1割（9.5%）に相当する（**図表 3-5-1**）。

図表 3-5-1　過半数代表者の人数／事業所規模別（n=2,786, %）

	2名以上	1名のみ	無回答
4 人以下	1.7	95.4	2.8
5 ～9 人	2.6	96.1	1.3
10～29人	2.6	96.2	1.3
30～99人	4.7	93.6	1.7
100～299 人	5.7	93.3	1.0
300 人以上	9.5	89.3	1.1

（2）複数代表者の選出理由

　次に、なぜ複数代表者を選出したのか、その理由を尋ねたところ（複数回答）、「従業員数が多く、1人では従業員の意見集約の負担が大きいから」（32.7%）、「労使協定の数が多く、一人では協定内容を把握することが大変だから」（17.4%）、「正社員の代表と、非正社員の代表を選出したから」（16.6%）、「その他」（46.0%）などとなっている（**図表 3-5-2**）。

図表 3-5-2　複数代表者の選出理由（n=79, %）　複数回答

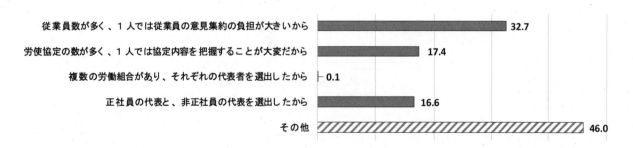

従業員数が多く、1人では従業員の意見集約の負担が大きいから	32.7
労使協定の数が多く、1人では協定内容を把握することが大変だから	17.4
複数の労働組合があり、それぞれの代表者を選出したから	0.1
正社員の代表と、非正社員の代表を選出したから	16.6
その他	46.0

　「その他」の具体的理由は**図表 3-5-3** のとおり。勤務時間や勤務場所、業務内容などが異

なる部門ごとに代表者を選出しているケースや、組合員と非組合員、男性と女性というように、属性や身分の異なる従業員から代表者を選出しているケース、また規模の大きい事業所では、代表者の不在時に対応する副代表を選出しているケースなどもみられた。

図表 3-5-3　複数代表者の選出理由（「その他」の自由記述から抜粋）

・「営業社員と事務社員の労働時間帯が違うため」（10〜29 人／卸売業，小売業）
・「独立性のない事業場でも選出したから」（30〜99 人／サービス業／※独立性のない事業所を
　一括して 1 事業場となっている）
・「教員代表とそれ以外の代表」（30〜99 人／教育，学習支援業）
・「組合員と非組合員」（100〜299 人／運送業，郵便業）
・「周知や意見集約の合理性から組織区分ごとに選出」（100〜299 人／教育，学習支援業）
・「併設の施設の代表を 1 名」（300〜999 人／医療，福祉）
・「正代表が不在時を考え、副代表も選出」（300〜999 人／金融業，保険業）
・「任期途中の異動や退職に対応するため」（300〜999 人／サービス業）
・「男性 1 名、女性 1 名」（300〜999 人／サービス業）

（3）複数代表者の選出方法

それでは、どのように複数代表者を選出しているのだろうか。**図表 3-5-4** をみると、「使用者（事業主や会社）が指名」（32.2%）が最も高く、「話し合い」（27.4%）、「投票や挙手」（19.9%）、「信任」（17.6%）などの順となっている。「過半数代表者は 1 名のみ」の選出方法と比較すると、「使用者の指名」と「話し合い」がそれぞれ 10 ポイント程度高く、「投票や挙手」、「信任」および「親睦会の代表者等、特定の者が自動的になる」が低くなっている。

図表 3-5-4　複数代表者の選出方法（n=2,786,%）

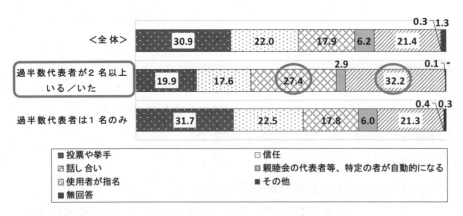

注）「全体」は「何名の過半数代表者を選出したか」が「無回答」を含む。

Ⅳ　「過半数代表」を利用した制度

１．「過半数代表」を利用した制度

　図表 4-1-1 に記載されている様々な制度の手続きにおいて、過去３年間に「過半数代表」（事業場における過半数労働組合または過半数代表者）と労使協定を締結したり、「過半数代表」から意見聴取等をしたことがあるか否かを尋ねたところ、半数強（54.1％）が「手続きを行ったことがある」と回答。「手続きを行ったことがない」は 36.3％、「無回答」は 9.7％だった。

　「手続きを行ったことがある」と回答した具体的な手続き（複数回答）は、「時間外および休日労働（いわゆる３６協定）」（44.1％）が最も高く、「就業規則の作成または変更（意見聴取）」（33.2％）、「変形労働時間の導入（労使協定）」（16.6％）、「育児・介護休業をすることができない労働者に関する定め等、育児・介護休業法に基づくもの（労使協定）」（12.6％）、「年次有給休暇の時間単位・計画的付与（労使協定）」（9.2％）などの順だった（**図表 4-1-2**）。

図表 4-1-1　過半数代表を利用した手続き（一覧）

＜労使協定＞

　１　賃金の一部控除

　２　変形労働時間の導入（１週間、１か月、１年単位）

　３　フレックスタイム制の導入

　４　時間外および休日労働（いわゆる３６協定）

　５　専門業務型裁量労働制の導入

　６　年次有給休暇の時間単位・計画的付与

　７　育児・介護休業をすることができない労働者に関する定め等

　　　育児・介護休業法に基づくもの

＜意見聴取＞

　８　就業規則の作成または変更

　９　（特別）安全衛生改善計画の作成

　10　労働者派遣法に定める派遣受け入れ期間の延長

＜その他＞

　11　企画業務型裁量労働制導入に必要な労使委員会の委員の指名

　12　安全委員会・衛生委員会・安全衛生委員会の委員の推薦

　13　上記以外の手続

図表 4-1-2　「過半数代表」を利用した手続き（n=6,458,％）複数回答

手続き	％
＜手続を行ったことがある＞	54.1
賃金の一部控除	8.0
変形労働時間の導入（１週間、１か月、１年単位）	16.6
フレックスタイム制の導入	2.5
時間外および休日労働（いわゆる３６協定）	44.1
専門業務型裁量労働制の導入	0.8
年次有給休暇の時間単位・計画的付与	9.2
育児・介護休業をすることができない労働者に関する定め等育児・介護休業法に基づくもの	12.6
就業規則の作成または変更	33.2
（特別）安全衛生改善計画の作成	2.3
労働者派遣法に定める派遣受け入れ期間の延長	1.3
企画業務型裁量労働制導入に必要な労使委員会の委員の指名	0.3
安全委員会・衛生委員会・安全衛生委員会の委員の推薦	4.8
上記以外の手続	0.8
＜手続を行ったことがない＞	36.3
＜無回答＞	9.7

①事業所規模別

　事業所規模別に「過半数代表」を利用した手続きの有無をみると、「手続きを行ったことがある」割合は、「4人以下」33.5％、「5〜9人」43.8％、「10〜29人」71.9％、「30〜99人」85.0％、「100〜299人」92.4％、「300人以上」95.0％と、規模が大きいほど「手続きを行ったことがある」割合が高くなる（**図表 4-1-3**）。

図表 4-1-3　「過半数代表」を利用した手続きの有無／事業所規模別（n=6,458,％）

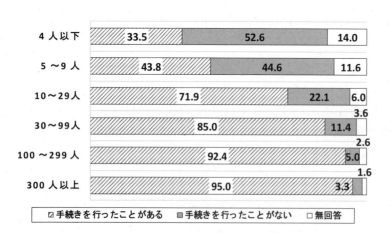

	手続きを行ったことがある	手続きを行ったことがない	無回答
4人以下	33.5	52.6	14.0
5〜9人	43.8	44.6	11.6
10〜29人	71.9	22.1	6.0
30〜99人	85.0	11.4	3.6
100〜299人	92.4	5.0	2.6
300人以上	95.0	3.3	1.6

　個別の手続きをみても、事業所の規模が大きいほど「手続きを行ったことがある」割合は概ね高い。例えば、「時間外および休日労働（いわゆる３６協定）」は、「4人以下」25.8％、「5〜9人」33.3％、「10〜29人」60.1％、「30〜99人」74.4％、「100〜299人」84.6％、「300

人以上」90.6％。「就業規則の作成または変更（意見聴取）」は、「4 人以下」16.0％、「5～9 人」24.7％、「10～29 人」46.7％、「30～99 人」61.7％、「100～299 人」69.5％、「300 人以上」78.1％。ちなみに、就業規則の作成義務のある「10 人以上」でみると 51.6％だが、就業規則を届け出た後、変更が生じなければ毎年の手続きは不要である点に留意が必要である。

　「フレックスタイム制の導入」、「専門業務型裁量労働制の導入」、「労働者派遣法に定める派遣受け入れ期間の延長」、「企画業務型裁量労働制導入に必要な労使委員会の委員の指名」については、「300 人以上」で突出している（**図表 4-1-4**）。

図表 4-1-4　「過半数代表」を利用した手続き／事業所規模別（n=6,458,％）複数回答

| | | 手続きを行ったことがある | 労使協定 | | | | | | | 意見聴取 | | その他 | | | 左記以外の手続 | 手続きを行ったことがない | 無回答 |
			賃金の一部控除	変形労働時間の導入（1週間、1か月、1年単位）	フレックスタイム制の導入	時間外および休日労働（いわゆる36協定）	専門業務型裁量労働制の導入	計画的付与・年次有給休暇の時間単位	育児・介護休業に関する定めができない労働者等	就業規則の作成または変更	（特別）安全衛生改善計画の作成	受け入れ期間の延長労働者派遣法に定める派遣	必要な労使委員会の委員の指名企画業務型裁量労働制導入に	安全衛生委員会・衛生委員会の委員の推薦			
全体	100.0	54.1	8.0	16.6	2.5	44.1	0.8	9.2	12.6	33.2	2.3	1.3	0.3	4.8	0.8	36.3	9.7
4人以下	100.0	33.5	3.7	9.1	2.1	25.8	0.2	5.4	7.1	16.0	2.0	0.4	0.4	1.7	1.0	52.6	14.0
5～9人	100.0	43.8	6.2	13.3	1.8	33.3	0.5	8.3	8.9	24.7	2.0	0.5	0.1	2.5	0.7	44.6	11.6
10～29人	100.0	71.9	9.9	23.1	2.3	60.1	1.1	10.7	15.5	46.7	1.7	1.8	0.3	3.6	0.6	22.1	6.0
30～99人	100.0	85.0	17.1	27.5	5.1	74.4	1.9	15.8	26.1	61.7	4.9	2.7	0.7	17.9	1.2	11.4	3.6
100～299人	100.0	92.4	22.8	24.9	7.9	84.6	3.7	22.0	35.3	69.5	7.9	8.8	1.7	33.7	1.8	5.0	2.6
300人以上	100.0	95.0	30.2	25.6	(17.7)	90.6	(13.0)	29.8	41.5	78.1	10.4	(15.9)	(5.4)	42.9	2.8	3.3	1.6
9人以下	100.0	39.1	5.0	11.3	1.9	29.9	0.4	7.0	8.1	20.7	2.0	0.5	0.2	2.2	0.8	48.3	12.7
29人以下	100.0	49.8	6.6	15.2	2.0	39.7	0.6	8.2	10.5	29.2	1.9	0.9	0.2	2.6	0.7	39.7	10.5
10人以上	100.0	76.1	12.4	24.2	3.4	64.9	1.5	12.6	19.2	51.6	2.8	2.5	0.5	8.7	0.8	18.6	5.2
30人以上	100.0	86.5	18.5	27.0	6.0	76.6	2.6	17.3	28.2	63.6	5.6	4.2	1.0	21.4	1.4	10.1	3.4

②事業所規模別×所属企業規模別

　所属する企業の規模が大きいほど、「手続きを行ったことがある」割合は概ね高くなる。

　例えば「4 人以下」事業所の場合、所属企業規模が「9 人以下」では「手続きを行ったことがある」のは 20.6％に過ぎないが、「10～29 人」では 50.5％、「30～99 人」では 68.9％などと、規模が大きくなると「手続きを行ったことがある」割合は概ね高い（**図表 4-1-5**）。

　事業所規模ごとにそれぞれの所属企業規模別に「過半数代表」を利用した各種手続きを行った割合を示したものが**図表 4-1-6** である。

図表 4-1-5 「過半数代表」を利用した手続きの有無／「4人以下」事業所×所属企業規模別（n=1,766,%）

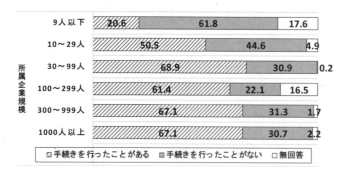

所属企業規模	手続きを行ったことがある	手続きを行ったことがない	無回答
9人以下	20.6	61.8	17.6
10～29人	50.5	44.6	4.9
30～99人	68.9	30.9	0.2
100～299人	61.4	22.1	16.5
300～999人	67.1	31.3	1.7
1000人以上	67.1	30.7	2.2

☑手続きを行ったことがある ■手続きを行ったことがない □無回答

注）「全体」は「所属企業規模」が「無回答」を含む。

図表 4-1-6 「過半数代表」を利用した手続き／事業所規模別×所属企業規模別（％）複数回答

	全体	手続きを行ったことがある	賃金の一部控除	変形労働時間の導入（1週間、1か月、1年単位）	フレックスタイム制の導入	時間外および休日労働（いわゆる36協定）	専門業務型裁量労働制の導入	計画的付与年次有給休暇の時間単位・	育児・介護休業法に基づくもの等できない労働者に関する定め育児・介護休業をすることが	就業規則の作成または変更	安全衛生改善計画の作成（特別）	受け入れ期間の延長労働者派遣法に定める派遣	必要な労使委員会の委員の指名企画業務型裁量労働制導入に	安全委員会・衛生委員会・衛生委員会の委員の推薦	左記以外の手続	手続きを行ったことがない	無回答
全体	100.0	54.1	8.0	16.6	2.5	44.1	0.8	9.2	12.6	33.2	2.3	1.3	0.3	4.8	0.8	36.3	9.7
「4人以下」事業所（n=1,766）																	
全体	100.0	33.5	3.7	9.1	2.1	25.8	0.2	5.4	7.1	16.0	2.0	0.4	0.4	1.7	1.0	52.6	14.0
1000人以上	100.0	67.1	17.4	5.6	6.0	55.8	1.5	23.7	23.0	32.5	11.8	4.0	2.3	16.1	4.7	30.7	2.2
300～999人	100.0	67.1	3.5	16.4	-	52.4	-	6.6	23.2	39.4	5.2	0.4	-	12.2	-	31.3	1.7
100～299人	100.0	61.4	7.9	6.4	1.3	60.5	-	11.7	10.7	33.9	-	-	-	-	-	22.1	16.5
30～99人	100.0	68.9	3.0	11.4	4.0	54.4	-	17.4	25.0	49.6	4.9	1.3	-	2.2	0.8	30.9	0.2
10～29人	100.0	50.5	1.3	20.9	-	41.4	-	1.3	7.2	13.6	-	1.2	-	-	-	44.6	4.9
9人以下	100.0	20.6	2.7	7.5	2.1	13.9	0.1	2.5	2.5	8.2	1.1	-	0.4	0.2	1.0	61.8	17.6
「5～9人」事業所（n=2,076）																	
全体	100.0	43.8	6.2	13.3	1.8	33.3	0.5	8.3	8.9	24.7	2.0	0.5	0.1	2.5	0.7	44.6	11.6
1000人以上	100.0	81.3	18.2	13.5	5.3	78.9	2.1	27.0	28.0	54.4	1.4	2.5	-	9.7	0.3	15.8	2.9
300～999人	100.0	71.1	11.3	10.4	2.1	63.2	1.6	8.1	33.6	50.5	2.1	0.7	0.7	6.8	5.8	14.4	14.5
100～299人	100.0	85.5	12.6	21.1	1.0	66.3	0.2	9.0	16.8	47.0	3.5	2.2	-	4.4	-	10.1	4.4
30～99人	100.0	64.7	7.2	28.2	0.3	42.0	1.1	3.4	13.5	38.3	5.7	-	-	0.7	-	29.6	5.7
10～29人	100.0	41.1	5.8	16.3	-	30.1	-	3.1	0.1	21.0	3.5	0.5	-	3.5	-	46.2	12.8
9人以下	1,280	27.5	2.9	10.5	1.8	18.4	0.2	6.9	2.5	13.2	1.3	0.1	-	0.9	0.4	59.1	13.4
「10～29人」事業所（n=1,861）																	
全体	100.0	71.9	9.9	23.1	2.3	60.1	1.1	10.7	15.5	46.7	1.7	1.8	0.3	3.6	0.6	22.1	6.0
1000人以上	100.0	83.0	21.4	19.2	6.3	75.5	2.5	18.2	23.8	61.3	3.6	5.4	1.7	9.8	-	14.4	2.5
300～999人	100.0	81.7	16.7	23.6	1.1	71.3	0.1	7.8	22.3	53.5	0.8	3.2	-	3.9	0.6	11.5	6.7
100～299人	100.0	84.9	15.7	31.6	4.5	78.0	0.7	11.2	30.5	60.0	4.6	3.1	-	3.5	-	14.2	0.9
30～99人	100.0	83.0	6.4	35.1	1.1	68.8	1.3	13.4	15.2	57.1	1.8	0.9	-	4.7	1.1	8.8	8.2
10～29人	100.0	59.6	3.5	19.0	0.9	45.1	0.9	7.9	7.1	33.9	0.6	0.1	-	1.0	0.8	32.8	7.6
「30～99人」事業所（n=607）																	
全体	100.0	85.0	17.1	27.5	5.1	74.4	1.9	15.8	26.1	61.7	4.9	2.7	0.7	17.9	1.2	11.4	3.6
1000人以上	100.0	88.2	32.8	28.6	11.3	84.6	2.6	19.8	33.8	67.5	5.2	4.9	2.3	30.8	2.3	8.3	3.5
300～999人	100.0	94.2	23.0	39.3	3.0	80.3	2.5	16.5	38.6	69.9	3.6	3.8	-	23.0	1.1	2.6	3.2
100～299人	100.0	88.3	8.7	24.4	1.2	79.1	3.1	20.3	30.0	70.0	2.7	2.1	0.3	15.0	-	8.6	3.1
30～99人	100.0	78.4	8.7	24.5	3.5	63.9	0.7	11.3	15.7	52.4	6.0	1.1	0.1	9.5	1.0	17.6	4.1
「100～299人」事業所（n=118）																	
全体	100.0	92.4	22.8	24.9	7.9	84.6	3.7	22.0	35.3	69.5	7.9	8.8	1.7	33.7	1.8	5.0	2.6
1000人以上	100.0	92.0	35.1	22.3	10.8	85.0	5.6	33.3	34.0	65.7	8.0	9.9	2.7	45.0	2.5	4.6	3.4
300～999人	100.0	96.1	13.4	28.9	6.3	88.8	2.3	18.8	37.6	76.0	9.2	14.6	0.4	32.0	1.5	3.6	0.4
100～299人	100.0	90.8	16.0	25.0	5.8	82.3	2.7	12.9	35.5	69.6	7.3	4.8	1.5	23.8	1.2	6.2	3.0
「300～999人」事業所（n=26）																	
全体	100.0	94.8	28.7	24.6	16.2	90.5	11.3	29.0	40.9	77.5	10.0	14.9	4.7	41.4	2.6	3.6	1.6
1000人以上	100.0	95.6	31.4	23.3	20.4	92.1	14.6	34.5	39.0	76.0	9.6	14.7	6.0	43.0	2.7	2.6	1.7
300～999人	100.0	93.6	23.8	27.2	8.1	87.9	5.0	17.9	44.7	80.7	10.7	15.4	2.2	38.6	2.4	5.1	1.3

注）「全体」は「所属企業規模」が「無回答」を含む。

③正社員規模別

　正社員規模別に「過半数代表」を利用した手続きの有無をみると、例えば「300人以上」事業所において正社員規模が「29人以下」の場合、「手続きを行ったことがある」のは73.3%だが、正社員規模「30～99人」で84.5%、同「100～299人」で94.0%、同「300人以上」で 97.4%と、規模が大きくなるほど「手続きを行ったことがある」割合が高くなる（**図表4-1-7**）。

　他の事業所規模における正社員規模別の割合は**図表4-1-8** のとおり。いずれの事業所規模でも、正社員規模が大きくなると「手続きを行ったことがある」割合が概ね高いことがみてとれる。

図表 4-1-7　「300人以上」事業所・正社員規模別／「過半数代表」を利用した手続きの有無（n=30, %）

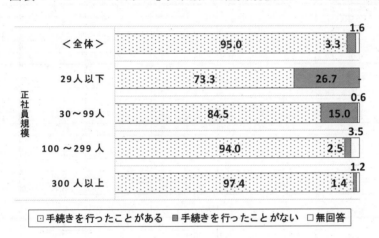

注）「全体」は「正社員規模」が「無回答」を含む。

図表 4-1-8　「過半数代表」を利用した各手続き／事業所規模別×正社員規模別（n=6,458,%）複数回答

	全体	手続きを行ったことがある	労使協定 賃金の一部控除	変形労働時間の導入（1週間、1か月、1年単位）	フレックスタイム制の導入	時間外および休日労働（いわゆる36協定）	専門業務型裁量労働制の導入	計画的付与・年次有給休暇の時間単位	育児・介護休業をすることができない労働者に関する定めが育児・介護休業法に基づくもの等	意見聴取 就業規則の作成または変更	（特別）安全衛生改善計画の作成	労働者派遣法に定める派遣受け入れ期間の延長	その他 企画業務型裁量労働制導入に必要な労使委員会の委員の指名	安全委員会・衛生委員会の委員の推薦	左記以外の手続	手続きを行ったことがない	無回答
全体	100.0	54.1	8.0	16.6	2.5	44.1	0.8	9.2	12.6	33.2	2.3	1.3	0.3	4.8	0.8	36.3	9.7
「300人以上」事業所（n=30）																	
全体	100.0	95.0	30.2	25.6	17.7	90.6	13.0	29.8	41.5	78.1	10.4	15.9	5.4	42.9	2.8	3.3	1.6
29人以下	100.0	73.3	19.1	16.9		62.1	-	-	37.4	65.5		7.0		7.0		26.7	
30～99人	100.0	84.5	23.3	24.2	8.9	76.9	15.0	33.2	51.1	70.7	19.0	3.7	-	26.5	0.6	15.0	0.6
100～299人	100.0	94.0	27.3	24.4	9.5	89.9	9.0	25.7	35.0	77.0	7.7	9.2	1.5	40.3	3.5	2.5	3.5
300人以上	100.0	97.4	32.5	26.3	22.3	93.5	14.4	31.6	42.8	80.1	10.5	20.2	7.6	47.2	3.0	1.4	1.2
「100～299人」事業所（n=118）																	
全体	100.0	92.4	22.8	24.9	7.9	84.6	3.7	22.0	35.3	69.5	7.9	8.8	1.7	33.7	1.8	5.0	2.6
4人以下	100.0	86.3	10.8	-	42.4	80.7	-	-	53.2	86.3		-		13.7		13.7	
5～9人	100.0	84.1	11.4	14.7	-	70.8	-	7.2	31.0	49.7	-	1.5	-	18.6	2.3	12.2	3.7
10～29人	100.0	86.9	20.8	27.8	2.6	79.2	-	23.6	31.3	47.2	7.4	0.6	-	13.9	-	10.2	2.9
30～99人	100.0	91.4	21.8	27.6	4.7	82.9	4.2	23.7	31.9	67.1	9.3	5.5	0.6	33.1	1.8	4.8	3.8
100～299人	100.0	94.4	24.4	23.3	10.9	87.2	4.2	21.5	38.2	75.5	7.4	12.8	2.9	38.2	2.1	3.9	1.7
「30～99人」事業所（n=607）																	
全体	100.0	85.0	17.1	27.5	5.1	74.4	1.9	15.8	26.1	61.7	4.9	2.7	0.7	17.9	1.2	11.4	3.6
4人以下	100.0	70.9	17.2	12.1	6.1	68.2	-	3.1	12.8	38.8	2.2	2.2	-	21.0	3.7	22.5	6.6
5～9人	100.0	68.1	10.1	29.7	8.9	50.9	-	6.9	26.4	46.9	2.7	-	-	7.0	-	29.2	2.7
10～29人	100.0	82.0	18.0	30.4	5.7	71.8	0.7	15.9	27.5	59.6	5.6	2.0	-	12.8	1.6	13.5	4.5
30～99人	100.0	90.0	17.0	28.3	4.3	78.8	2.8	18.5	27.0	67.3	5.2	3.3	1.2	21.0	0.8	7.1	2.9
「10～29人」事業所（n=1,861）																	
全体	100.0	71.9	9.9	23.1	2.3	60.1	1.1	10.7	15.5	46.7	1.7	1.8	0.3	3.6	0.6	22.1	6.0
4人以下	100.0	64.5	11.6	13.6	0.6	51.4	0.6	6.6	5.7	42.9	2.0	0.2	-	1.2	-	28.0	7.6
5～9人	100.0	63.3	8.4	19.2	1.4	49.7	0.5	9.0	13.3	41.6	0.8	2.6	0.3	2.0	0.7	27.7	9.0
10～29人	100.0	77.6	9.8	28.1	3.2	66.7	1.5	12.8	20.2	50.1	2.0	2.2	0.4	5.1	0.8	18.0	4.4
「9人以下」事業所（n=3,842）																	
全体	100.0	39.1	5.0	11.3	1.9	29.9	0.4	7.0	8.1	20.7	2.0	0.5	0.2	2.2	0.8	48.3	12.7
4人以下	100.0	35.6	4.6	9.9	1.9	27.6	0.3	6.0	7.9	18.0	1.9	0.4	0.2	2.1	0.9	51.3	13.0
5～9人	100.0	49.9	6.1	15.8	2.1	37.0	0.5	9.6	8.7	28.9	2.2	0.8	0.2	2.3	0.5	39.6	10.5
「29人以下」事業所（n=5,703）																	
全体	100.0	49.8	6.6	15.2	2.0	39.7	0.6	8.2	10.5	29.2	1.9	0.9	0.2	2.6	0.7	39.7	10.5
4人以下	100.0	39.3	5.5	10.4	1.8	30.7	0.3	6.1	7.6	21.2	2.0	0.3	0.2	2.0	0.8	48.3	12.3
5～9人	100.0	53.6	6.8	16.7	1.9	40.5	0.5	9.5	10.0	32.3	1.8	1.3	0.2	2.2	0.5	36.4	10.1
10～29人	100.0	77.6	9.8	28.1	3.2	66.7	1.5	12.8	20.2	50.1	2.0	2.2	0.4	5.1	0.8	18.0	4.4

（左端に縦書きで「正社員規模」）

注）「全体」は「正社員規模」が「無回答」を含む。

④所属企業規模別

　所属企業規模別に「手続きを行ったことがある」割合をみると、「4人以下」19.5%、「5～9人」27.8%、「10～29人」56.7%、「30～99人」75.4%、「100～299人」82.0%など、規模が大きくなると割合が概ね高くなっている。各手続きについても、規模が大きくなると概ね高くなる傾向にあり、「賃金の一部控除」、「フレックスタイム制の導入」、「専門業務型裁量労働制の導入」、「年次有給休暇の時間単位・計画的付与」、「労働者派遣法に定める派遣受け入れ期間の延長」、「企画業務型裁量労働制導入に必要な労使委員会の委員の指名」などは「1,000人以上」で突出している。一方、「変形労働時間の導入」については「30～99人」（26.3%）が最も高くなっている（**図表4-1-9**）。

図表 4-1-9　「過半数代表」を利用した各手続／所属企業規模 （n=6,458,%）複数回答

	手続きを行ったことがある	労使協定							意見聴取			その他		左記以外の手続	手続きを行ったことがない	無回答
		賃金の一部控除	変形労働時間の導入（1週間、1か月、1年単位）	フレックスタイム制の導入	時間外および休日労働（いわゆる36協定）	専門業務型裁量労働制の導入	計画的付与年次有給休暇の時間単位・	育児・介護休業法に基づく定めがもめること等ができない労働者に関する	就業規則の作成または変更	安全衛生改善計画の（特別）作成	労働者派遣法に定める期間の延長受け入れ派遣	企画業務型裁量労働制導入に必要な労使委員会の委員の指名	安全衛生委員会・衛生委員会の委員の推薦			
全体	100.0	54.1	8.0	16.6	2.5	44.1	0.8	9.2	12.6	33.2	2.3	1.3	0.3	4.8	0.8	36.3	9.7
4人以下	100.0	19.5	3.0	6.8	1.8	12.5	0.1	2.7	2.2	8.4	1.2	-	0.4	0.3	1.1	62.7	17.9
5～9人	100.0	27.8	2.7	10.8	2.0	19.1	0.2	6.3	2.8	12.7	1.2	0.1	-	0.8	0.4	58.6	13.5
10～29人	100.0	56.7	3.5	19.0	0.7	43.2	0.7	6.7	6.4	30.2	0.8	0.2	-	1.2	0.7	35.5	7.8
30～99人	100.0	75.4	6.8	26.3	2.2	59.4	0.8	11.3	16.6	50.5	4.5	0.9	-	5.1	0.8	19.5	5.0
100～299人	100.0	82.0	12.5	23.0	2.6	72.3	0.9	12.2	23.7	54.2	3.4	2.3	0.1	6.3	0.1	13.0	5.0
300～999人	100.0	79.1	14.0	21.4	1.8	68.4	1.0	9.6	28.8	54.2	2.8	2.9	0.2	10.5	2.0	13.8	7.1
1000人以上	100.0	82.8	23.7	18.7	7.7	77.0	2.9	22.3	27.7	58.6	4.8	5.1	1.7	17.7	1.3	14.4	2.8
9人以下	100.0	24.1	2.8	9.0	1.9	16.2	0.2	4.7	2.5	10.8	1.2	0.1	0.2	0.6	0.7	60.4	15.4
29人以下	100.0	34.2	3.0	12.1	1.5	24.5	0.3	5.3	3.7	16.8	1.1	0.1	0.1	0.8	0.7	52.7	13.1
10人以上	100.0	73.3	11.3	21.4	2.9	61.9	1.3	12.1	19.0	47.6	3.1	2.1	0.4	7.5	0.9	21.1	5.7
30人以上	100.0	79.9	14.4	22.4	3.8	69.3	1.5	14.3	24.0	54.5	4.0	2.8	0.6	10.1	1.0	15.3	4.8

注）「全体」は「所属企業規模」が「無回答」を含む。

⑤企業の経営形態別

企業の経営形態別に「手続きを行ったことがある」割合をみると、「会社」60.2％、「会社以外の法人」65.4％、「個人経営」18.2％、「その他（法人格をもたない団体）」21.6％となり、「個人経営」と「その他」で突出して低い。

さらに「個人経営」について、事業所規模別に「手続きを行ったことがある」割合をみてみると（図表 4-1-10）、「4 人以下」では 11.4％と低いが、「5～9 人」19.2％、「10～29 人」43.7％、「30 人以上」75.9％と、規模が大きいほど高くなっている。

図表 4-1-10　「過半数代表」を利用した手続きの有無／個人経営×事業所規模別 （n=927,%）

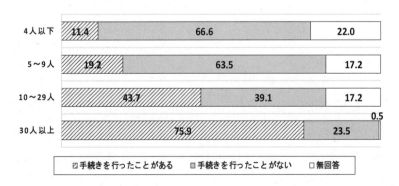

	手続きを行ったことがある	手続きを行ったことがない	無回答
4人以下	11.4	66.6	22.0
5～9人	19.2	63.5	17.2
10～29人	43.7	39.1	17.2
30人以上	75.9	23.5	0.5

⑥産業別

　産業別に「手続きを行ったことがある」割合をみると（**図表 4-1-11**）、「電気・ガス・熱供給・水道業」（87.6%）、「運輸業，郵便業」（83.7%）、「金融業，保険業」（73.3%）、「複合サービス事業」（69.2%）の順で高く、「学術研究，専門・技術サービス業」（40.0%）、「宿泊業，飲食サービス業」（40.3%）、「不動産業，物品賃貸業」（41.2%）など順で低くなっている。

　下図（図表 4-1-11）と、産業別の「過半数代表」がある割合（図表 2-6-7，47 頁）を比較すると、全体的な傾向が非常に近似している。

図表 4-1-11　　「過半数代表」を利用した手続きの有無／産業別（n=6,458, %）

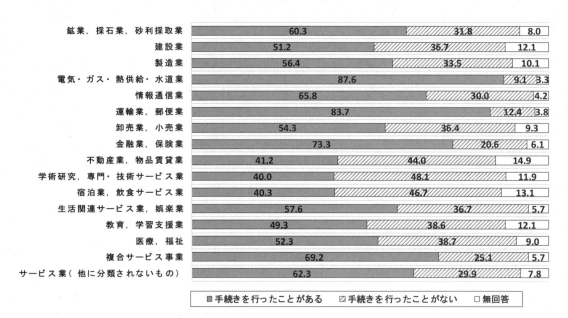

　さらに各産業を事業所規模「29 人以下」と「30 人以上」に分けてみたものが**図表 4-1-12**である。これによると、「29 人以下」で「手続きを行ったことがある」割合は全産業で 49.8%である。最も高いのは「電気・ガス・熱供給・水道業」（83.8%）、次いで「運輸業，郵便業」（80.8%）、「金融業，保険業」（70.2%）などの順。割合が低いのは「学術研究，専門・技術サービス業」（35.7%）、「宿泊業、飲食サービス業」（37.1%）、「不動産業，物品賃貸業」（38.7%）などの順である。

　「30 人以上」で「手続きを行ったことがある」割合は 86.5%と高く、「宿泊、飲食サービス業」（74.8%）を除く産業では 8 割を超えている。

　「29 人以下」と「30 人以上」の「手続きを行ったことがある」割合を比較すると、「学術研究，専門・技術サービス業」がそれぞれ 35.7%と 90.2%、「不動産業，物品賃貸業」が 38.7%と 86.3%、「宿泊業，飲食サービス業」が 37.1%と 74.8%、「医療，福祉」が 45.7%と 89.9%などと、大きな乖離がみられる。

一方、乖離が相対的に小さいのは、「電気・ガス・熱供給・水道業」（83.8%、94.5%）、「運輸業，郵便業」（80.8%、91.6%）、「金融業，保険業」（70.2%、88.9%）、「複合サービス事業」（67.5%、90.8%）などである。

図表 4-1-12　「過半数代表」を利用した手続きの有無／産業別×事業所規模別（2区分）

	全 体 (n=6,458) %			29人以下 (n=5,703) %			30人以上 (n=755) %		
	手続きあり	手続きなし	無回答	手続きあり	手続きなし	無回答	手続きあり	手続きなし	無回答
全 体	54.1	36.3	9.7	49.8	39.7	10.5	86.5	10.1	3.4
鉱業，採石業，砂利採取業	60.3	31.8	8.0	57.9	33.7	8.4	91.6	6.3	2.1
建設業	51.2	36.7	12.1	48.6	38.6	12.8	93.5	5.6	0.9
製造業	56.4	33.5	10.1	48.8	39.4	11.9	86.9	10.2	2.9
電気・ガス・熱供給・水道業	87.6	9.1	3.3	83.8	12.3	3.9	94.5	3.3	2.2
情報通信業	65.8	30.0	4.2	60.8	35.7	3.5	83.9	9.6	6.5
運輸業，郵便業	83.7	12.4	3.8	80.8	15.2	4.0	91.6	5.0	3.4
卸売業，小売業	54.3	36.4	9.3	51.6	38.4	10.0	85.2	13.7	1.1
金融業，保険業	73.3	20.6	6.1	70.2	22.5	7.3	88.9	10.9	0.1
不動産業，物品賃貸業	41.2	44.0	14.9	38.7	46.0	15.3	86.3	7.1	6.6
学術研究，専門・技術サービス業	40.0	48.1	11.9	35.7	51.4	12.9	90.2	9.8	0.0
宿泊業，飲食サービス業	40.3	46.7	13.1	37.1	49.6	13.3	74.8	15.3	9.9
生活関連サービス業，娯楽業	57.6	36.7	5.7	55.4	38.8	5.9	82.5	13.4	4.1
教育，学習支援業	49.3	38.6	12.1	44.7	41.9	13.4	82.2	15.0	2.8
医療，福祉	52.3	38.7	9.0	45.7	44.6	9.8	89.9	5.6	4.6
複合サービス事業（郵便局，協同組合など）	69.2	25.1	5.7	67.5	26.6	5.9	90.8	5.8	3.4
サービス業（他に分類されないもの）	62.3	29.9	7.8	57.9	33.4	8.7	86.4	10.6	2.9

　次に、各手続きごとに産業別の「手続きを行ったことがある」割合をみていく（**図表 4-1-13**）。

（a）時間外および休日労働（３６協定）

　「電気・ガス・熱供給・水道業」（84.5%）、「運輸業，郵便業」（77.6%）、「金融業，保険業」（66.0%）、「複合サービス事業」（63.8%）の順で高い。一方、割合が低いのは、「不動産業，物品賃貸業」（28.1%）、「学術研究，専門・技術サービス業」（31.2%）、「宿泊業，飲食サービス業」（32.8%）の順である。

（b）就業規則の作成または変更

　「運輸業，郵便業」（50.4%）、「金融業，保険業」（49.0%）、「電気・ガス・熱供給・水道業」（47.4%）、「複合サービス事業」（47.3%）の順で高い。一方、割合が低いのは、「学術研究，専門・技術サービス業」（21.7%）、「建設業」（23.5%）、「宿泊業，飲食サービス業」（25.2%）の順である。

（c）変形労働時間の導入

　「鉱業，採石業，砂利採取業」（30.0%）が最も高く、「運輸業，郵便業」（27.9%）、「教育，学習支援業」（25.8%）、「製造業」（22.5%）、「生活関連サービス業，娯楽業」（21.6%）、「建設業」（20.7%）の順で高くなっている。

（d）育児・介護休業をすることができない労働者に関する定め等、育児・介護休業法に基づ
　くもの（労使協定）

　「金融業，保険業」（34.8％）、「電気・ガス・熱供給・水道業」（31.7％）、「複合サービス
事業」（27.6％）、「情報通信業」（19.2％）、「運輸業，郵便業」（18.3％）などの順で高い。一
方、割合が低いのは、「宿泊業，飲食サービス業」（5.3％）、「学術研究，専門・技術サービス
業」（6.4％）、「建設業」（8.8％）、「鉱業，採石業，砂利採取業」（9.7％）の順である。

図表 4-1-13　「過半数代表」を利用した各手続き（「手続きを行ったことがある」割合）
　　　　　　　／産業別（n=6,458,％）

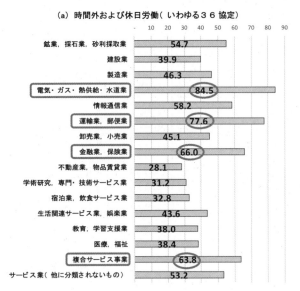

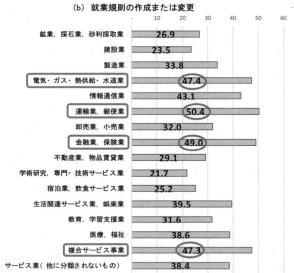

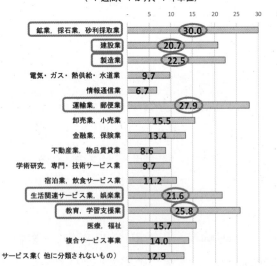

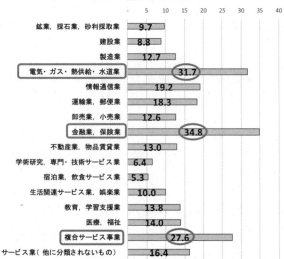

⑦事業所形態別

　事業所形態別に「手続きを行ったことがある」割合をみると、「研究所」（83.7%）と「輸送・配送センター」（83.6%）が8割以上と高く、「店舗、飲食店」（43.3%）、「病院、医療・介護施設」（48.9%）は5割を下回っている（**図表4-1-14**）。

図表4-1-14　「過半数代表」を利用した各手続きの割合／事業所形態（n=6,458,　%）

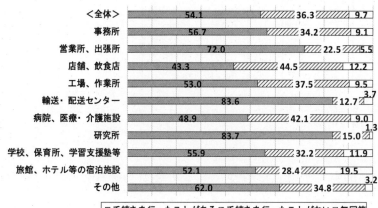

注1)「全体」は「事業所形態」が「無回答」を含む。
注2)「工場、作業所」は鉄道の駅や発電所、倉庫を含む。

　さらに各事業所形態を事業所規模「29人以下」と「30人以上」で分けてみたものが**図表4-1-15**である。これによると、「29人以下」で「手続きを行ったことがある」割合が最も高いのは「輸送・配送センター」（87.2%）で、次いで「研究所」（72.8%）、「営業所、出張所」（69.9%）などの順。割合が低いのは「店舗・飲食店」（40.7%）、「病院、医療・介護施設」（41.8%）の順である。

　「30人以上」はいずれの形態でも7割を超えている。最も高いのは「研究所」（95.2%）で、最も低いのは「輸送・配送センター」（73.2%）だった。

　「29人以下」と「30人以上」の「手続きを行ったことがある」割合をみると、「病院、医療・介護施設」（41.8%、89.3%）や「店舗、飲食店」（40.7%、80.3%）などで乖離が相対的に大きくなっている。「輸送・配送センター」のみ、「29人以下」（87.2%）のほうが「30人以上」（73.2%）よりも「手続きを行ったことがある」割合が高くなっている。

図表 4-1-15 　「過半数代表」を利用した手続きの有無／事業所形態別×事業所規模別（２区分）

	全 体 (n=6,458) %			29人以下 (n=5,703) %			30人以上 (n=755) %		
	手続きあり	手続きなし	無回答	手続きあり	手続きなし	無回答	手続きあり	手続きなし	無回答
全 体	54.1	36.3	9.7	49.8	39.7	10.5	86.5	10.1	3.4
事務所	56.7	34.2	9.1	52.4	37.6	9.9	89.1	8.1	2.8
営業所、出張所	72.0	22.5	5.5	69.9	24.3	5.8	90.1	7.0	2.9
店舗、飲食店	43.3	44.5	12.2	40.7	46.5	12.7	80.3	15.2	4.5
工場、作業所	53.0	37.5	9.5	46.8	42.4	10.8	85.7	11.6	2.7
輸送・配送センター	83.6	12.7	3.7	87.2	7.9	4.9	73.3	26.4	0.4
病院、医療・介護施設	48.9	42.1	9.0	41.8	48.2	10.0	89.3	7.1	3.6
研究所	83.7	15.0	1.3	72.8	27.2	0.0	95.2	2.2	2.6
学校、保育所、学習支援塾等	55.9	32.2	11.9	49.5	37.4	13.1	86.0	7.3	6.6
旅館、ホテル等の宿泊施設	52.1	28.4	19.5	44.9	32.1	23.0	75.0	16.7	8.3
その他	62.0	34.8	3.2	58.7	37.9	3.4	85.7	12.6	1.7

注１）「全体」は「事業所形態」が「無回答」を含む。
注２）「工場、作業所」は鉄道の駅や発電所、倉庫を含む。

　次に、各手続きごとに事業所形態別の「手続きを行ったことがある」割合をみていく（**図表 4-1-16**）。

（a）時間外および休日労働（３６協定）

　「手続きを行ったことがある」割合が高い上位２つは、「研究所」（79.0%）、「輸送・配送センター」（75.5%）で、下位２つは「病院、医療・介護施設」（32.3%）、「店舗、飲食店」（35.8%）だった。

（b）就業規則の作成または変更

　就業規則の作成または変更についても「研究所」（54.6%）と「輸送・配送センター」（52.0%）が上位を占めたが、下位２つは「旅館、ホテル等の宿泊施設」（23.2%）と「店舗、飲食店」（23.9%）である。

（c）変形労働時間の導入

　変形労働時間の導入について「手続きを行ったことがある」割合が高いのは、「輸送・配送センター」（29.6%）、「学校、保育所、学習支援塾等」（29.4%）、「旅館、ホテル等の宿泊施設」（23.6%）などの順である。

（d）育児・介護休業をすることができない労働者に関する定め等、育児・介護休業法に基づくもの（労使協定）

　「手続きを行ったことがある」割合は、「研究所」（39.5%）が最も高く、次いで「営業所、出張所」（24.0%）、「学校、保育所、学習支援塾等」（20.0%）などの順となっている。

（e）年次有給休暇の時間単位・計画的付与

　「営業所、出張所」（17.8%）が最も高く、「研究所」（16.8%）、「学校、保育所、学習支援塾等」（15.4%）と続く。一方、「旅館、ホテル等の宿泊施設」が2.8%と際立って低い。

（f）安全委員会・衛生委員会・安全衛生委員会の委員の推薦

　「研究所」（27.7％）、「輸送・配送センター」（17.1％）の順に高くなっている。一方、割合が低いのは、「病院、医療・介護施設」（2.6％）、「店舗、飲食店」（2.7％）、「旅館、ホテル等の宿泊施設」（3.0％）の順だった。

（g）フレックスタイム制の導入、専門業務型裁量労働制の導入

　フレックスタイム制の導入に関する「手続きを行ったことがある」割合は、「研究所」（11.2％）、「営業所、出張所」（6.0％）の順に高く、「専門業務型裁量労働制の導入」についても「研究所」（11.8％）が突出している。

図表 4-1-16　「過半数代表」を利用した各手続き（「手続きを行ったことがある」割合）
　　　　　　／事業所形態別（n=6,458,％）

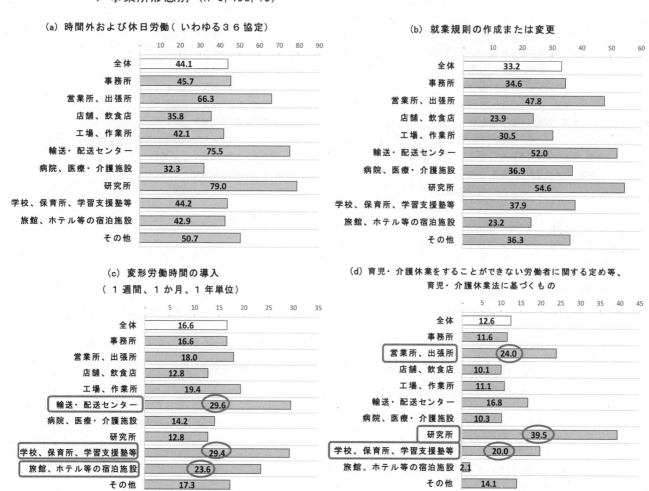

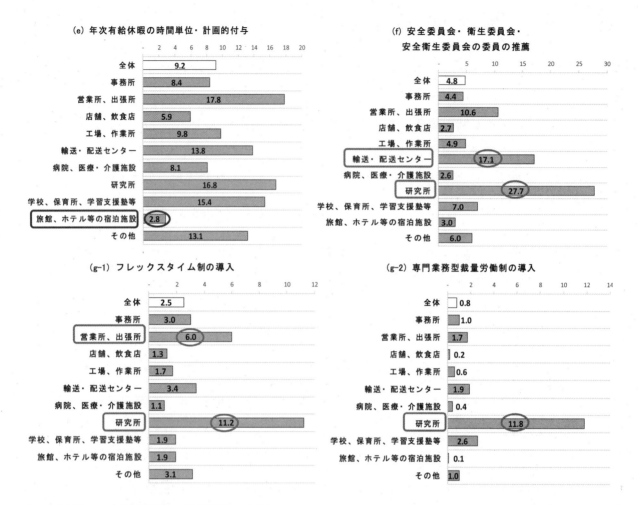

(e) 年次有給休暇の時間単位・計画的付与

(f) 安全委員会・衛生委員会・安全衛生委員会の委員の推薦

(g-1) フレックスタイム制の導入

(g-2) 専門業務型裁量労働制の導入

注1）「全体」は「事業所形態」が「無回答」を含む。
注2）「工場、作業所」は鉄道の駅や発電所、倉庫を含む。

⑧労働組合の有無別

　「過半数代表」を利用して「手続きを行ったことがある」割合を労働組合の有無別にみると、「労働組合がある」（83.7%）のほうが「労働組合はない」（51.4%）より高くなっている。また「手続きを行ったことがない」割合をみると、「労働組合がある」が12.6%、「労働組合はない」が39.8%、「労働組合があるか『わからない』」が59.5%となっている（**図表4-1-17**）。

　各手続きについてみると、「時間外および休日労働（いわゆる３６協定）」では、「労働組合がある」が75.6%、「労働組合はない」が40.9%となっているほか、「就業規則の作成または変更（意見聴取）」ではそれぞれ57.2%と30.7%となっている。

　いずれの制度の手続きにおいても、「労働組合がある」ほうが「労働組合はない」事業所より「手続きを行ったことがある」割合が高くなっているが、「変形労働時間の導入」については、「労働組合がある」（21.1%）と「労働組合はない」（16.4%）の乖離が比較的小さい。

　乖離が大きいものには、「安全委員会・衛生委員会・安全衛生委員会の委員の推薦」（23.2%、2.1%）、「賃金の一部控除」（22.9%、5.9%）、「労働者派遣法に定める派遣受け入れ期間の延

長」（5.5％、0.7％）、「専門業務型裁量労働制の導入」（3.2％、0.5％）などが挙げられる。労働組合がある割合は事業所規模と比例していることを考えれば、これらの乖離が大きい制度は、規模が大きい事業所でより多く利用されていると考えられる。

⑨過半数組合と過半数代表者の別

「手続きを行ったことがある」割合は、「過半数組合がある」が86.9％、「過半数代表者の選出がある」が90.2％と、両者に大きな差はみられない。ただし個別の制度利用についてみると、「変形労働時間制の導入」以外は、「過半数組合がある」ほうが「過半数代表者の選出がある」より、「手続きを行ったことがある」割合が高くなっている（**図表4-1-17**）。

図表4-1-17　「過半数代表」を利用した各手続き（n=6,458,％）

　　　　　　／労働組合の有無別、過半数組合・過半数代表者の別

| | 全体 | 手続きを行ったことがある | 労使協定 | | | | | | | 意見聴取 | | | その他 | | 左記以外の手続 | 手続きを行ったことがない | 無回答 |
			賃金の一部控除	変形労働時間の導入（1週間、1か月、1年単位）	フレックスタイム制の導入	時間外および休日労働（いわゆる36協定）	専門業務型裁量労働制の導入	計画的付与年次有給休暇の時間単位・	育児・介護休業をすることができない労働者に関する定め等	就業規則の作成または変更	（特別）安全衛生改善計画の作成	労働者派遣法に定める派遣受け入れ派遣期間の延長	企画業務型裁量労働制導入に必要な労使委員会の委員の指名	安全委員会・衛生委員会・安全衛生委員会の委員の推薦			
全体	100.0	54.1	8.0	16.6	2.5	44.1	0.8	9.2	12.6	33.2	2.3	1.3	0.3	4.8	0.8	36.3	9.7
労働組合がある	100.0	83.7	22.9	21.1	7.6	75.6	3.2	24.5	30.1	57.2	7.0	5.5	1.8	23.2	2.5	12.6	3.7
労働組合はない	100.0	51.4	5.9	16.4	1.9	40.9	0.5	7.3	10.3	30.7	1.5	0.7	0.1	2.1	0.6	39.8	8.9
労働組合があるか「わからない」	100.0	30.2	3.5	9.3	-	18.0		2.4	1.8	16.7	7.5	-	-	6.6	1.3	59.5	10.3
無回答	100.0	11.7	6.5	2.9	-	11.4	-	0.7	8.0	8.6	1.2	-	-	1.1	-	17.2	71.1
過半数組合がある	100.0	86.9	26.5	24.8	8.7	80.9	3.4	27.2	34.6	59.1	8.7	6.9	2.5	29.1	1.9	10.4	2.7
過半数代表者の選出あり	100.0	90.2	10.3	28.5	2.6	76.0	1.1	11.9	20.1	56.6	2.4	1.6	0.1	4.5	1.3	7.8	2.0

２．「過半数代表」とのやりとり

（１）やりとりの方法

「過半数代表」を利用して「手続きを行ったことがある」と回答した事業所（n=3,492）に対して、労使協定の締結や意見聴取を行うにあたり、どのような方法で「過半数代表」とやりとりをしたのかを尋ねたところ（複数回答）、「対面」（63.0％）が最も高く、「書面」（27.2％）、「電子メール」（4.8％）、「電話」（3.7％）、「テレビ会議」（0.6％）、「その他」（0.5％）などの順となった。

事業所規模別でみても、「対面」が最も高く、規模間格差はあまりみられない。「書面」も

同様に、いずれの規模でも2～3割程度となっている。一方、「テレビ会議」と「電子メール」は規模が大きくなると、概ね割合が高くなる傾向にある（**図表 4-2-1**）。

図表 4-2-1　「過半数代表」とのやりとり／事業所規模別（n=3,492，%）複数回答

	全体	対面	テレビ会議	電話	書面	電子メール	その他	無回答
全体	100.0	63.0	0.6	3.7	27.2	4.8	0.5	10.6
4人以下	100.0	68.8	1.0	3.8	21.2	2.8	0.1	9.5
5～9人	100.0	58.0	0.4	4.0	30.2	4.5	0.4	12.0
10～29人	100.0	60.8	0.3	4.0	28.4	5.2	1.0	11.1
30～99人	100.0	67.3	1.2	2.2	25.6	5.8	0.2	9.1
100～299人	100.0	74.1	1.1	3.2	25.2	6.0	0.1	6.2
300人以上	100.0	78.3	1.7	6.8	32.8	12.9	0.3	2.5

（2）やりとりの回数

　次に、労使協定の締結や意見聴取を行うにあたり、何回くらい話し合いをしたのかを尋ねたところ、最も多かったのが「1回」（58.8%）、次いで「2～3回」（31.9%）、「4～5回」（6.2%）などの順となった（各手続により話し合いの回数は異なるであろうことから、大よその平均を尋ねている）。このように、話し合いの回数は9割以上が3回以内と回答している。

　ただし事業所規模別にみると、規模が小さいほど「1回」の割合が概ね高く、規模が大きいほど「2～3回」以上の割合が概ね高くなっている。「300人以上」の事業所では「2～3回」が半数弱（46.9%）と最も高く、「4～5回」も1割以上（13.7%）を占めている（**図表 4-2-2**）。

図表 4-2-2　「過半数代表」との話し合いの回数／事業所規模別（n=3,492，%）

	全体	1回	2～3回	4～5回	6～9回	10回以上	無回答
全体	100.0	58.8	31.9	6.2	0.9	0.9	1.2
4人以下	100.0	63.0	29.0	5.6	1.1	0.4	1.0
5～9人	100.0	64.6	28.2	6.4	0.2	0.7	-
10～29人	100.0	58.1	32.9	5.0	1.1	1.0	2.0
30～99人	100.0	51.5	36.0	8.5	1.1	1.2	1.7
100～299人	100.0	46.1	39.3	9.7	2.1	1.9	1.0
300人以上	100.0	33.0	46.9	13.7	1.6	3.4	1.4

（3）反対の有無

「過半数代表」を利用して「手続きを行ったことがある」事業所に対し、使用者が労使協定を提示、または意見聴取を行った際、「過半数代表」から反対の意向が示されたり、修正を提案されたことがあるか否かを尋ねたところ、「あった」と回答したのは7.5％、「なかった」は80.1％、「無回答」は12.5％だった（**図表4-2-3**）。

図表4-2-3　「過半数代表」からの反対の意向や修正の提案の有無（n=3,492,％）

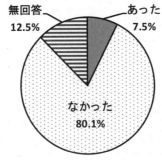

①事業所規模別

事業所規模別にみると、規模が大きくなると「あった」の割合が概ね高くなり、「300人以上」では約4分の1（24.8％）で「過半数代表」から反対の意向や修正の提案が「あった」と回答している（**図表4-2-4**）。

図表4-2-4　「過半数代表」からの反対の意向や修正の提案の有無／事業所規模別
　　　　　　（n=3,492,％）

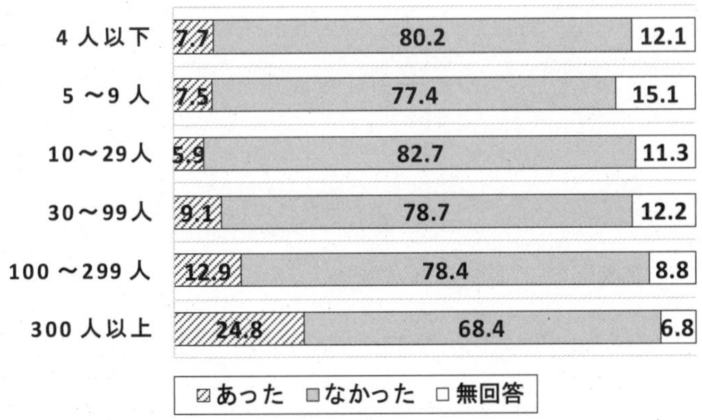

事業所規模	あった	なかった	無回答
4人以下	7.7	80.2	12.1
5～9人	7.5	77.4	15.1
10～29人	5.9	82.7	11.3
30～99人	9.1	78.7	12.2
100～299人	12.9	78.4	8.8
300人以上	24.8	68.4	6.8

☑あった　▨なかった　□無回答

②労働組合の有無別

　労働組合の有無別にみると、「過半数代表」から反対の意向や修正の提案が「あった」割合は、「労働組合がある」が 22.2％、「労働組合はない」が 4.0％で、「労働組合がある」事業所のほうが高い（**図表 4-2-5**）。

図表 4-2-5　「過半数代表」からの反対の意向や修正の提案の有無／労組の有無別
　　　　　　（n=3,492,　％）

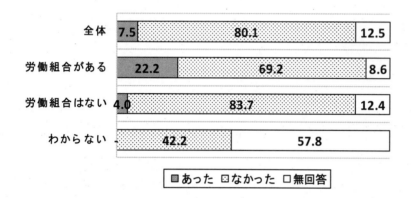

第Ⅱ部
資　料

厚生労働省 要請研究

「過半数労働組合」および「過半数代表者」に関する調査

＜調査協力のお願い＞

1 この調査は、厚生労働省所管の政策研究機関である 独立行政法人 労働政策研究・研修機構（※）が
　厚生労働省（労働基準局労働関係法課）からの研究要請を受けて実施するものです。
　今後の政策に反映するための重要な調査となりますので、ご多忙のなか誠に恐れ入りますが、
　ご協力のほど何卒お願い申し上げます。（※http://www.jil.go.jp/）

2 この調査は、国の基幹統計「経済センサス基礎調査」にある全国の事業所から、無作為に抽出した
　事業所に対して調査票を配付しています。ご回答はすべて数値化され、統計的に処理されます。
　貴社名やご回答内容等が他に漏れることは一切ございませんので、ありのままをご記入ください。

3 この調査は事業所を単位として行います（本社、支社、営業所、工場、店舗等は、それぞれ別の事業
　所になります）。

4 貴事業所の**人事・総務**または従業員の**労務管理を行っているご担当者**にご記入をお願いいたします。
　ご担当者がいらっしゃらない場合（貴事業所でご回答が難しい場合）には、本社や支社等の管理部門
　にご転送いただき、貴事業所の状況についてご回答いただきたくご協力をお願いいたします。

5 ご回答は、矢印や「問＊へ」といった接続に注意しながら、順を追って次の設問へお進みください。
　また、「〇は1つ」「該当すべてに〇」など、記入方法の指定に沿いながらご回答ください。
　なお、〇を付す際は、選択肢の番号を〇で囲んでください。「その他」を選択される場合は、具体的
　な内容を（　　）にご記入ください。

6 特にことわりのない場合、平成29年10月1日現在の状況についてご記入ください。
　ご回答が済みましたら、同封の返信用封筒（切手不要）へ入れ、平成29年11月30日（木）まで
　に、郵便ポストにご投函ください。

7 調査票の発送・回収・入力は、株式会社タイム・エージェントに委託しています。

ご不明な点は専用フリーダイヤルまでお問合せください。ＦＡＸや電子メールでも受け付けています。

【お問合せ窓口】
　TEL ＜専用フリーダイヤル・無料＞　0800－111－8113　（土日祝日を除く 10:00〜18:00）
　FAX　03－3770－6820　　E-mail : roudou@timeagent.co.jp
【調査主体】
　独立行政法人　労働政策研究・研修機構　（担当）：調査部／松沢、渡辺、新井
【調査票の発送・回収・入力 委託先】
　株式会社タイム・エージェント（担当）：調査本部／大濱、荒木

Ⅰ. 貴社（企業全体）について おうかがいします

問1 貴社の経営形態は次のうちどれですか。（○は1つ）

1. 会 社 ……………………………………………………………………………………

　　　　＜付問1＞ 資本金全体に占める外国資本の割合はどのくらいですか。（○は1つ）

　　　　　　　1. 0%　　　　2. 0%超〜3分の1以下　　　　3. 3分の1超

2. 会社以外の法人（協同組合、信用金庫、財団・社団法人、医療・学校・宗教法人等）……

　　　　｝法人

3. 個人経営（個人事業主）

4. その他（法人格をもたない団体）

問2 貴社（企業全体）の国内の従業員*1は、およそ何人ですか。（○は1つ）

1. 4人以下　　　　　　　　5. 100〜299人

2. 5〜9人　　　　　　　　6. 300〜999人

3. 10〜29人　　　　　　　7. 1,000人以上

4. 30〜99人

このうち、正社員*2はおよそ何人ですか。（○は1つ）

1. 4人以下　　　　　　　　5. 100〜299人

2. 5〜9人　　　　　　　　6. 300〜999人

3. 10〜29人　　　　　　　7. 1,000人以上

4. 30〜99人

*1) 従業員…直接雇用している正社員の他に、非正社員（パート、アルバイト、契約社員、嘱託等）も含みます。ただし貴社（貴事業所）で受け入れている派遣労働者、請負社員は除きます。

*2) 正社員…従業員のうち、期間を定めずに直接雇用して、「正社員」「正職員」などと呼ばれている人。多様な正社員（地域限定・職務限定・時間限定正社員など）を含みます。

Ⅱ. 貴事業所（＝封筒宛名の事業所）について おうかがいします

問3 貴事業所は本社ですか。（○は1つ）

1. 本社である ⟶　　　＜付問1＞ 本社以外に、国内に事業所がありますか。（○は1つ）

2. 本社でない　　　　　　　　1. ある（本社以外にも国内事業所がある）

　　　　　　　　　　　　　　2. ない（事業所は本社のみ＝単独事業所）

問4 **貴事業所の従業員*1 は、およそ何人ですか。（○は1つ）**
　　貴事業所が本社かつ他に国内事業所がない場合は、問2と同じ選択肢をお選びください。

　　　1．4人以下　　　　　　　5．100～299人

　　　2．5～9人　　　　　　　6．300～999人

　　　3．10～29人　　　　　　7．1,000人以上

　　　4．30～99人

このうち、正社員*2 は、およそ何人ですか。（○は1つ）

　　　1．4人以下　　　　　　　5．100～299人

　　　2．5～9人　　　　　　　6．300～999人

　　　3．10～29人　　　　　　7．1,000人以上

　　　4．30～99人

問5 **貴事業所の産業分野はどれにあたりますか。（○は1つ）**

　　　（事業が複数ある場合は売上高がもっとも大きいもの1つに○）

　　1．鉱業, 採石業, 砂利採取業　　　　　9．不動産業, 物品賃貸業

　　2．建設業　　　　　　　　　　　　　10．学術研究, 専門・技術サービス業*3

　　3．製造業　　　　　　　　　　　　　11．宿泊業, 飲食サービス業

　　4．電気・ガス・熱供給・水道業　　　12．生活関連サービス業, 娯楽業

　　5．情報通信業　　　　　　　　　　　13．教育, 学習支援業

　　6．運輸業, 郵便業　　　　　　　　　14．医療, 福祉

　　7．卸売業, 小売業　　　　　　　　　15．複合サービス事業（郵便局, 協同組合など）

　　8．金融業, 保険業　　　　　　　　　16．サービス業（他に分類されないもの*4）

*3) 専門・技術サービス業‥‥広告業、法律事務所、税理士事務所等、経営コンサルタント業、翻訳・通訳業、
　　　　獣医業、写真業など。

*4) サービス業（他に分類されないもの）‥‥廃棄物処理業、自動車整備業、機械等修理業、労働者派遣業、
　　　　警備業、コールセンター業など。

問6 **貴事業所の形態は、次のうちどれですか。（○は1つ）**

　　　（2つ以上に該当する場合は、もっともあてはまるもの1つに○）

　　1．事務所　　　　　　　　　　　　　6．病院、医療・介護施設

　　2．営業所、出張所　　　　　　　　　7．研究所

　　3．店舗、飲食店　　　　　　　　　　8．学校、保育所、学習支援塾等

　　4．工場、作業所（鉄道の駅や発電所、倉庫を含む）　9．旅館、ホテル等の宿泊施設

　　5．輸送・配送センター　　　　　　　10．その他（具体的に＿＿＿＿＿＿＿＿＿＿＿＿＿＿）

問7　貴事業所の所在地（都道府県）はどこですか。（都道府県名を記入）

（　　　　　　　　　　　都　道　府　県　）

問8　貴事業所の従業員は全員、事業主と同居し、生計を同一にする親族[*5]ですか。（○は１つ）

*5）親族‥‥‥６親等内の血族、配偶者および３親等内の姻族。

　１．はい ――――――→　　調査はこれで終わりです。ありがとうございました。

　２．いいえ　→　以下の文章をお読みになり、**問9** へお進みください

Ⅲ．貴事業場（＝労使協定等の届出を行う職場単位）について　おうかがいします

　これより先の設問では、労働基準法上の「事業場」についておうかがいします。

※「事業場」とは、就業規則や労使協定を所管の労働基準監督署に届け出る際の職場単位です。

「規模が小さく独立性のない事業場」の場合は、近くの支社や本社などに一括されて「１事業場」となっているケースがあります。そのような場合は、一括された「１事業場」単位で労使協定等の届出を行います。

問9　貴事業所（＝封筒宛名の事業所）は、次のうちどれですか。（○は１つ）

　１．独立性のある事業場であり、単独で「１事業場」となっている
　２．独立性のある事業場であり、近くの独立性のない事業場を一括して「１事業場」となっている
　３．独立性のない事業場として、近くの本社や支社等に一括されている

問10以降は、「事業所」でなく「事業場」についての設問です。貴事業所でご回答が難しい場合は、近くの支社や本社などのご担当者にご回答いただきますようお願いします。

問10　**貴事業場** に労働組合はありますか。（○は１つ）

　１．労働組合が１つある　　　　　３．労働組合はない　→　**問11** へ
　２．労働組合が２つ以上ある　　　４．わからない　　　→　**問11** へ

　　　→　＜付問１＞ 単独で、事業場全体の従業員（非正社員を含む）の過半数（50％超）を
　　　　　　　　　　 組織している「過半数労働組合[*6]」は、ありますか。（○は１つ）

　　　　　　　　　　　　１．ある　　　　　２．ない　　　　　３．わからない

　　　→　＜付問２＞ 非正社員も労働組合に加入していますか。（○は１つ）

　　　　　　　　　　　　１．ほぼ全員加入している　　　　４．わからない
　　　　　　　　　　　　２．一部のみ加入している　　　　５．非正社員はいない
　　　　　　　　　　　　３．加入していない

*6）**過半数労働組合**とは‥‥‥単独で、事業場全体の従業員（非正社員を含む）の過半数を組織している労働組合。
　　　　その事業場が一括している小さな事業所の従業員の数も母数に含まれます。

問11 貴事業場では、従業員の「過半数代表者*7」を過去3年以内に選出したことがありますか。
（○は1つ）

---

*7) **過半数代表者とは**

事業場ごとに選出される、<u>従業員（非正社員を含む）の過半数を代表する者</u>です。

事業場に「過半数労働組合」がない場合、「過半数代表者」が使用者（事業主や会社）と「36協定」を締結したり、就業規則の変更などに関する手続（参考：問18）で使用者に意見を述べたりします。

過去3年以内に選出したことが

       1．ある　⟶　**問12へ**

       2．ない　⟶　**＜付問1＞へ**

       3．わからない　⟶　**問18へ**

  ＜付問1＞ 選出しなかった理由は何ですか。（該当すべてに○）

    1．事業場に「過半数労働組合」があり、「過半数代表者」を選出する必要がなかったから

    2．労使協定（36協定を含む）や就業規則に関する手続が発生しなかったから

    3．その他（　　　　　　　　　　　　　　　　　　　　　）

      ⟶　**問18へ**

問12 「過半数代表者」の選出は、どのくらいの頻度で行われていますか。（○は1つ）

1．「過半数代表者」が必要な手続の都度

2．任期を決めて選出

3．その他（　　　　　　　　　　　　　　　　　　　　　）

問13 選出を行う際、どの範囲の従業員に、「過半数代表者」の選出の開始について周知していますか。
（○は1つ）

1．労使協定等が適用される事業場（独立性のない事業所を一括している場合は、それらを含む）の従業員に周知している

2．労使協定等が適用される事業場のうち、一部の事業所（本社や支社など）の従業員に周知している

3．周知していない

問14 「過半数代表者」は具体的にどのような方法で選出されましたか。

何回も選出したことがある場合は、直近の選出についてご回答ください（問15〜16についても同じです）。

（〇は1つ。　貴事業場が複数の事業所を一括し、事業所によって選出方法が異なる場合は主たるもの1つに〇をしてください。）

1．投票や挙手により選出 ━━━━━━━━━━━━━━━━━━━━➤ 問15へ

2．信任（あらかじめ特定の候補者を定め、その者について従業員が賛否を表明するもの）
　　　　　━━➤ ＜付問1＞＜付問2＞へ

3．話し合いにより選出 ━━➤ ＜付問3＞へ ━━━━━━━━━━━

4．親睦会の代表者等、特定の者が自動的になる ━━━━━━➤ 問15へ

5．使用者（事業主や会社）が指名している ━━━━━━━━➤ 問15へ

6．その他（具体的に　　　　　　　　　　　　　　　）━━➤ 問15へ

＜付問1＞ 候補者はどのようにして定められましたか。（〇は1つ）

　　　1．使用者（事業主や会社）が候補者を決める

　　　2．親睦会の代表者等、特定の者が自動的に候補者となる

　　　3．その他（　　　　　　　　　　　　　　　　　）

＜付問2＞ 信任の方法はどれでしたか。（〇は1つ）

　　　1．投票　　　　　　　　4．特段の異義の申出がない限り信任とする

　　　2．挙手　　　　　　　　5．その他（　　　　　　　　　　　　　）

　　　3．持ち回り決議

＜付問3＞ 話し合いを行ったのは、どの範囲の従業員ですか。（〇は1つ）

　　　1．全従業員　　　　　　3．各部や課で投票、話し合い等により選出された者

　　　2．各部や課の長　　　　4．その他（　　　　　　　　　　　　　）

問15 「過半数代表者」となったのは、どのような職位の者でしたか。（〇は1つ）

（異なる役職名の場合はもっとも近い職位に〇）

1．一般の従業員

2．係長・主任・職長・班長クラス

3．課長クラス

4．部長クラス

5．工場長、支店長など事業所の責任者またはこれに準ずる者

6．非正社員

7．その他（　　　　　　　　　　　）

問16 「過半数代表者」となったのは、貴事業場の労働組合員ですか。（〇は1つ）

　　1．組合員である　　　　　2．非組合員である　　　　　3．事業場に労働組合はない

問17 貴事業場では、同時に２名以上の「過半数代表者」を選出したことがありますか。（○は１つ）

1．ある（過半数代表者が２名以上いる／いた）　　2．ない（過半数代表者は１名のみ）→ **問18**へ

→ **付問１**：何名を選出しましたか。（○は１つ）

　　　　1．２名　　　　　　　　2．３名以上

→ **付問２**：なぜ複数の「過半数代表者」を選出したのですか。（該当すべてに○）

　　1．従業員数が多く、１人では従業員の意見集約の負担が大きいから
　　2．労使協定の数が多く、１人では協定内容を把握することが大変だから
　　3．複数の労働組合があり、それぞれの代表者を選出したから
　　4．正社員の代表と、非正社員の代表を選出したから
　　5．その他（具体的にお書きください）

問18 以下の手続にあたっては、「過半数労働組合」または「過半数代表者」と労使協定を締結、あるいは意見聴取等をすることとなっています。
　　　貴事業場では、過去３年間に、以下の手続で労使協定を締結、あるいは意見聴取等をしたことがありますか。（該当すべてに○）

＜労使協定＞
　　1．賃金の一部控除
　　2．変形労働時間の導入（１週間、１か月、１年単位）
　　3．フレックスタイム制の導入
　　4．時間外および休日労働（いわゆる３６協定）
　　5．専門業務型裁量労働制の導入
　　6．年次有給休暇の時間単位・計画的付与
　　7．育児・介護休業をすることができない労働者に関する定め等
　　　　育児・介護休業法に基づくもの

＜意見聴取＞
　　8．就業規則の作成または変更
　　9．（特別）安全衛生改善計画の作成
　　10．労働者派遣法に定める派遣受け入れ期間の延長

＜その他＞
　　11．企画業務型裁量労働制導入に必要な労使委員会の委員の指名
　　12．安全委員会・衛生委員会・安全衛生委員会の委員の推薦
　　13．１～12以外の手続（具体的にお書きください）

> １～13のうち、
> １つ以上選択した
> 場合は
> ＜付問１～３＞へ

　　14．手続を行ったことがない → <u>調査はこれで終わりです</u>。ありがとうございました。

<付問1> 労使協定を締結または意見聴取を行うにあたり、どのような方法で、過半数労働組合・過半数代表者とやりとりをしましたか。（該当すべてに〇）

1. 対面　　　　　　3. 電話　　　　　5. 電子メール
2. テレビ会議　　　4. 書面　　　　　6. その他（　　　　　　　　）

<付問3> へ

<付問2> 労使協定を締結または意見聴取を行うにあたり、話し合いを何回くらい行いましたか。各手続によって異なる場合、おおよその平均を記載してください。（〇は1つ）

1. 1回　　　　　　3. 4〜5回　　　　5. 10回以上
2. 2〜3回　　　　4. 6〜9回

<付問3> へ

<付問3> 使用者（事業主や会社）が労使協定案を提示、または意見聴取を行った際、過半数労働組合・過半数代表者から、反対の意向を示されたり、修正を提案されたことはありましたか。（〇は1つ）

反対や修正の提案が　→　1. あった　　　　2. なかった

◆本調査にご協力いただいた御礼として、調査結果のレポート（無料）を送付させていただきたいと考えております。　送付を希望されますか。

1. 希望する　　　　　　　　2. 希望しない

◆また、今後の研究の参考とさせていただくため、「過半数代表者」の選出や制度の運用について貴社を訪問し、より詳しいお話をお伺いすることは可能でしょうか。

1. 応じてもよい　　　　　　2. 応じられない

<上記「1」をご回答の方は、以下のご送付先をご記入ください>

貴社／貴事業所名　_____

所在地　　〒_____

部　署　_____

お名前　_____

〜貴社ご訪問にご協力いただける場合は以下もご記入ください〜

電話番号　　（　　　　　　）_____

Eメール　_____@_____

＊　＊　＊　調査はこれで終わりです。ご回答いただき有難うございました。＊　＊　＊
同封の返信用封筒により11月30日までに郵便ポストにご投函ください。

資料2

表1　調査票配付数・有効回答数・有効回収率・ウェイト値・復元値

合計		母集団注1	配付数	有効回答数	有効回収率	ウェイト値注2	復元値
		2,772,440	20,000	7,299	36.5%		7,299

No	産業区分	No	規模区分注3	母集団注1	配付数	有効回答数	有効回収率	ウェイト値注2	復元値
1	鉱業, 採石業, 砂利採取業	1	4人以下	378	354	109	30.8%	0.0091	0.99
		2	5～9人	437	425	137	32.2%	0.0084	1.15
		3	10～29人	358	346	138	39.9%	0.0068	0.94
		4	30～99人	73	73	41	56.2%	0.0047	0.19
		5	100～299人	9	9	7	77.8%	0.0034	0.02
		6	300～999人	3	3	2	66.7%	0.0039	0.01
		7	1,000人以上	-	-	-	-	-	-
2	建設業	1	4人以下	109,908	220	65	29.5%	4.4516	289.35
		2	5～9人	84,927	170	55	32.4%	4.0652	223.59
		3	10～29人	56,449	166	94	56.6%	1.5810	148.61
		4	30～99人	12,135	166	115	69.3%	0.2778	31.95
		5	100～299人	1,303	291	109	37.5%	0.0315	3.43
		6	300～999人	195	183	55	30.1%	0.0093	0.51
		7	1,000人以上	36	36	12	33.3%	0.0079	0.09
3	製造業	1	4人以下	83,066	167	62	37.1%	3.5272	218.69
		2	5～9人	73,322	166	54	32.5%	3.5747	193.03
		3	10～29人	79,614	166	77	46.4%	2.7221	209.60
		4	30～99人	37,563	166	91	54.8%	1.0867	98.89
		5	100～299人	10,241	167	108	64.7%	0.2496	26.96
		6	300～999人	2,704	167	112	67.1%	0.0636	7.12
		7	1,000人以上	532	166	105	63.3%	0.0133	1.40
4	電気・ガス・熱供給・水道業	1	4人以下	514	166	39	23.5%	0.0347	1.35
		2	5～9人	720	166	37	22.3%	0.0512	1.89
		3	10～29人	1,125	166	100	60.2%	0.0296	2.96
		4	30～99人	788	225	104	46.2%	0.0199	2.07
		5	100～299人	401	389	155	39.8%	0.0068	1.05
		6	300～999人	61	61	46	75.4%	0.0035	0.16
		7	1,000人以上	13	13	6	46.2%	0.0057	0.03
5	情報通信業	1	4人以下	10,347	167	18	10.8%	1.5134	27.24
		2	5～9人	10,201	167	20	12.0%	1.3428	26.86
		3	10～29人	11,007	166	38	22.9%	0.7626	28.98
		4	30～99人	6,022	167	64	38.3%	0.2477	15.85
		5	100～299人	1,929	167	53	31.7%	0.0958	5.08
		6	300～999人	575	216	45	20.8%	0.0336	1.51
		7	1,000人以上	128	128	25	19.5%	0.0135	0.34
6	運輸業, 郵便業	1	4人以下	13,036	166	36	21.7%	0.9533	34.32
		2	5～9人	21,955	166	53	31.9%	1.0906	57.80
		3	10～29人	37,306	166	68	41.0%	1.4443	98.21
		4	30～99人	20,946	166	105	63.3%	0.5252	55.15
		5	100～299人	4,241	167	192	115.0%	0.0582	11.17
		6	300～999人	600	269	162	60.2%	0.0098	1.59
		7	1,000人以上	75	75	42	56.0%	0.0047	0.20
7	卸売業, 小売業	1	4人以下	265,015	531	113	21.3%	6.1744	697.71
		2	5～9人	234,792	470	92	19.6%	6.7189	618.14
		3	10～29人	198,041	397	108	27.2%	4.8276	521.38
		4	30～99人	45,793	166	65	39.2%	1.8548	120.56
		5	100～299人	7,210	167	65	38.9%	0.2920	18.98
		6	300～999人	1,066	208	62	29.8%	0.0453	2.81
		7	1,000人以上	136	136	11	8.1%	0.0325	0.36
8	金融業, 保険業	1	4人以下	12,097	166	85	51.2%	0.3747	31.85
		2	5～9人	13,429	166	87	52.4%	0.4064	35.36
		3	10～29人	26,033	166	79	47.6%	0.8676	68.54
		4	30～99人	8,684	167	68	40.7%	0.3362	22.86
		5	100～299人	945	218	82	37.6%	0.0303	2.48
		6	300～999人	241	229	66	28.8%	0.0096	0.63
		7	1,000人以上	63	63	16	25.4%	0.0104	0.17

No	産業区分	No	規模区分注3	母集団注1	配付数	有効回答数	有効回収率	ウェイト値注2	復元値
9	不動産業, 物品賃貸業	1	4人以下	49,150	166	37	22.3%	3.4972	129.40
		2	5〜9人	23,736	166	28	16.9%	2.2318	62.49
		3	10〜29人	14,759	166	31	18.7%	1.2534	38.86
		4	30〜99人	3,046	167	39	23.4%	0.2056	8.02
		5	100〜299人	553	380	45	11.8%	0.0324	1.46
		6	300〜999人	127	127	21	16.5%	0.0159	0.33
		7	1,000人以上	15	15	1	6.7%	0.0395	0.04
10	学術研究, 専門・技術サービス業	1	4人以下	48,479	166	79	47.6%	1.6156	127.63
		2	5〜9人	28,407	166	51	30.7%	1.4664	74.79
		3	10〜29人	17,553	166	52	31.3%	0.8887	46.21
		4	30〜99人	5,156	167	52	31.1%	0.2610	13.57
		5	100〜299人	1,213	166	42	25.3%	0.0760	3.19
		6	300〜999人	313	271	41	15.1%	0.0201	0.82
		7	1,000人以上	73	73	9	12.3%	0.0214	0.19
11	宿泊業, 飲食サービス業	1	4人以下	122,263	245	59	24.1%	5.4556	321.88
		2	5〜9人	100,775	202	30	14.9%	8.8437	265.31
		3	10〜29人	93,607	188	44	23.4%	5.6009	246.44
		4	30〜99人	21,852	166	38	22.9%	1.5139	57.53
		5	100〜299人	1,550	256	55	21.5%	0.0742	4.08
		6	300〜999人	237	225	31	13.8%	0.0201	0.62
		7	1,000人以上	30	30	5	16.7%	0.0158	0.08
12	生活関連サービス業, 娯楽業	1	4人以下	76,135	166	28	16.9%	7.1586	200.44
		2	5〜9人	41,966	166	25	15.1%	4.4194	110.49
		3	10〜29人	30,835	166	33	19.9%	2.4600	81.18
		4	30〜99人	9,905	167	49	29.3%	0.5322	26.08
		5	100〜299人	944	409	65	15.9%	0.0382	2.48
		6	300〜999人	100	100	9	9.0%	0.0293	0.26
		7	1,000人以上	13	13	2	15.4%	0.0171	0.03
13	教育, 学習支援業	1	4人以下	22,154	166	38	22.9%	1.5349	58.33
		2	5〜9人	18,957	166	36	21.7%	1.3863	49.91
		3	10〜29人	20,855	166	64	38.6%	0.8579	54.91
		4	30〜99人	6,571	167	71	42.5%	0.2437	17.30
		5	100〜299人	1,228	166	81	48.8%	0.0399	3.23
		6	300〜999人	386	244	128	52.5%	0.0079	1.01
		7	1,000人以上	100	100	67	67.0%	0.0039	0.26
14	医療, 福祉	1	4人以下	60,187	166	54	32.5%	2.9343	158.45
		2	5〜9人	104,484	209	78	37.3%	3.5266	275.07
		3	10〜29人	87,670	176	93	52.8%	2.4818	230.81
		4	30〜99人	33,989	166	94	56.6%	0.9519	89.48
		5	100〜299人	6,988	167	78	46.7%	0.2359	18.40
		6	300〜999人	1,626	167	92	55.1%	0.0465	4.28
		7	1,000人以上	230	166	115	69.3%	0.0053	0.61
15	複合サービス事業	1	4人以下	7,139	167	73	43.7%	0.2575	18.80
		2	5〜9人	12,129	166	59	35.5%	0.5412	31.93
		3	10〜29人	5,999	167	62	37.1%	0.2547	15.79
		4	30〜99人	982	166	77	46.4%	0.0336	2.59
		5	100〜299人	699	322	101	31.4%	0.0182	1.84
		6	300〜999人	184	172	53	30.8%	0.0091	0.48
		7	1,000人以上	16	16	5	31.3%	0.0084	0.04
16	サービス業 （他に分類されないもの）	1	4人以下	73,586	166	119	71.7%	1.6280	193.73
		2	5〜9人	43,412	166	105	63.3%	1.0885	114.29
		3	10〜29人	36,990	166	154	92.8%	0.6324	97.39
		4	30〜99人	17,383	166	177	106.6%	0.2586	45.77
		5	100〜299人	5,424	167	151	90.4%	0.0946	14.28
		6	300〜999人	1,340	192	90	46.9%	0.0392	3.53
		7	1,000人以上	152	152	28	18.4%	0.0143	0.40

注1）平成26年経済センサス−基礎調査に登録された事業所（常用雇用者2人以上。農林漁業・公務を除く）のうち欠損データおよび重複データを含まないもの。

注2）ウェイト値＝母集団比率÷回収比率

注3）規模区分について：配付数は「平成26年経済センサス基礎調査-事業所調査」に基づく常用雇用者数の規模区分だが、有効回答数は本調査（調査票）で設定した従業員数の規模区分による。

表2（a）　回答事業所（親族事業所）の属性（n=841）　※復元後（ウェイトバック集計後）

全体			n 841	% 100.0
本社か否か	本社		744	88.5
		（本社以外にも国内事業所がある）	(37)	(4.9)
		（事業所は本社のみ＝単独事業所）	(527)	(70.8)
		（無回答）	(181)	(24.3)
	本社でない		52	6.2
	無回答		45	5.4
従業員規模	4人以下		744	88.5
	5〜9人		66	7.9
	10人以上		31	3.6
事業所 産業分類	鉱業，採石業，砂利採取業		-	-
	建設業		75	9.0
	製造業		89	10.6
	電気・ガス・熱供給・水道業		-	-
	情報通信業		2	0.2
	運輸業，郵便業		8	0.9
	卸売業，小売業		253	30.1
	金融業，保険業		3	0.4
	不動産業，物品賃貸業		55	6.5
	学術研究，専門・技術サービス業		40	4.8
	宿泊業，飲食サービス業		157	18.6
	生活関連サービス業，娯楽業		73	8.7
	教育，学習支援業		8	0.9
	医療，福祉		26	3.1
	複合サービス事業（郵便局，協同組合など）		-	-
	サービス業（他に分類されないもの）		52	6.2
形態	事務所		224	26.6
	営業所，出張所		9	1.0
	店舗，飲食店		386	45.9
	工場、作業所		94	11.2
	輸送・配送センター		2	0.2
	病院、医療・介護施設		28	3.3
	研究所		2	0.2
	学校、保育所、学習支援塾等		8	0.9
	旅館、ホテル等の宿泊施設		9	1.1
	その他		59	7.0
	無回答		22	2.6

全体		n 841	% 100.0
事業所 所在地	北海道	27	3.2
	東北	75	8.9
	北関東・甲信	82	9.8
	南関東	192	22.9
	北陸	75	8.9
	東海	102	12.2
	近畿	107	12.8
	中国	76	9.0
	四国	37	4.4
	九州	66	7.8
	無回答	2	0.2
従業員は全員、事業主と同居し、生計を同一にする親族か否か			
	そうである	841	100.0
	そうでない	0	-

全体			n 841	% 100.0
所属企業全体 経営形態	会社（法人）		356	42.3
		（外国資本比率：0%）	(319)	(89.5)
		（外国資本比率：0%超〜3分の1以下）	(-)	(-)
		（外国資本比率：3分の1超）	(-)	(-)
		（無回答）	(37)	(10.5)
	会社以外の法人 （協同組合、信用金庫、財団・社団法人、医療・学校・宗教法人等）		36	4.3
	個人経営（個人事業主）		434	51.6
	その他（法人格をもたない団体）		4	0.5
	無回答		11	1.3
従業員規模	4人以下		709	84.3
	5〜9人		83	9.8
	10〜29人		28	3.3
	30〜99人		10	1.2
	100〜299人		4	0.4
	300〜999人		-	-
	1,000人以上		2	0.2
	無回答		6	0.7

親族事業所の属性

　親族事業所はどのような属性の事業所が多いのだろうか。**表2（a）** を見ると、従業員規模は「4人以下」が約9割（88.5%）を占め、産業は「卸売業，小売業」（30.1%）、「宿泊業，飲食サービス業」（18.6%）、「製造業」（10.6%）、「建設業」（9.0%）の順に多い。また、事業所の形態は「店舗、飲食店」が約半数（45.9%）を、「事務所」が4分の1強（26.6%）を占めている。企業の経営形態は「個人経営（個人事業主）」が半数強（51.6%）と多いのも特徴の一つに挙げられる。

表 2 (b)　回答事業所（親族事業所）の属性（n=253）　※復元前（ウェイトバック集計前）

全体			n 253	% 100.0
本社か否か	本社		222	87.7
		（本社以外にも国内事業所がある）	(11)	(5.0)
		（事業所は本社のみ＝単独事業所）	(150)	(67.6)
		（無回答）	(61)	(27.5)
	本社でない		20	7.9
	無回答		11	4.3
従業員規模	4人以下		227	89.7
	5～9人		17	6.7
	10人以上		9	3.6
事業所 産業分類	鉱業，採石業，砂利採取業		18	7.1
	建設業		17	6.7
	製造業		26	10.3
	電気・ガス・熱供給・水道業		7	2.8
	情報通信業		1	0.4
	運輸業，郵便業		8	3.2
	卸売業，小売業		41	16.2
	金融業，保険業		8	3.2
	不動産業，物品賃貸業		16	6.3
	学術研究，専門・技術サービス業		25	9.9
	宿泊業，飲食サービス業		28	11.1
	生活関連サービス業，娯楽業		11	4.3
	教育，学習支援業		5	2.0
	医療，福祉		9	3.6
	複合サービス事業（郵便局，協同組合など）		-	-
	サービス業（他に分類されないもの）		33	13.0
形態	事務所		90	35.6
	営業所，出張所		4	1.6
	店舗，飲食店		81	32.0
	工場，作業所		33	13.0
	輸送・配送センター		3	1.2
	病院，医療・介護施設		10	4.0
	研究所		1	0.4
	学校，保育所，学習支援塾等		5	2.0
	旅館，ホテル等の宿泊施設		2	0.8
	その他		19	7.5
	無回答		5	2.0

全体		n 253	% 100.0
事業所 所在地	北海道	27	3.2
	東北	75	8.9
	北関東・甲信	82	9.8
	南関東	192	22.9
	北陸	75	8.9
	東海	102	12.2
	近畿	107	12.8
	中国	76	9.0
	四国	37	4.4
	九州	66	7.8
	無回答	2	0.2
従業員は全員、事業主と同居し、生計を同一にする親族か否か			
	そうである	253	100.0
	そうでない	0	-

全体			n 253	% 100.0
所属企業全体 経営形態	会社（法人）		114	45.1
		（外国資本比率：0％）	(103)	(90.4)
		（外国資本比率：0％超～3分の1以下）	(-)	(-)
		（外国資本比率：3分の1超）	(-)	(-)
		（無回答）	(11)	(9.6)
	会社以外の法人		14	5.5
	（協同組合、信用金庫、財団・社団 法人、医療・学校・宗教法人等）			
	個人経営（個人事業主）		120	47.4
	その他（法人格をもたない団体）		1	0.4
	無回答		4	1.6
従業員規模	4人以下		214	84.6
	5～9人		22	8.7
	10～29人		8	3.2
	30～99人		4	1.6
	100～299人		1	0.4
	300～999人		1	0.4
	1,000人以上		1	0.4
	無回答		2	0.8

付属統計表

目次

統計利用上の注意

1.　回答事業所のうち労働者を雇用している事業所（n=6,458）を対象として集計した統計表を掲載している。

2.　集計値は 2 頁の「５．結果の集計」のとおり、ウェイト調整済みの（重み付けされた）値である。

3.　n 数は小数点以下を四捨五入して整数値で表示している。構成比（％）は小数点以下第二位を四捨五入している。

4.　表章単位に満たない場合または回答がないものを「－」と表示している。

5.　表章単位未満を四捨五入した関係で、総数と内訳の合計が一致しない場合や本問－枝問間が整合的でない場合もある。

問１．貴社の経営形態は次のうちどれですか。（○は１つ）
問１＜付問１＞．資本金全体に占める外国資本の割合はどのくらいですか。（○は１つ）（問８（事業主と同居）「はい」を除く）

	全体	会社	外国資本 0％	1以下 外国資本 0％超～3分の	外国資本 3分の1超	無回答	会社以外の法人	個人経営	その他	無回答
総数	6,458	4,708	4,136	124	43	406	675	927	57	89
	100.0	72.9	87.8	2.6	0.9	8.6	10.5	14.4	0.9	1.4
問４．事業所・従業員数										
4人以下	1,766	1,156	1,060	16	3	76	87	472	23	28
	100.0	65.5	91.7	1.4	0.3	6.6	4.9	26.7	1.3	1.6
5～9人	2,076	1,473	1,282	35	9	147	191	355	28	30
	100.0	70.9	87.1	2.4	0.6	10.0	9.2	17.1	1.3	1.5
10～29人	1,861	1,488	1,305	43	18	122	257	94	4	19
	100.0	79.9	87.7	2.9	1.2	8.2	13.8	5.0	0.2	1.0
30～99人	607	480	398	23	10	49	109	6	2	9
	100.0	79.1	83.0	4.7	2.0	10.3	17.9	1.1	0.4	1.6
100～299人	118	90	74	4	2	9	26	1	-	2
	100.0	76.0	82.5	4.9	2.2	10.4	21.6	0.6	0.1	1.6
300～999人	26	19	14	3	1	2	6	-	-	1
	100.0	74.0	72.0	13.6	4.3	10.1	22.2	0.5	0.4	2.9
1,000人以上	4	3	2	1	-	-	1	-	-	-
	100.0	74.3	59.7	23.5	7.1	9.7	23.4	-	0.9	1.4
5人以上	4,692	3,553	3,075	108	40	330	589	455	34	61
	100.0	75.7	86.6	3.0	1.1	9.3	12.5	9.7	0.7	1.3
10人以上	2,616	2,080	1,793	73	31	183	398	101	6	31
	100.0	79.5	86.2	3.5	1.5	8.8	15.2	3.9	0.2	1.2
30人以上	755	592	488	30	13	61	141	7	3	12
	100.0	78.4	82.4	5.1	2.2	10.3	18.7	1.0	0.3	1.6
100人以上	148	112	90	8	3	12	32	1	-	3
	100.0	75.6	80.0	6.9	2.7	10.3	21.8	0.6	0.2	1.8
300人以上	30	22	16	3	1	2	7	-	-	1
	100.0	74.1	70.3	15.0	4.7	10.0	22.3	0.4	0.5	2.7
9人以下	3,842	2,629	2,342	51	12	223	277	826	51	58
	100.0	68.4	89.1	1.9	0.5	8.5	7.2	21.5	1.3	1.5
29人以下	5,703	4,117	3,648	93	31	345	534	920	55	77
	100.0	72.2	88.6	2.3	0.7	8.4	9.4	16.1	1.0	1.4
問２．企業・従業員数										
4人以下	1,101	590	540	2	3	44	43	433	21	14
	100.0	53.6	91.6	0.3	0.6	7.5	3.9	39.3	1.9	1.3
5～9人	1,399	874	801	-	-	73	121	373	17	14
	100.0	62.4	91.6	-	-	8.4	8.6	26.7	1.2	1.0
10～29人	1,117	867	778	11	2	77	135	103	6	6
	100.0	77.6	89.7	1.3	0.2	8.9	12.1	9.2	0.5	0.6
30～99人	759	637	574	10	1	52	101	12	2	7
	100.0	84.0	90.1	1.6	0.1	8.2	13.3	1.6	0.2	0.9
100～299人	689	552	498	9	5	40	119	3	7	9
	100.0	80.1	90.2	1.6	1.0	7.3	17.3	0.5	1.0	1.2
300～999人	571	456	395	4	9	48	98	2	1	14
	100.0	80.0	86.5	0.9	2.1	10.5	17.2	0.3	0.1	2.4
1,000人以上	798	716	539	87	23	67	58	1	4	19
	100.0	89.8	75.3	12.2	3.2	9.3	7.3	0.1	0.4	2.4
5人以上	5,334	4,103	3,584	121	40	357	632	494	36	69
	100.0	76.9	87.4	3.0	1.0	8.7	11.8	9.3	0.7	1.3
10人以上	3,935	3,229	2,784	121	40	284	511	121	19	55
	100.0	82.1	86.2	3.8	1.2	8.8	13.0	3.1	0.5	1.4
30人以上	2,817	2,362	2,006	110	38	207	376	18	13	48
	100.0	83.8	84.9	4.7	1.6	8.8	13.4	0.6	0.5	1.7
100人以上	2,058	1,725	1,432	100	38	155	275	5	11	42
	100.0	83.8	83.0	5.8	2.2	9.0	13.4	0.3	0.5	2.0
300人以上	1,369	1,173	934	91	33	115	156	2	4	33
	100.0	85.7	79.7	7.8	2.8	9.8	11.4	0.2	0.3	2.4
9人以下	2,500	1,463	1,341	2	3	117	163	806	39	29
	100.0	58.5	91.6	0.1	0.2	8.0	6.5	32.2	1.5	1.2
29人以下	3,617	2,331	2,118	13	5	194	298	909	44	35
	100.0	64.4	90.9	0.6	0.2	8.3	8.2	25.1	1.2	1.0
無回答	23	16	11	-	-	4	1	1	-	6
	100.0	69.4	69.9	2.5	0.1	27.5	2.8	2.3	-	25.5

問2. 貴社（企業全体）の国内の従業員は、およそ何人ですか。（○は1つ）

	全体	4人以下	5〜9人	10〜29人	30〜99人	100〜299人	300〜999人	1,000人以上	5人以上	10人以上	30人以上	100人以上	300人以上	9人以下	29人以下	無回答
総数	6,458	1,101	1,399	1,117	759	689	571	798	5,334	3,935	2,817	2,058	1,369	2,500	3,617	23
	100.0	17.0	21.7	17.3	11.8	10.7	8.8	12.4	82.6	60.9	43.6	31.9	21.2	38.7	56.0	0.4

問4. 事業所・従業員数

	全体	4人以下	5〜9人	10〜29人	30〜99人	100〜299人	300〜999人	1,000人以上	5人以上	10人以上	30人以上	100人以上	300人以上	9人以下	29人以下	無回答
4人以下	1,766	1,101	119	126	121	116	92	86	661	542	415	294	178	1,220	1,346	5
	100.0	62.3	6.7	7.2	6.9	6.6	5.2	4.9	37.4	30.7	23.5	16.7	10.1	69.1	76.2	0.3
5〜9人	2,076	-	1,280	116	155	187	153	172	2,064	784	668	513	325	1,280	1,397	12
	100.0	-	61.7	5.6	7.5	9.0	7.4	8.3	99.4	37.8	32.2	24.7	15.7	61.7	67.3	0.6
10〜29人	1,861	-	-	875	228	235	210	310	1,857	1,857	982	755	519	-	875	4
	100.0	-	-	47.0	12.2	12.6	11.3	16.6	99.8	99.8	52.8	40.6	27.9	-	47.0	0.2
30〜99人	607	-	-	-	255	104	82	162	604	604	604	349	245	-	-	3
	100.0	-	-	-	42.1	17.1	13.6	26.7	99.6	99.6	99.6	57.5	40.3	-	-	0.4
100〜299人	118	-	-	-	-	47	25	46	118	118	118	118	71	-	-	-
	100.0	-	-	-	-	39.5	21.0	39.0	99.6	99.6	99.6	99.6	60.1	-	-	0.4
300〜999人	26	-	-	-	-	-	9	17	26	26	26	26	26	-	-	-
	100.0	-	-	-	-	-	33.2	66.4	99.6	99.6	99.6	99.6	99.6	-	-	0.4
1000人以上	4	-	-	-	-	-	-	4	4	4	4	4	4	-	-	-
	100.0	-	-	-	-	-	-	98.7	98.7	98.7	98.7	98.7	98.7	-	-	1.3
5人以上	4,692	-	1,280	991	638	573	478	712	4,673	3,393	2,402	1,764	1,190	1,280	2,272	19
	100.0	-	27.3	21.1	13.6	12.2	10.2	15.2	99.6	72.3	51.2	37.6	25.4	27.3	48.4	0.4
10人以上	2,616	-	-	875	483	386	326	540	2,609	2,609	1,734	1,251	865	-	875	7
	100.0	-	-	33.4	18.5	14.8	12.4	20.6	99.7	99.7	66.3	47.8	33.1	-	33.4	0.3
30人以上	755	-	-	-	255	151	116	230	752	752	752	496	346	-	-	3
	100.0	-	-	-	33.8	20.0	15.4	30.4	99.6	99.6	99.6	65.7	45.8	-	-	0.4
100人以上	148	-	-	-	-	47	33	67	147	147	147	147	101	-	-	1
	100.0	-	-	-	-	31.6	22.6	45.5	99.6	99.6	99.6	99.6	68.0	-	-	0.4
300人以上	30	-	-	-	-	-	9	21	30	30	30	30	30	-	-	-
	100.0	-	-	-	-	-	28.5	71.0	99.5	99.5	99.5	99.6	99.5	-	-	0.5
9人以下	3,842	1,101	1,399	242	276	303	245	258	2,725	1,325	1,083	807	504	2,500	2,742	16
	100.0	28.6	36.4	6.3	7.2	7.9	6.4	6.7	70.9	34.5	28.2	21.0	13.1	65.1	71.4	0.4
29人以下	5,703	1,101	1,399	1,117	504	539	455	568	4,582	3,183	2,066	1,562	1,023	2,500	3,617	20
	100.0	19.3	24.5	19.6	8.8	9.4	8.0	10.0	80.4	55.8	36.2	27.4	17.9	43.8	63.4	0.4

問４．貴事業所の従業員は、およそ何人ですか。（○は１つ）

	全体	4人以下	5〜9人	10〜29人	30〜99人	100〜299人	300〜999人	1,000人以上	5人以上	10人以上	30人以上	100人以上	300人以上	9人以下	29人以下
総数（実数）	6,458	1,766	2,076	1,861	607	118	26	4	4,692	2,616	755	148	30	3,842	5,703
総数（％）	100.0	27.3	32.1	28.8	9.4	1.8	0.4	0.1	72.7	40.5	11.7	2.3	0.5	59.5	88.3

問２．企業・従業員数

	全体	4人以下	5〜9人	10〜29人	30〜99人	100〜299人	300〜999人	1,000人以上	5人以上	10人以上	30人以上	100人以上	300人以上	9人以下	29人以下
4人以下（実数）	1,101	1,101	-	-	-	-	-	-	-	-	-	-	-	1,101	1,101
4人以下（％）	100.0	100.0	-	-	-	-	-	-	-	-	-	-	-	100.0	100.0
5〜9人（実数）	1,399	119	1,280	-	-	-	-	-	1,280	-	-	-	-	1,399	1,399
5〜9人（％）	100.0	8.5	91.5	-	-	-	-	-	91.5	-	-	-	-	100.0	100.0
10〜29人（実数）	1,117	126	116	875	-	-	-	-	991	875	-	-	-	242	1,117
10〜29人（％）	100.0	11.3	10.4	78.3	-	-	-	-	88.7	78.3	-	-	-	21.7	100.0
30〜99人（実数）	759	121	155	228	255	-	-	-	638	483	255	-	-	276	504
30〜99人（％）	100.0	15.9	20.4	30.0	33.6	-	-	-	84.1	63.6	33.6	-	-	36.4	66.4
100〜299人（実数）	689	116	187	235	104	47	-	-	573	386	151	47	-	303	539
100〜299人（％）	100.0	16.8	27.2	34.1	15.1	6.8	-	-	83.2	56.0	21.8	6.8	-	44.0	78.2
300〜999人（実数）	571	92	153	210	82	25	9	-	478	326	116	33	9	245	455
300〜999人（％）	100.0	16.2	26.7	36.7	14.5	4.4	1.5	-	83.8	57.0	20.3	5.9	1.5	43.0	79.7
1000人以上（実数）	798	86	172	310	162	46	17	4	712	540	230	67	21	258	568
1000人以上（％）	100.0	10.8	21.6	38.8	20.3	5.8	2.1	0.5	89.2	67.6	28.8	8.4	2.7	32.4	71.2
5人以上（実数）	5,334	661	2,064	1,857	604	118	26	4	4,673	2,609	752	147	30	2,725	4,582
5人以上（％）	100.0	12.4	38.7	34.8	11.3	2.2	0.5	0.1	87.6	48.9	14.1	2.8	0.6	51.1	85.9
10人以上（実数）	3,935	542	784	1,857	604	118	26	4	3,393	2,609	752	147	30	1,325	3,183
10人以上（％）	100.0	13.8	19.9	47.2	15.4	3.0	0.7	0.1	86.2	66.3	19.1	3.7	0.8	33.7	80.9
30人以上（実数）	2,817	415	668	982	604	118	26	4	2,402	1,734	752	147	30	1,083	2,066
30人以上（％）	100.0	14.7	23.7	34.9	21.4	4.2	0.9	0.1	85.3	61.6	26.7	5.2	1.1	38.4	73.3
100人以上（実数）	2,058	294	513	755	349	118	26	4	1,764	1,251	496	147	30	807	1,562
100人以上（％）	100.0	14.3	24.9	36.7	16.9	5.7	1.2	0.2	85.7	60.8	24.1	7.2	1.4	39.2	75.9
300人以上（実数）	1,369	178	325	519	245	71	26	4	1,190	865	346	101	30	504	1,023
300人以上（％）	100.0	13.0	23.8	38.0	17.9	5.2	1.9	0.3	87.0	63.2	25.2	7.4	2.2	36.8	74.8
9人以下（実数）	2,500	1,220	1,280	-	-	-	-	-	1,280	-	-	-	-	2,500	2,500
9人以下（％）	100.0	48.8	51.2	-	-	-	-	-	51.2	-	-	-	-	100.0	100.0
29人以下（実数）	3,617	1,346	1,397	875	-	-	-	-	2,272	875	-	-	-	2,742	3,617
29人以下（％）	100.0	37.2	38.6	24.2	-	-	-	-	62.8	24.2	-	-	-	75.8	100.0
無回答（実数）	23	5	12	4	3	-	-	-	19	7	3	1	-	16	20
無回答（％）	100.0	19.6	50.0	16.3	11.4	1.9	0.4	0.2	80.4	30.4	14.0	2.6	0.7	69.6	86.0

問5．貴事業所の産業分野はどれにあたりますか。（○は1つ）　（事業が複数ある場合は売上高がもっとも大きいもの1つに○）

	全体	鉱業、採石業、砂利採取業	建設業	製造業	電気・ガス・熱供給・水道業	情報通信業	運輸業、郵便業	卸売業、小売業	金融業、保険業	不動産業、物品賃貸業	学術研究、専門・技術サービス業	宿泊業、飲食サービス業	生活関連サービス業、娯楽業	教育、学習支援業	医療、福祉	複合サービス事業（協同組合など、郵便局）	サービス業（他に分類されないもの）
総数	6,458	3	622	666	9	104	251	1,727	159	186	226	739	348	177	751	71	417
	100.0	-	9.6	10.3	0.1	1.6	3.9	26.7	2.5	2.9	3.5	11.4	5.4	2.7	11.6	1.1	6.5
問2. 企業・従業員数																	
4人以下	1,101	1	169	109	-	20	15	253	10	63	74	131	43	37	88	6	81
	100.0	-	15.4	9.9	-	1.8	1.4	23.0	0.9	5.7	6.8	11.9	3.9	3.3	8.0	0.5	7.4
5～9人	1,399	1	175	157	-	17	23	346	9	53	69	176	77	24	211	5	56
	100.0	0.1	12.5	11.2	-	1.2	1.6	24.7	0.7	3.8	4.9	12.5	5.5	1.7	15.1	0.3	4.0
10～29人	1,117	1	130	141	1	20	50	340	7	26	37	96	42	40	129	4	55
	100.0	0.1	11.6	12.6	0.1	1.8	4.5	30.5	0.7	2.3	3.3	8.6	3.7	3.5	11.5	0.4	5.0
30～99人	759	1	51	102	1	14	43	202	3	12	21	71	39	24	124	2	49
	100.0	0.1	6.7	13.4	0.1	1.8	5.6	26.7	0.4	1.6	2.8	9.4	5.1	3.1	16.4	0.3	6.5
100～299人	689	-	39	66	1	12	23	222	22	10	8	69	38	23	98	5	54
	100.0	-	5.7	9.5	0.1	1.7	3.3	32.2	3.2	1.4	1.1	9.9	5.5	3.4	14.2	0.8	7.8
300～999人	571	-	28	25	-	6	19	146	25	9	8	84	74	18	57	14	55
	100.0	-	4.8	4.3	-	1.0	3.4	25.6	4.3	1.6	1.5	14.8	13.0	3.2	10.0	2.5	9.7
1,000人以上	798	-	23	67	5	15	77	215	82	13	7	113	30	12	41	34	64
	100.0	-	2.9	8.4	0.6	1.9	9.7	26.9	10.2	1.6	0.9	14.1	3.7	1.5	5.1	4.3	8.0
5人以上	5,334	3	446	557	9	85	235	1,472	149	123	150	608	300	141	660	65	333
	100.0	-	8.4	10.4	0.2	1.6	4.4	27.6	2.8	2.3	2.8	11.4	5.6	2.6	12.4	1.2	6.2
10人以上	3,935	2	271	400	8	67	212	1,126	139	70	81	433	223	117	449	60	277
	100.0	-	6.9	10.2	0.2	1.7	5.4	28.6	3.5	1.8	2.1	11.0	5.7	3.0	11.4	1.5	7.0
30人以上	2,817	1	141	259	7	47	163	785	132	44	44	337	181	77	320	56	222
	100.0	-	5.0	9.2	0.3	1.7	5.8	27.9	4.7	1.6	1.6	12.0	6.4	2.7	11.4	2.0	7.9
100人以上	2,058	-	90	158	6	33	120	583	129	32	23	266	142	54	196	54	173
	100.0	-	4.4	7.7	0.3	1.6	5.8	28.3	6.3	1.5	1.1	12.9	6.9	2.6	9.5	2.6	8.4
300人以上	1,369	-	51	90	5	21	97	361	106	22	16	197	104	30	98	49	119
	100.0	-	3.7	6.7	0.4	1.6	7.1	26.4	7.8	1.6	1.1	14.4	7.6	2.2	7.1	3.6	8.7
9人以下	2,500	1	344	266	-	37	38	599	19	116	144	306	120	61	299	11	137
	100.0	0.1	13.8	10.7	-	1.5	1.5	24.0	0.8	4.6	5.7	12.3	4.8	2.4	12.0	0.4	5.5
29人以下	3,617	2	474	407	2	57	88	940	26	142	180	402	162	100	428	15	192
	100.0	0.1	13.1	11.3	0.1	1.6	2.4	26.0	0.7	3.9	5.0	11.1	4.5	2.8	11.8	0.4	5.3
無回答	23	-	7					2			2		5	-	3	1	3
	100.0	-	31.3	1.1				8.3	1.8		7.0	0.3	21.3	-	12.6	2.4	13.8

問５．貴事業所の産業分野はどれにあたりますか。（○は１つ）　（事業が複数ある場合は売上高がもっとも大きいもの１つに○）

	全体	鉱業，採石業，砂利採取業	建設業	製造業	電気・ガス・熱供給・水道業	情報通信業	運輸業，郵便業	卸売業，小売業	金融業，保険業	不動産業，物品賃貸業	学術研究，専門・技術サービス業	宿泊業，飲食サービス業	生活関連サービス業，娯楽業	教育，学習支援業	医療，福祉	複合サービス事業（協同組合，郵便局など）	サービス業（他に分類されないもの）
総数	6,458	3	622	666	9	104	251	1,727	159	186	226	739	348	177	751	71	417
	100.0	-	9.6	10.3	0.1	1.6	3.9	26.7	2.5	2.9	3.5	11.4	5.4	2.7	11.6	1.1	6.5
問４．事業所・従業員数																	
4人以下	1,766	1	218	134	1	26	29	488	29	77	87	191	136	52	135	19	143
	100.0	-	12.4	7.6	0.1	1.5	1.6	27.6	1.7	4.4	4.9	10.8	7.7	3.0	7.6	1.1	8.1
5～9人	2,076	1	220	189	2	27	56	585	35	60	75	256	102	49	275	32	113
	100.0	0.1	10.6	9.1	0.1	1.3	2.7	28.2	1.7	2.9	3.6	12.4	4.9	2.3	13.3	1.5	5.5
10～29人	1,861	1	149	210	3	29	98	512	69	39	46	230	81	55	228	16	97
	100.0	0.1	8.0	11.3	0.2	1.6	5.3	27.5	3.7	2.1	2.5	12.3	4.4	2.9	12.3	0.8	5.2
30～99人	607	-	32	98	2	16	55	121	23	8	14	58	26	17	89	3	46
	100.0	-	5.3	16.1	0.3	2.6	9.1	19.9	3.8	1.3	2.2	9.5	4.3	2.9	14.7	0.4	7.5
100～299人	118	-	3	27	1	5	11	19	2	1	3	4	2	3	18	2	14
	100.0	-	2.9	22.8	0.9	4.3	9.5	16.1	2.1	1.2	2.7	3.5	2.1	2.7	15.6	1.6	12.1
300～999人	26	-	1	7	-	2	2	3	1	-	1	1	1	1	4	-	4
	100.0	-	2.0	27.7	-	5.9	6.2	10.9	2.5	-	3.2	2.4	1.0	3.9	16.7	-	13.7
1,000人以上	4	-	-	1	-	-	-	-	-	-	-	-	-	-	1	-	-
	100.0	-	-	32.9	-	-	-	-	-	-	-	-	-	-	-	-	9.4
5人以上	4,692	2	404	532	8	79	222	1,239	130	109	139	548	212	125	616	53	274
	100.0	-	8.6	11.3	0.2	1.7	4.7	26.4	2.8	2.3	3.0	11.7	4.5	2.7	13.1	1.1	5.8
10人以上	2,616	1	185	343	6	52	166	654	95	49	64	292	110	77	341	21	161
	100.0	-	7.1	13.1	0.2	2.0	6.4	25.0	3.6	1.9	2.4	11.2	4.2	2.9	13.0	0.8	6.1
30人以上	755	-	36	133	3	23	68	143	26	10	18	62	29	22	113	5	64
	100.0	-	4.8	17.7	0.4	3.0	9.0	18.9	3.5	1.3	2.4	8.3	3.8	2.9	14.9	0.7	8.5
100人以上	148	-	4	35	1	7	13	22	3	2	4	5	3	5	23	2	18
	100.0	-	2.7	24.0	0.8	4.7	8.8	15.0	2.2	1.2	2.8	3.2	1.9	3.0	15.7	1.6	12.3
300人以上	30	-	1	9	-	2	2	3	1	1	1	1	1	1	5	1	4
	100.0	-	2.0	28.5	-	6.2	6.0	10.6	2.7	-	3.4	2.3	1.0	4.3	16.3	1.8	13.1
9人以下	3,842	2	438	323	3	53	84	1,072	64	137	162	447	238	101	410	51	256
	100.0	0.1	11.4	8.4	0.1	1.4	2.2	27.9	1.7	3.6	4.2	11.6	6.2	2.6	10.7	1.3	6.7
29人以下	5,703	3	586	533	6	82	182	1,584	133	176	208	677	319	156	638	67	353
	100.0	0.1	10.3	9.3	0.1	1.4	3.2	27.8	2.3	3.1	3.7	11.9	5.6	2.7	11.2	1.2	6.2

問2. 貴社（企業全体）の国内の従業員は、およそ何人ですか。（○は1つ）

	全体	4人以下	5～9人	10～29人	30～99人	100～299人	300～999人	1,000人以上	5人以上	10人以上	30人以上	100人以上	300人以上	9人以下	29人以下	無回答
総 数	6,458 / 100.0	1,101 / 17.0	1,399 / 21.7	1,117 / 17.3	759 / 11.8	689 / 10.7	571 / 8.8	798 / 12.4	5,334 / 82.6	3,935 / 60.9	2,817 / 43.6	2,058 / 31.9	1,369 / 21.2	2,500 / 38.7	3,617 / 56.0	23 / 0.4
問5. 産業分野																
鉱業，採石業，砂利採取業	3 / 100.0	1 / 16.5	1 / 26.8	1 / 19.6	- / 2.0	- / 4.0	- / 2.0	- / 4.4	3 / 83.2	2 / 56.4	1 / 29.9	- / 10.3	- / 6.4	1 / 43.3	2 / 69.8	- / 0.3
建設業	622 / 100.0	169 / 27.2	175 / 28.2	130 / 20.8	51 / 8.2	39 / 6.3	28 / 4.4	23 / 3.7	446 / 71.6	271 / 43.5	141 / 22.7	90 / 14.5	51 / 8.2	344 / 55.3	474 / 76.2	7 / 1.2
製造業	666 / 100.0	109 / 16.4	157 / 23.6	141 / 21.1	102 / 15.2	66 / 9.9	25 / 3.7	67 / 10.0	557 / 83.6	400 / 60.0	259 / 38.9	158 / 23.6	92 / 13.8	266 / 40.0	407 / 61.1	- / -
電気・ガス・熱供給・水道業	9 / 100.0	- / 4.5	1 / 5.0	1 / 10.0	1 / 12.2	1 / 10.5	- / 3.6	5 / 54.3	9 / 95.5	8 / 90.6	7 / 80.6	6 / 68.4	5 / 57.9	1 / 9.4	2 / 19.4	- / -
情報通信業	104 / 100.0	20 / 18.9	17 / 16.7	20 / 19.4	14 / 13.1	12 / 11.5	6 / 5.6	15 / 14.8	85 / 81.1	67 / 64.4	47 / 45.0	33 / 31.9	21 / 20.4	37 / 35.6	57 / 55.0	- / -
運輸業，郵便業	251 / 100.0	15 / 6.1	23 / 9.1	50 / 19.9	43 / 17.0	23 / 9.2	20 / 7.8	77 / 30.9	235 / 93.9	212 / 84.8	163 / 64.9	120 / 47.8	97 / 38.7	38 / 15.2	88 / 35.1	- / -
卸売業，小売業	1,727 / 100.0	253 / 14.7	346 / 20.0	340 / 19.7	202 / 11.7	222 / 12.9	146 / 8.5	215 / 12.4	1,472 / 85.2	1,126 / 65.2	785 / 45.5	583 / 33.8	361 / 20.9	599 / 34.7	940 / 54.4	2 / 0.1
金融業，保険業	159 / 100.0	10 / 6.1	9 / 5.9	7 / 4.6	3 / 2.1	22 / 14.0	25 / 15.5	82 / 51.5	149 / 93.6	139 / 87.7	132 / 83.1	129 / 81.0	106 / 67.0	19 / 12.0	26 / 16.6	- / 0.3
不動産業，物品賃貸業	186 / 100.0	63 / 33.9	53 / 28.5	26 / 13.9	12 / 6.7	10 / 5.2	9 / 4.9	13 / 7.1	123 / 66.1	70 / 37.7	44 / 23.8	32 / 17.1	22 / 11.9	116 / 62.3	142 / 76.2	- / -
学術研究，専門・技術サービス業	226 / 100.0	74 / 32.9	69 / 30.6	37 / 16.2	21 / 9.3	8 / 3.4	8 / 3.7	7 / 3.2	150 / 66.4	81 / 35.8	44 / 19.6	23 / 10.4	15 / 7.0	143 / 63.5	180 / 79.7	2 / 0.7
宿泊業，飲食サービス業	739 / 100.0	131 / 17.7	176 / 23.7	96 / 13.0	71 / 9.6	69 / 9.3	84 / 11.4	113 / 15.3	608 / 82.3	433 / 58.5	337 / 45.6	266 / 36.0	197 / 26.7	306 / 41.5	402 / 54.4	- / -
生活関連サービス業，娯楽業	348 / 100.0	43 / 12.4	77 / 22.2	42 / 12.0	39 / 11.2	38 / 10.9	74 / 21.4	30 / 8.6	300 / 86.2	223 / 64.0	181 / 52.0	142 / 40.8	104 / 29.9	120 / 34.6	162 / 46.5	5 / 1.4
教育，学習支援業	177 / 100.0	37 / 20.8	24 / 13.4	40 / 22.3	23 / 13.3	24 / 13.1	18 / 10.4	12 / 6.7	141 / 79.7	117 / 65.9	77 / 43.5	54 / 30.2	30 / 17.2	61 / 34.1	100 / 56.5	- / -
医療，福祉	751 / 100.0	88 / 11.7	211 / 28.1	129 / 17.2	124 / 16.6	98 / 13.1	57 / 7.6	41 / 5.4	660 / 87.9	449 / 59.8	320 / 42.6	196 / 26.1	98 / 13.0	299 / 39.8	428 / 57.0	3 / 0.4
複合サービス事業（郵便局，協同組合など）	71 / 100.0	6 / 8.3	5 / 6.8	4 / 5.8	2 / 2.8	5 / 7.4	14 / 20.1	34 / 47.9	65 / 90.9	60 / 84.1	56 / 78.3	54 / 75.5	49 / 68.0	11 / 15.1	15 / 20.9	1 / 0.8
サービス業（他に分類されないもの）	417 / 100.0	81 / 19.5	56 / 13.3	55 / 13.3	49 / 11.8	54 / 12.8	55 / 13.3	64 / 15.3	333 / 79.7	277 / 66.4	222 / 53.2	173 / 41.4	119 / 28.6	137 / 32.8	192 / 46.1	3 / 0.8

問4．貴事業所の従業員は、およそ何人ですか。（○は1つ）

問5．産業分野

各セル：上段＝度数、下段＝％

産業	全体	4人以下	5～9人	10～29人	30～99人	100～299人	300～999人	1,000人以上	5人以上	10人以上	30人以上	100人以上	300人以上	9人以下	29人以下
総数	6,458 / 100.0	1,766 / 27.3	2,076 / 32.1	1,861 / 28.8	607 / 9.4	118 / 1.8	26 / 0.4	4 / 0.1	4,692 / 72.7	2,616 / 40.5	755 / 11.7	148 / 2.3	30 / 0.5	3,842 / 59.5	5,703 / 88.3
鉱業，採石業，砂利採取業	3 / 100.0	1 / 26.9	1 / 36.3	1 / 29.6	- / 6.1	- / 0.8	- / 0.2	- / -	2 / 73.1	1 / 36.8	- / 7.1	- / 1.0	- / 0.2	2 / 63.2	3 / 92.9
建設業	622 / 100.0	218 / 35.1	220 / 35.3	149 / 23.9	32 / 5.1	3 / 0.6	1 / 0.1	- / -	404 / 64.9	185 / 29.7	36 / 5.8	4 / 0.6	1 / 0.1	438 / 70.3	586 / 94.2
製造業	666 / 100.0	134 / 20.1	189 / 28.4	210 / 31.5	98 / 14.7	27 / 4.0	7 / 1.1	1 / 0.2	532 / 79.9	343 / 51.5	133 / 20.0	35 / 5.3	9 / 1.3	323 / 48.5	533 / 80.0
電気・ガス・熱供給・水道業	9 / 100.0	1 / 12.0	2 / 20.4	3 / 31.9	2 / 22.3	1 / 11.4	- / 1.7	- / 0.4	8 / 88.0	6 / 67.6	3 / 35.7	1 / 13.5	- / 2.1	3 / 32.4	6 / 64.3
情報通信業	104 / 100.0	26 / 24.7	27 / 25.7	29 / 27.8	16 / 15.2	5 / 4.9	2 / 1.4	- / -	79 / 75.3	52 / 49.6	23 / 21.8	7 / 6.6	2 / 1.8	53 / 50.4	82 / 78.2
運輸業，郵便業	251 / 100.0	29 / 11.4	56 / 22.2	98 / 39.2	55 / 22.0	11 / 4.5	2 / 0.6	- / -	222 / 88.6	166 / 66.4	68 / 27.2	13 / 5.2	2 / 0.7	84 / 33.6	182 / 72.8
卸売業，小売業	1,727 / 100.0	488 / 28.2	585 / 33.9	512 / 29.6	121 / 7.0	19 / 1.1	3 / 0.2	- / 0.1	1,239 / 71.8	654 / 37.9	143 / 8.3	22 / 1.3	3 / 0.2	1,072 / 62.1	1,584 / 91.7
金融業，保険業	159 / 100.0	29 / 18.4	35 / 22.0	69 / 43.1	23 / 14.4	2 / 1.6	1 / 0.4	- / 0.1	130 / 81.6	95 / 59.6	26 / 16.5	3 / 2.1	1 / 0.5	64 / 40.4	133 / 83.5
不動産業，物品賃貸業	186 / 100.0	77 / 41.4	60 / 32.4	39 / 20.9	8 / 4.3	1 / 0.8	- / 0.2	- / -	109 / 58.6	49 / 26.2	10 / 5.3	2 / 1.0	- / 0.2	137 / 73.8	176 / 94.7
学術研究，専門・技術サービス業	226 / 100.0	87 / 38.6	75 / 33.1	46 / 20.4	14 / 6.0	3 / 1.4	1 / 0.4	- / 0.1	139 / 61.4	64 / 28.3	18 / 7.9	4 / 1.9	1 / 0.4	162 / 71.7	208 / 92.1
宿泊業，飲食サービス業	739 / 100.0	191 / 25.8	256 / 34.7	230 / 31.1	58 / 7.8	4 / 0.6	1 / 0.1	- / -	548 / 74.2	292 / 39.5	62 / 8.4	5 / 0.6	1 / 0.1	447 / 60.5	677 / 91.6
生活関連サービス業，娯楽業	348 / 100.0	136 / 39.1	102 / 29.2	81 / 23.3	26 / 7.5	2 / 0.7	- / 0.1	- / -	212 / 60.9	110 / 31.6	29 / 8.3	3 / 0.8	- / 0.1	238 / 68.4	319 / 91.7
教育，学習支援業	177 / 100.0	52 / 29.4	49 / 27.3	55 / 30.9	17 / 9.8	3 / 1.8	1 / 0.6	- / 0.1	125 / 70.6	77 / 43.2	22 / 12.3	5 / 2.5	1 / 0.7	101 / 56.8	156 / 87.7
医療，福祉	751 / 100.0	135 / 18.0	275 / 36.6	228 / 30.4	89 / 11.9	18 / 2.4	4 / 0.6	1 / 0.1	616 / 82.0	341 / 45.4	113 / 15.0	23 / 3.1	5 / 0.7	410 / 54.6	638 / 85.0
複合サービス事業（郵便局，協同組合など）	71 / 100.0	19 / 26.3	32 / 44.7	16 / 22.1	3 / 3.6	2 / 2.6	- / 0.7	- / -	53 / 73.7	21 / 29.0	5 / 6.9	2 / 3.3	- / 0.7	51 / 71.0	67 / 93.1
サービス業（他に分類されないもの）	417 / 100.0	143 / 34.3	113 / 27.1	97 / 23.2	46 / 11.0	14 / 3.4	4 / 0.8	- / 0.1	274 / 65.7	161 / 38.5	64 / 15.3	18 / 4.4	4 / 0.9	256 / 61.5	353 / 84.7

問1. 貴社（企業全体）の経営形態は次のうちどれですか。（○は1つ）

問5. 産業分野

各セルは上段＝実数、下段＝％

産業分野	全体	会社	外国資本比率 0%	0%～3分の1	3分の1超	無回答	会社以外の法人	（個人経営（個人事業主）	ない（法人格をもたない団体）その他	無回答
総数	6,458 / 100.0	4,708 / 72.9	4,136 / 87.8	124 / 2.6	43 / 0.9	406 / 8.6	675 / 10.5	927 / 14.4	57 / 0.9	89 / 1.4
鉱業, 採石業, 砂利採取業	3 / 100.0	3 / 90.9	2 / 86.8	－ / 2.5	－ / 0.3	－ / 10.4	－ / 2.9	－ / 3.9	－ / 0.4	－ / 1.8
建設業	622 / 100.0	580 / 93.2	512 / 88.3	16 / 2.7	－ / －	52 / 9.0	4 / 0.7	28 / 4.6	4 / 0.7	6 / 1.0
製造業	666 / 100.0	587 / 88.1	490 / 83.5	15 / 2.6	3 / 0.5	79 / 13.4	7 / 1.0	59 / 8.8	4 / 0.5	10 / 1.5
電気・ガス・熱供給・水道業	9 / 100.0	8 / 90.5	5 / 64.2	1 / 14.7	－ / －	2 / 21.0	1 / 8.0	0 / 0.9	－ / 0.5	－ / －
情報通信業	104 / 100.0	103 / 98.4	95 / 92.2	2 / 1.5	1 / 0.2	6 / 6.0	－ / －	1 / 1.3	－ / －	－ / 0.3
運輸業, 郵便業	251 / 100.0	237 / 94.6	198 / 83.4	10 / 4.2	1 / 0.3	29 / 12.1	3 / 1.4	4 / 1.6	－ / －	6 / 2.4
卸売業, 小売業	1,727 / 100.0	1454 / 84.2	1312 / 90.2	37 / 2.6	12 / 0.8	94 / 6.4	50 / 2.9	190 / 11.0	15 / 0.9	18 / 1.0
金融業, 保険業	159 / 100.0	100 / 63.0	73 / 72.7	14 / 14.5	2 / 1.7	11 / 11.1	52 / 32.8	3 / 1.7	1 / 0.7	3 / 1.8
不動産業, 物品賃貸業	186 / 100.0	155 / 83.2	131 / 84.9	2 / 1.0	8 / 4.9	14 / 9.2	7 / 3.6	21 / 11.3	－ / －	4 / 1.9
学術研究, 専門・技術サービス業	226 / 100.0	107 / 47.4	101 / 93.8	0 / 0.2	－ / －	6 / 6.0	39 / 17.3	70 / 30.9	7 / 3.2	3 / 1.1
宿泊業, 飲食サービス業	739 / 100.0	466 / 63.0	402 / 86.4	18 / 3.9	10 / 2.2	35 / 7.4	3 / 0.4	240 / 32.5	5 / 0.7	25 / 3.4
生活関連サービス業, 娯楽業	348 / 100.0	281 / 80.7	260 / 92.7	－ / －	1 / 0.2	20 / 7.1	8 / 2.3	57 / 16.3	－ / －	3 / 0.7
教育, 学習支援業	177 / 100.0	59 / 33.5	53 / 89.8	1 / 1.5	－ / －	5 / 8.7	78 / 44.2	35 / 19.6	4 / 2.4	1 / 0.3
医療, 福祉	751 / 100.0	222 / 29.6	192 / 86.6	－ / －	6 / 2.7	24 / 10.7	328 / 43.7	187 / 25.0	7 / 0.9	7 / 0.9
複合サービス事業（郵便局, 協同組合など）	71 / 100.0	29 / 41.2	24 / 81.0	2 / 8.1	－ / －	3 / 10.9	39 / 54.1	1 / 1.5	1 / 1.1	1 / 2.1
サービス業（他に分類されないもの）	417 / 100.0	317 / 76.1	284 / 89.6	4 / 1.4	2 / 0.6	27 / 8.4	57 / 13.6	31 / 7.3	9 / 2.0	4 / 1.0

問2．貴社（企業全体）の国内の従業員は、おおよそ何人ですか。（○は１つ）

区分	全体	4人以下	5〜9人	10〜29人	30〜99人	100〜299人	300〜999人	1,000人以上	5人以上	10人以上	30人以上	100人以上	300人以上	9人以下	29人以下	無回答
総数 実数	6,458	1,101	1,399	1,117	759	689	571	798	5,334	3,935	2,817	2,058	1,369	2,500	3,617	23
（％）	100.0	17.0	21.7	17.3	11.8	10.7	8.8	12.4	82.6	60.9	43.6	31.9	21.2	38.7	56.0	0.4
問1．企業の経営形態																
会社（法人） 実数	4,708	590	874	867	637	552	456	716	4,103	3,229	2,362	1,725	1,173	1,463	2,331	16
（％）	100.0	12.5	18.6	18.4	13.5	11.7	9.7	15.2	87.1	68.6	50.2	36.6	24.9	31.1	49.5	0.3
外国資本比率 0% 実数	4,136	540	801	778	574	498	395	539	3,584	2,784	2,006	1,432	934	1,341	2,118	11
（％）	100.0	13.1	19.4	18.8	13.9	12.0	9.5	13.0	86.7	67.3	48.5	34.6	22.6	32.4	51.2	0.3
0%超〜3分の1以下 実数	124	2	-	11	10	9	4	87	121	121	110	100	91	2	13	1
（％）	100.0	1.6	-	9.1	8.2	7.0	3.4	70.4	98.1	98.1	89.0	80.8	73.8	1.6	10.7	0.3
3分の1超 実数	43	3	2	-	5	-	10	23	40	38	38	33	33	5	5	-
（％）	100.0	8.1	-	-	-	-	-	53.4	91.9	91.9	88.5	87.3	75.0	11.5	11.5	-
無回答 実数	406	44	73	77	52	40	48	67	357	284	207	155	115	117	194	4
（％）	100.0	10.8	18.0	19.0	12.9	9.9	11.8	16.5	88.1	70.0	51.1	38.2	28.3	28.9	47.8	1.1
会社以外の法人（協同組合、信用金庫、財団・社団法人、医療・学校・宗教法人等） 実数	675	43	121	135	101	119	98	58	632	511	376	275	156	163	298	-
（％）	100.0	6.3	17.9	20.0	15.0	17.6	14.5	8.6	93.6	75.7	55.7	40.8	23.1	24.2	44.2	-
個人経営（個人事業主） 実数	927	433	373	103	12	3	2	1	494	121	18	5	2	806	909	1
（％）	100.0	46.6	40.3	11.1	1.3	0.3	0.2	0.1	53.3	13.0	1.9	0.6	0.2	86.9	98.0	0.1
その他（法人格をもたない団体） 実数	57	21	17	6	7	1	1	4	36	19	13	6	5	38	44	-
（％）	100.0	37.2	30.2	10.2	11.7	-	-	6.2	62.8	32.6	22.4	10.2	-	67.4	77.6	-
無回答 実数	89	14	14	7	6	9	14	19	69	55	48	42	33	29	35	6
（％）	100.0	16.1	16.1	7.1	7.4	10.1	15.4	21.6	77.2	61.2	54.0	46.6	37.1	32.2	39.3	6.6

問4．貴事業所の従業員は、おおよそ何人ですか。（○は１つ）

区分	全体	4人以下	5〜9人	10〜29人	30〜99人	100〜299人	300〜999人	1,000人以上	5人以上	10人以上	30人以上	100人以上	300人以上	9人以下	29人以下	無回答
総数 実数	6,458	1,766	2,076	1,861	607	118	26	4	4,692	2,616	755	148	30	3,842	5,703	4
（％）	100.0	27.3	32.1	28.8	9.4	1.8	0.4	0.1	72.7	40.5	11.7	2.3	0.5	59.5	88.3	0.1
問1．企業の経営形態																
会社（法人） 実数	4,708	1,156	1,473	1,488	480	90	19	3	3,553	2,080	592	112	22	2,629	4,117	3
（％）	100.0	24.6	31.3	31.6	10.2	1.9	0.4	0.1	75.4	44.2	12.6	2.4	0.5	55.8	87.4	0.1
外国資本比率 0% 実数	4,136	1,060	1,282	1,305	398	74	14	2	3,075	1,793	488	90	16	2,342	3,648	2
（％）	100.0	25.6	31.0	31.6	9.6	1.8	0.3	-	74.4	43.4	11.8	2.2	0.4	56.6	88.2	-
0%超〜3分の1以下 実数	124	16	35	43	23	4	3	1	108	73	30	8	3	51	93	1
（％）	100.0	12.8	28.1	34.5	18.4	3.5	2.1	0.6	87.2	59.1	24.6	6.2	2.7	40.9	75.4	0.6
3分の1超 実数	43	9	9	18	10	2	1	-	40	31	13	3	1	18	31	-
（％）	100.0	20.6	20.6	41.8	22.5	4.6	1.9	-	91.9	71.3	29.5	7.0	2.4	41.8	70.5	-
無回答 実数	406	76	147	122	49	9	6	1	330	183	61	12	2	223	345	1
（％）	100.0	18.8	36.2	30.0	12.1	2.3	1.9	-	81.2	45.0	15.0	2.9	0.5	55.0	85.0	0.1
会社以外の法人（協同組合、信用金庫、財団・社団法人、医療・学校・宗教法人等） 実数	675	87	191	257	109	26	6	-	589	398	141	32	7	277	534	7
（％）	100.0	12.8	28.2	38.1	16.1	3.8	0.8	-	87.2	59.0	20.9	4.8	1.0	41.0	79.1	1.0
個人経営（個人事業主） 実数	927	472	355	94	6	1	-	-	455	101	7	1	-	826	920	-
（％）	100.0	50.9	38.2	10.1	0.7	0.1	-	-	49.1	10.9	0.8	0.1	-	89.1	99.2	-
その他（法人格をもたない団体） 実数	57	23	28	4	2	-	-	-	34	6	2	-	-	51	55	-
（％）	100.0	40.7	49.1	6.5	3.9	-	-	-	59.3	10.9	4.4	-	-	89.1	95.6	-
無回答 実数	89	28	30	19	9	2	1	-	61	31	12	3	1	58	77	-
（％）	100.0	31.3	34.0	21.0	10.5	2.2	0.9	-	68.7	34.6	13.6	3.1	0.9	65.4	86.4	-

問5. 貴事業所の産業分野はどれにあたりますか。（○は1つ）（事業が複数ある場合は売上高がもっとも大きいもの1つに○）

各欄は上段＝件数、下段＝％（全体に対する構成比）

	全体	鉱業，採石業，砂利採取業	建設業	製造業	電気・ガス・熱供給・水道業	情報通信業	運輸業，郵便業	卸売業，小売業	金融業，保険業	不動産業，物品賃貸業	学術研究，専門・技術サービス業	宿泊業，飲食サービス業	生活関連サービス業，娯楽業	教育，学習支援業	医療，福祉	複合サービス事業（協同組合，郵便局など）	サービス業（他に分類されないもの）
総数	6,458 / 100.0	3 / -	622 / 9.6	666 / 10.3	9 / 0.1	104 / 1.6	251 / 3.9	1,727 / 26.7	159 / 2.5	186 / 2.9	226 / 3.5	739 / 11.4	348 / 5.4	177 / 2.7	751 / 11.6	71 / 1.1	417 / 6.5

問1．企業の経営形態

	全体	鉱業，採石業，砂利採取業	建設業	製造業	電気・ガス・熱供給・水道業	情報通信業	運輸業，郵便業	卸売業，小売業	金融業，保険業	不動産業，物品賃貸業	学術研究，専門・技術サービス業	宿泊業，飲食サービス業	生活関連サービス業，娯楽業	教育，学習支援業	医療，福祉	複合サービス事業（協同組合，郵便局など）	サービス業（他に分類されないもの）
会社（法人）	4,708 / 100.0	3 / 0.1	580 / 12.3	587 / 12.5	8 / 0.2	103 / 2.2	237 / 5.0	1,454 / 30.9	100 / 2.1	155 / 3.3	107 / 2.3	466 / 9.9	281 / 6.0	59 / 1.3	222 / 4.7	29 / 0.6	317 / 6.7
外国資本比率 0%	4,136 / 100.0	2 / 0.1	512 / 12.4	490 / 11.9	5 / 0.1	95 / 2.3	198 / 4.8	1,312 / 31.7	73 / 1.8	131 / 3.2	101 / 2.4	402 / 9.7	260 / 6.3	53 / 1.3	192 / 4.7	24 / 0.6	284 / 6.9
0％超～3分の1以下	124 / 100.0	- / -	16 / 12.6	15 / 12.5	1 / 1.0	2 / 1.3	10 / 8.1	37 / 30.1	14 / 11.7	2 / 1.2	- / 0.2	18 / 14.9	- / 0.1	1 / 0.7	- / -	2 / 1.9	4 / 3.6
3分の1超	43 / 100.0	- / -	- / -	3 / 6.2	- / -	- / 0.5	1 / 1.4	12 / 27.4	2 / 4.0	8 / 17.4	- / -	10 / 23.4	1 / 1.2	- / -	6 / 13.6	- / -	2 / 4.5
無回答	406 / 100.0	- / -	52 / 12.8	79 / 19.3	2 / 0.4	6 / 1.5	29 / 7.0	94 / 23.1	11 / 2.7	14 / 3.5	6 / 1.6	35 / 8.5	20 / 4.9	5 / 1.3	24 / 5.8	3 / 0.8	27 / 6.5
会社以外の法人（協同組合，信用金庫，財団・社団法人，医療法人，学校・宗教法人等）	675 / 100.0	- / -	4 / 0.6	7 / 1.0	1 / 0.1	- / -	3 / 0.5	50 / 7.4	52 / 7.7	7 / 1.0	39 / 5.8	3 / 0.4	8 / 1.2	78 / 11.6	328 / 48.5	39 / 5.7	57 / 8.4
個人経営（個人事業主）	927 / 100.0	- / -	28 / 3.1	59 / 6.3	- / -	1 / 0.1	4 / 0.4	190 / 20.5	3 / 0.3	21 / 2.3	70 / 7.5	240 / 25.9	57 / 6.1	35 / 3.7	187 / 20.2	1 / 0.1	31 / 3.3
その他（法人格をもたない団体）	57 / 100.0	- / -	4 / 7.1	4 / 6.2	- / 0.1	- / -	- / -	15 / 25.9	1 / 2.0	- / 0.1	7 / 12.7	5 / 9.5	- / 0.1	4 / 7.5	7 / 12.4	1 / 1.4	9 / 14.9
無回答	89 / 100.0	- / 0.1	6 / 6.6	10 / 11.5	- / -	- / 0.3	6 / 6.7	18 / 19.6	3 / 3.3	4 / 3.9	3 / 2.8	25 / 28.2	3 / 2.8	1 / 0.6	7 / 7.3	3 / 1.7	4 / 4.6

問10. 貴事業場に労働組合はありますか。（○は１つ）

	全体	労働組合がある	1つ労働組合がある	2つ以上労働組合がある	労働組合はない	わからない	無回答
総　数	6,458	816	766	50	5,348	147	147
	100.0	12.6	11.9	0.8	82.8	2.3	2.3
問１．企業の経営形態							
会社（法人）	4,708	675	632	43	3,871	93	70
	100.0	14.3	13.4	0.9	82.2	2.0	1.5
0％	4,136	537	510	28	3,477	66	56
	100.0	13.0	12.3	0.7	84.1	1.6	1.4
0％超～3分の1以下	124	77	70	6	39	6	2
	100.0	62.0	56.9	5.1	31.4	4.7	1.9
3分の1超	43	8	8	-	31	2	3
	100.0	17.7	17.3	0.3	70.8	3.5	8.1
無回答	406	53	45	9	325	20	8
	100.0	13.2	11.0	2.2	80.0	4.8	2.0
会社以外の法人 （協同組合、信用金庫、財団・社団法人、医療・学校・宗教法人等）	675	118	114	4	536	11	9
	100.0	17.5	16.9	0.6	79.4	1.7	1.4
個人経営（個人事業主）	927	7	7	-	828	32	61
	100.0	0.7	0.7	-	89.3	3.4	6.6
その他（法人格をもたない団体）	57	2	1	1	51	4	-
	100.0	4.1	2.3	1.8	89.7	6.2	-
無回答	89	14	12	2	61	8	7
	100.0	15.3	13.5	1.8	68.5	8.9	7.4
問４．事業所・従業員数							
4 人以下	1,766	120	107	12	1,568	21	57
	100.0	6.8	6.1	0.7	88.8	1.2	3.2
5 ～9 人	2,076	167	156	11	1,770	77	62
	100.0	8.1	7.5	0.6	85.3	3.7	3.0
10～29人	1,861	279	263	17	1,521	39	21
	100.0	15.0	14.1	0.9	81.7	2.1	1.1
30～99人	607	176	171	5	416	10	5
	100.0	28.9	28.2	0.8	68.5	1.6	0.9
100 ～299 人	118	54	51	3	63	-	1
	100.0	45.6	43.2	2.4	53.5	0.3	0.6
300 ～999 人	26	17	16	1	8	-	-
	100.0	66.6	61.2	5.4	32.7	-	0.7
1,000 人以上	4	3	3	-	1	-	-
	100.0	77.0	70.1	7.0	22.7	0.1	0.2
9 人以下	3,842	287	263	24	3,338	98	119
	100.0	7.5	6.8	0.6	86.9	2.5	3.1
29人以下	5,703	566	526	40	4,859	137	140
	100.0	9.9	9.2	0.7	85.2	2.4	2.5
5 人以上	4,692	696	659	37	3,780	126	89
	100.0	14.8	14.0	0.8	80.6	2.7	1.9
10人以上	2,616	529	503	26	2,010	50	27
	100.0	20.2	19.2	1.0	76.8	1.9	1.1
30人以上	755	250	241	9	488	10	6
	100.0	33.1	31.9	1.2	64.7	1.4	0.8
100 人以上	148	74	70	4	73	-	1
	100.0	50.1	47.1	3.0	49.0	0.2	0.6
300 人以上	30	20	19	2	9	-	-
	100.0	68.1	62.4	5.6	31.3	-	0.6
問４．事業所・正社員数							
4 人以下	3,255	271	247	24	2,792	86	106
	100.0	8.3	7.6	0.7	85.8	2.6	3.2
5 ～9 人	1,402	135	128	7	1,206	43	17
	100.0	9.6	9.2	0.5	86.1	3.0	1.2
10～29人	1,239	224	213	11	985	15	15
	100.0	18.1	17.2	0.9	79.5	1.2	1.2
30～99人	405	130	125	4	273	1	2
	100.0	32.0	30.9	1.0	67.3	0.2	0.6
100 ～299 人	68	34	32	2	33	-	-
	100.0	50.2	47.0	3.3	48.8	0.5	0.5
300 ～999 人	17	12	11	1	5	-	-
	100.0	71.9	67.2	4.8	27.1	-	1.0
1,000 人以上	3	2	2	-	1	-	-
	100.0	81.2	75.6	5.6	18.8	-	-
9 人以下	4,657	406	375	31	3,999	128	123
	100.0	8.7	8.1	0.7	85.9	2.8	2.6
29人以下	5,896	630	588	42	4,984	143	138
	100.0	10.7	10.0	0.7	84.5	2.4	2.3
5 人以上	3,134	537	512	25	2,502	59	35
	100.0	17.1	16.3	0.8	79.9	1.9	1.1
10人以上	1,732	402	384	19	1,296	16	18
	100.0	23.2	22.2	1.1	74.8	0.9	1.0
30人以上	493	178	171	7	311	1	3
	100.0	36.1	34.6	1.5	63.1	0.2	0.6
100 人以上	88	49	45	3	38	-	1
	100.0	55.4	51.8	3.6	43.6	0.4	0.6

問10．貴事業場に労働組合はありますか。（○は１つ）

	全体	労働組合がある	1つ労働組合がある	2つ以上労働組合がある	労働組合はない	わからない	無回答
総　数	6,458	816	766	50	5,348	147	147
	100.0	12.6	11.9	0.8	82.8	2.3	2.3
300 人以上	20	14	14	1	5	-	-
	100.0	73.3	68.4	4.9	25.9	-	0.8
無回答	69	8	7	-	53	3	5
	100.0	10.9	10.5	0.4	77.0	4.3	7.9
問2．企業・従業員数							
4 人以下	1,101	9	9	-	1,033	5	54
	100.0	0.9	0.9	-	93.8	0.4	4.9
5 ～9 人	1,399	29	29	-	1,272	51	47
	100.0	2.1	2.1	-	90.9	3.7	3.3
10～29人	1,117	24	24	-	1,043	24	25
	100.0	2.2	2.2	-	93.4	2.2	2.3
30～99人	759	68	68	1	673	13	5
	100.0	9.0	8.9	0.1	88.6	1.7	0.7
100 ～299 人	689	117	115	2	557	15	-
	100.0	17.0	16.7	0.3	80.8	2.2	-
300 ～999 人	571	143	142	1	419	6	3
	100.0	25.0	24.8	0.2	73.4	1.1	0.5
1,000 人以上	798	421	377	44	340	33	5
	100.0	52.8	47.2	5.6	42.5	4.1	0.6
9 人以下	2,500	39	38	-	2,305	56	100
	100.0	1.6	1.5	-	92.2	2.2	4.0
29人以下	3,617	63	62	-	3,348	81	126
	100.0	1.7	1.7	-	92.6	2.2	3.5
5 人以上	5,334	803	754	49	4,303	143	85
	100.0	15.1	14.1	0.9	80.7	2.7	1.6
10人以上	3,935	774	726	48	3,031	91	38
	100.0	19.7	18.4	1.2	77.0	2.3	1.0
30人以上	2,817	750	701	48	1,988	67	13
	100.0	26.6	24.9	1.7	70.6	2.4	0.5
100 人以上	2,058	681	633	48	1,315	54	8
	100.0	33.1	30.8	2.3	63.9	2.6	0.4
300 人以上	1,369	564	518	46	758	39	8
	100.0	41.2	37.9	3.3	55.4	2.8	0.6
無回答	23	3	2	1	12	-	8
	100.0	14.9	10.2	4.7	50.7	-	34.4
問2．企業・正社員数							
4 人以下	2,126	35	35	-	1,952	44	95
	100.0	1.6	1.6	-	91.8	2.1	4.5
5 ～9 人	921	18	17	-	855	31	17
	100.0	1.9	1.9	-	92.8	3.4	1.9
10～29人	978	46	45	1	917	5	10
	100.0	4.7	4.6	0.1	93.7	0.5	1.0
30～99人	827	96	96	-	712	15	3
	100.0	11.6	11.6	-	86.2	1.8	0.4
100 ～299 人	584	143	140	3	417	22	1
	100.0	24.5	23.9	0.6	71.5	3.9	0.2
300 ～999 人	426	135	128	7	281	9	2
	100.0	31.6	30.0	1.7	65.9	2.1	0.4
1,000 人以上	539	336	299	37	179	20	5
	100.0	62.2	55.3	6.9	33.1	3.8	0.9
9 人以下	3,047	53	52	-	2,806	75	112
	100.0	1.7	1.7	-	92.1	2.5	3.7
29人以下	4,025	99	98	1	3,723	81	122
	100.0	2.4	2.4	-	92.5	2.0	3.0
5 人以上	4,276	773	725	49	3,361	103	38
	100.0	18.1	16.9	1.1	78.6	2.4	0.9
10人以上	3,355	756	707	48	2,507	72	21
	100.0	22.5	21.1	1.4	74.7	2.1	0.6
30人以上	2,377	710	662	48	1,589	67	11
	100.0	29.9	27.9	2.0	66.9	2.8	0.5
100 人以上	1,550	613	566	47	877	52	8
	100.0	39.6	36.5	3.1	56.6	3.3	0.5
300 人以上	966	470	426	44	460	29	7
	100.0	48.7	44.1	4.6	47.6	3.0	0.7
無回答	56	8	7	1	35	-	13
	100.0	13.8	11.9	1.9	62.3	-	23.9

問10. 貴事業場に労働組合はありますか。（○は1つ）

	全体	労働組合がある	労働組合が1つある	労働組合が2つ以上ある	労働組合はない	わからない	無回答
総　数	6,458	816	766	50	5,348	147	147
	100.0	12.6	11.9	0.8	82.8	2.3	2.3

問5．産業分野

	全体	労働組合がある	労働組合が1つある	労働組合が2つ以上ある	労働組合はない	わからない	無回答
鉱業，採石業，砂利採取業	3	-	-	-	3	-	-
	100.0	11.4	11.1	0.3	84.8	1.4	2.5
建設業	622	30	30	-	566	10	16
	100.0	4.7	4.7	-	91.0	1.6	2.6
製造業	666	101	101	-	554	-	11
	100.0	15.1	15.1	0.1	83.1	-	1.7
電気・ガス・熱供給・水道業	9	5	5	-	4	-	-
	100.0	56.6	56.4	0.2	41.0	0.3	2.2
情報通信業	104	25	24	-	77	1	1
	100.0	23.8	23.4	0.4	74.2	1.3	0.7
運輸業，郵便業	251	108	94	15	133	3	6
	100.0	43.2	37.4	5.8	53.3	1.0	2.5
卸売業，小売業	1,727	184	179	5	1,484	45	13
	100.0	10.7	10.4	0.3	86.0	2.6	0.8
金融業，保険業	159	96	81	16	58	1	4
	100.0	60.7	50.8	9.9	36.2	0.5	2.5
不動産業，物品賃貸業	186	9	9	-	170	-	7
	100.0	4.7	4.7	-	91.4	-	3.9
学術研究，専門・技術サービス業	226	13	12	-	204	1	9
	100.0	5.6	5.4	0.2	90.1	0.4	3.9
宿泊業，飲食サービス業	739	68	68	-	582	45	44
	100.0	9.2	9.2	-	78.7	6.0	6.0
生活関連サービス業，娯楽業	348	39	39	-	287	17	5
	100.0	11.1	11.1	-	82.6	4.8	1.4
教育，学習支援業	177	16	14	2	154	3	5
	100.0	8.9	7.7	1.2	86.6	1.5	3.0
医療，福祉	751	28	28	-	688	17	18
	100.0	3.7	3.7	-	91.6	2.3	2.4
複合サービス事業（郵便局，協同組合など）	71	39	35	5	30	1	1
	100.0	55.1	48.8	6.4	42.3	1.8	0.8
サービス業（他に分類されないもの）	417	55	49	6	353	4	5
	100.0	13.2	11.7	1.5	84.6	0.8	1.3

問3．本社

	全体	労働組合がある	労働組合が1つある	労働組合が2つ以上ある	労働組合はない	わからない	無回答
本社（支社等あり）	971	126	125	2	819	5	21
	100.0	13.0	12.8	0.2	84.3	0.6	2.2
本社（単独事業所）	2,230	31	31	1	2,099	31	68
	100.0	1.4	1.4	-	94.1	1.4	3.1
本社（支社等の有無について無回答）	887	18	17	-	829	14	27
	100.0	2.0	2.0	-	93.4	1.5	3.0
本社でない	2,336	637	592	46	1,576	97	25
	100.0	27.3	25.3	2.0	67.5	4.2	1.1
無回答	34	3	2	1	25	-	5
	100.0	9.3	6.0	3.2	74.5	-	16.2

問9.事業所の独立性

	全体	労働組合がある	労働組合が1つある	労働組合が2つ以上ある	労働組合はない	わからない	無回答
独立性のある事業場であり、単独で「1事業場」となっている	4,811	481	452	29	4,142	93	96
	100.0	10.0	9.4	0.6	86.1	1.9	2.0
独立性のある事業場であり、近くの独立性のない事業場を一括して「1事業場」となっている	554	83	79	4	461	-	10
	100.0	15.0	14.2	0.8	83.2	-	1.8
独立性のない事業場として、近くの本社や支社等に一括されている	942	233	217	16	652	52	5
	100.0	24.8	23.0	1.7	69.2	5.5	0.5
無回答	150	19	19	-	93	3	35
	100.0	12.8	12.7	0.1	61.9	1.7	23.7

問6．事業所の形態

	全体	労働組合がある	労働組合が1つある	労働組合が2つ以上ある	労働組合はない	わからない	無回答
事務所	2,198	220	213	7	1,918	25	35
	100.0	10.0	9.7	0.3	87.3	1.1	1.6
営業所、出張所	660	222	207	15	406	21	10
	100.0	33.7	31.4	2.3	61.6	3.2	1.6
店舗、飲食店	1,598	176	165	11	1,296	79	47
	100.0	11.0	10.3	0.7	81.1	4.9	2.9
工場、作業所（鉄道の駅や発電所、倉庫を含む）	695	67	63	4	616	-	13
	100.0	9.6	9.0	0.5	88.6	-	1.8
輸送・配送センター	60	16	14	2	42	1	1
	100.0	27.1	23.8	3.3	70.0	0.9	2.0
病院、医療・介護施設	595	15	15	-	553	13	14
	100.0	2.6	2.5	0.1	92.9	2.1	2.4
研究所	23	16	15	-	7	-	-
	100.0	68.0	66.4	1.5	29.8	1.1	1.2
学校、保育所、学習支援塾等	217	15	13	2	186	9	7
	100.0	7.1	6.2	0.9	85.5	4.2	3.2
旅館、ホテル等の宿泊施設	81	8	8	-	72	-	2
	100.0	10.1	10.1	-	88.0	-	1.9
その他	202	53	46	7	139	1	9
	100.0	26.3	22.9	3.4	68.8	0.3	4.6
無回答	128	7	5	1	113	-	9
	100.0	5.1	4.2	0.9	88.2	-	6.7

問10＜付問1＞．単独で、事業場全体の従業員（非正社員を含む）の過半数（50%超）を組織している「過半数労働組合」は、ありますか。（○は1つ）

	全体	ある	ない	わからない	無回答	全体	ある	ない	労働組合は「ない」	労働組合はあるが過半数は「ない」	労働組合はあるが過半数はわからない	労働組合があるかわからない	無回答（お答え・問⑩付問1無回答を含む）
総数	816	534	195	31	56	6,458	534	5,543	5,348	195	31	147	202
	100.0	65.5	23.9	3.8	6.8	100.0	8.3	85.8	82.8	3.0	0.5	2.3	3.1
問1．企業の経営形態													
会社（法人）	675	461	150	27	37	4,708	461	4,021	3,871	150	27	93	107
	100.0	68.2	22.2	4.0	5.5	100.0	9.8	85.4	82.2	3.2	0.6	2.0	2.3
0％	537	366	119	23	29	4,136	366	3,596	3,477	119	23	66	85
	100.0	68.1	22.2	4.3	5.5	100.0	8.8	86.9	84.1	2.9	0.6	1.6	2.1
0％超～3分の1以下	77	53	18	-	6	124	53	56	39	18	-	6	8
	100.0	69.5	23.0	-	7.5	100.0	43.1	45.6	31.4	14.3	-	4.7	6.5
3分の1超	8	5	3	-	-	43	5	34	31	3	-	2	4
	100.0	58.8	40.8	-	0.4	100.0	10.4	78.0	70.8	7.2	-	3.5	8.1
無回答	53	37	10	4	2	406	37	335	325	10	4	20	10
	100.0	69.3	19.4	7.5	3.9	100.0	9.1	82.6	80.0	2.5	1.0	4.8	2.5
会社以外の法人（協同組合、信用金庫、財団・社団法人、医療・学校・宗教法人等）	118	57	40	4	17	675	57	577	536	40	4	11	26
	100.0	48.2	34.1	3.5	14.2	100.0	8.4	85.4	79.4	6.0	0.6	1.7	3.9
個人経営（個人事業主）	7	7	-	-	-	927	7	828	828	-	-	32	61
	100.0	99.9	0.1	-	-	100.0	0.7	89.3	89.3	-	-	3.4	6.6
その他（法人格をもたない団体）	2	2	1	-	-	57	2	52	51	1	-	4	-
	100.0	71.7	27.0	-	1.3	100.0	3.0	90.8	89.7	1.1	-	6.2	-
無回答	14	8	4	-	2	89	8	65	61	4	-	8	8
	100.0	59.7	27.1	-	13.2	100.0	9.1	72.6	68.5	4.1	-	8.9	9.4
問4．事業所・従業員数													
4人以下	120	52	47	11	10	1,766	52	1,615	1,568	47	11	21	67
	100.0	43.6	39.6	8.8	8.0	100.0	3.0	91.5	88.8	2.7	0.6	1.2	3.8
5～9人	167	116	39	3	9	2,076	116	1,809	1,770	39	3	77	71
	100.0	69.3	23.1	2.1	5.6	100.0	5.6	87.1	85.3	1.9	0.2	3.7	3.4
10～29人	279	184	59	12	24	1,861	184	1,580	1,521	59	12	39	45
	100.0	66.0	21.0	4.2	8.7	100.0	9.9	84.9	81.7	3.2	0.6	2.1	2.4
30～99人	176	125	36	4	11	607	125	452	416	36	4	10	16
	100.0	70.9	20.4	2.5	6.1	100.0	20.5	74.5	68.5	5.9	0.7	1.6	2.7
100～299人	54	42	10	1	1	118	42	73	63	10	1	-	2
	100.0	77.9	18.4	1.4	2.4	100.0	35.5	61.9	53.5	8.4	0.6	0.3	1.7
300～999人	17	13	4	-	1	26	13	12	8	4	-	-	1
	100.0	74.8	21.0	0.7	3.6	100.0	49.8	46.7	32.7	14.0	0.4	-	3.0
1,000人以上	3	2	1	-	-	4	2	2	1	1	-	-	-
	100.0	72.5	24.5	0.2	2.8	100.0	55.8	41.5	22.7	18.9	0.2	0.1	2.4
9人以下	287	168	86	14	19	3,842	168	3,424	3,338	86	14	98	138
	100.0	58.6	30.0	4.9	6.6	100.0	4.4	89.1	86.9	2.2	0.4	2.5	3.6
29人以下	566	352	145	26	43	5,703	352	5,004	4,859	145	26	137	183
	100.0	62.3	25.6	4.5	7.6	100.0	6.2	87.7	85.2	2.5	0.5	2.4	3.2
5人以上	696	482	148	21	46	4,692	482	3,927	3,780	148	21	126	136
	100.0	69.2	21.2	2.9	6.7	100.0	10.3	83.7	80.6	3.1	0.4	2.7	2.9
10人以上	529	366	109	17	37	2,616	366	2,119	2,010	109	17	50	65
	100.0	69.2	20.6	3.2	7.0	100.0	14.0	81.0	76.8	4.2	0.7	1.9	2.5
30人以上	250	182	50	5	13	755	182	539	488	50	5	10	19
	100.0	72.7	20.1	2.1	5.1	100.0	24.1	71.4	64.7	6.6	0.7	1.4	2.5
100人以上	74	57	14	1	2	148	57	87	73	14	1	-	3
	100.0	76.9	19.2	1.1	2.7	100.0	38.6	58.7	49.0	9.7	0.6	0.2	2.0
300人以上	20	15	4	-	1	30	15	14	9	4	-	-	1
	100.0	74.4	21.6	0.6	3.4	100.0	50.6	46.0	31.3	14.7	0.4	-	2.9
問4．事業所・正社員数													
4人以下	271	110	113	19	29	3,255	110	2,905	2,792	113	19	86	135
	100.0	40.7	41.7	6.9	10.7	100.0	3.4	89.3	85.8	3.5	0.6	2.6	4.1
5～9人	135	102	20	6	7	1,402	102	1,227	1,206	20	6	43	24
	100.0	75.1	15.1	4.5	5.2	100.0	7.2	87.5	86.1	1.5	0.4	3.0	1.7
10～29人	224	180	31	3	11	1,239	180	1,016	985	31	3	15	26
	100.0	80.1	13.7	1.4	4.8	100.0	14.5	82.0	79.5	2.5	0.3	1.2	2.1
30～99人	130	99	21	3	6	405	99	294	273	21	3	1	9
	100.0	76.7	16.2	2.1	5.0	100.0	24.5	72.5	67.3	5.2	0.7	0.2	2.2
100～299人	34	27	6	-	1	68	27	40	33	6	-	-	1
	100.0	79.0	18.9	0.5	1.6	100.0	39.7	58.3	48.8	9.5	0.2	0.5	1.3
300～999人	12	9	2	-	-	17	9	7	5	2	-	-	-
	100.0	77.7	19.1	0.6	2.7	100.0	55.9	40.8	27.1	13.7	0.4	-	2.9
1,000人以上	2	2	1	-	-	3	2	1	1	1	-	-	-
	100.0	80.1	18.8	-	1.2	100.0	65.1	34.0	18.8	15.2	-	-	0.9
9人以下	406	212	133	25	36	4,657	212	4,132	3,999	133	25	128	159
	100.0	52.2	32.8	6.1	8.9	100.0	4.6	88.7	85.9	2.9	0.5	2.8	3.4
29人以下	630	391	164	28	47	5,896	391	5,148	4,984	164	28	143	185
	100.0	62.1	26.0	4.5	7.4	100.0	6.6	87.3	84.5	2.8	0.5	2.4	3.1
5人以上	537	419	81	12	25	3,134	419	2,584	2,502	81	12	59	61
	100.0	77.9	15.1	2.3	4.7	100.0	13.4	82.4	79.9	2.6	0.4	1.9	1.9
10人以上	402	317	61	6	18	1,732	317	1,357	1,296	61	6	16	36
	100.0	78.9	15.1	1.5	4.5	100.0	18.3	78.3	74.8	3.5	0.4	0.9	2.1

問10＜付問１＞．単独で、事業場全体の従業員（非正社員を含む）の過半数（50％超）を組織している「過半数労働組合」は、ありますか。（○は１つ）

	全体	ある	ない	わからない	無回答	全体	ある	ない	「労働組合はない」	「労働組合はある」が、「過半数労働組合」はない	「労働組合はある」が、「過半数労働組合」かわからない	「労働組合がある」かわからない	無回答（問⑩および付問１無回答含む）
総 数	816	534	195	31	56	6,458	534	5,543	5,348	195	31	147	202
	100.0	65.5	23.9	3.8	6.8	100.0	8.3	85.8	82.8	3.0	0.5	2.3	3.1
30人以上	178	138	30	3	7	493	138	341	311	30	3	1	10
	100.0	77.3	17.0	1.7	4.1	100.0	27.9	69.2	63.1	6.1	0.6	0.2	2.1
100人以上	49	38	9	-	1	88	38	48	38	9	-	-	1
	100.0	78.7	18.9	0.5	1.9	100.0	43.6	54.1	43.6	10.5	0.3	0.4	1.6
300人以上	14	11	3	-	-	20	11	8	5	3	-	-	1
	100.0	78.1	19.0	0.5	2.4	100.0	57.2	39.8	25.9	13.9	0.4	-	2.6
無回答	8	5	1	-	2	69	5	54	53	1	-	3	7
	100.0	67.1	8.2	-	24.7	100.0	7.3	77.9	77.0	0.9	-	4.3	10.6
問２．企業・従業員数													
4人以下	9	6	-	2	2	1,101	6	1,033	1,033	-	2	5	55
	100.0	65.4	0.1	17.3	17.3	100.0	0.6	93.8	93.8	-	0.1	0.4	5.0
5～9人	29	13	-	1	15	1,399	13	1,273	1,272	-	1	51	61
	100.0	43.0	1.4	4.6	51.0	100.0	0.9	90.9	90.9	-	0.1	3.7	4.4
10～29人	24	12	11	-	1	1,117	12	1,054	1,043	11	-	24	27
	100.0	48.5	45.5	-	6.0	100.0	1.0	94.4	93.4	1.0	-	2.2	2.4
30～99人	68	46	16	5	1	759	46	689	673	16	5	13	7
	100.0	67.6	23.7	6.6	2.0	100.0	6.1	90.8	88.6	2.1	0.6	1.7	0.9
100～299人	117	85	21	7	4	689	85	578	557	21	7	15	4
	100.0	72.8	18.2	5.6	3.4	100.0	12.4	83.8	80.8	3.1	1.0	2.2	0.6
300～999人	143	74	54	6	8	571	74	473	419	54	6	6	11
	100.0	52.0	37.8	4.4	5.7	100.0	13.0	82.9	73.4	9.5	1.1	1.1	1.9
1,000人以上	421	296	90	11	24	798	296	429	340	90	11	33	29
	100.0	70.3	21.4	2.5	5.8	100.0	37.1	53.8	42.5	11.3	1.3	4.1	3.6
9人以下	39	19	-	3	17	2,500	19	2,305	2,305	-	3	56	117
	100.0	48.5	1.1	7.7	42.8	100.0	0.8	92.2	92.2	-	0.1	2.2	4.7
29人以下	63	30	11	3	18	3,617	30	3,360	3,348	11	3	81	144
	100.0	48.5	18.1	4.7	28.7	100.0	0.8	92.9	92.6	0.3	0.1	2.2	4.0
5人以上	803	526	193	29	54	5,334	526	4,496	4,303	193	29	143	139
	100.0	65.6	24.0	3.7	6.8	100.0	9.9	84.3	80.7	3.6	0.6	2.7	2.6
10人以上	774	514	193	28	39	3,935	514	3,224	3,031	193	28	91	78
	100.0	66.4	24.9	3.6	5.1	100.0	13.1	81.9	77.0	4.9	0.7	2.3	2.0
30人以上	750	502	182	28	38	2,817	502	2,169	1,988	182	28	67	51
	100.0	67.0	24.2	3.7	5.0	100.0	17.8	77.0	70.6	6.4	1.0	2.4	1.8
100人以上	681	456	165	24	36	2,058	456	1,480	1,315	165	24	54	44
	100.0	66.9	24.3	3.5	5.4	100.0	22.1	71.9	63.9	8.0	1.1	2.6	2.1
300人以上	564	371	144	17	33	1,369	371	902	758	144	17	39	40
	100.0	65.7	25.5	3.0	5.8	100.0	27.1	65.9	55.4	10.5	1.2	2.8	2.9
無回答	3	2	2	-	-	23	2	14	12	2	-	-	8
	100.0	45.1	54.9	-	-	100.0	6.7	58.9	50.7	8.2	-	-	34.4
問２．企業・正社員数													
4人以下	35	10	6	3	17	2,126	10	1,957	1,952	6	3	44	112
	100.0	27.5	16.0	9.0	47.5	100.0	0.5	92.1	91.8	0.3	0.1	2.1	5.3
5～9人	18	11	4	1	1	921	11	858	855	4	1	31	19
	100.0	62.3	21.9	7.6	8.2	100.0	1.2	93.2	92.8	0.4	0.1	3.4	2.0
10～29人	46	27	17	2	-	978	27	934	917	17	2	5	10
	100.0	59.1	37.4	3.5	-	100.0	2.8	95.5	93.7	1.8	0.2	0.5	1.0
30～99人	96	62	30	2	3	827	62	742	712	30	2	15	6
	100.0	64.0	31.1	1.8	3.1	100.0	7.5	89.8	86.2	3.6	0.2	1.8	0.8
100～299人	143	76	38	12	16	584	76	456	417	38	12	22	17
	100.0	53.5	26.7	8.7	11.1	100.0	13.1	78.0	71.5	6.5	2.1	3.9	2.9
300～999人	135	92	29	1	13	426	92	309	281	29	1	9	15
	100.0	68.2	21.2	1.0	9.7	100.0	21.6	72.6	65.9	6.7	0.3	2.1	3.5
1,000人以上	336	252	68	9	6	539	252	247	179	68	9	20	11
	100.0	75.2	20.3	2.7	1.8	100.0	46.8	45.8	33.3	12.6	1.7	3.8	2.0
9人以下	53	21	9	4	18	3,047	21	2,816	2,806	9	4	75	130
	100.0	39.1	18.0	8.5	34.3	100.0	0.7	92.4	92.1	0.3	0.1	2.5	4.3
29人以下	99	48	27	6	18	4,025	48	3,750	3,723	27	6	81	140
	100.0	48.5	27.0	6.2	18.3	100.0	1.2	93.2	92.5	0.7	0.2	2.0	3.5
5人以上	773	521	186	28	39	4,276	521	3,547	3,361	186	28	103	77
	100.0	67.3	24.0	3.6	5.1	100.0	12.2	83.0	78.6	4.3	0.6	2.4	1.8
10人以上	756	510	182	26	38	3,355	510	2,689	2,507	182	26	72	59
	100.0	67.5	24.1	3.5	5.0	100.0	15.2	80.1	74.7	5.4	0.8	2.1	1.7
30人以上	710	483	165	25	38	2,377	483	1,754	1,589	165	25	67	49
	100.0	68.0	23.2	3.5	5.3	100.0	20.3	73.8	66.9	6.9	1.0	2.8	2.0
100人以上	613	421	135	23	35	1,550	421	1,012	877	135	23	52	42
	100.0	68.6	22.0	3.7	5.7	100.0	27.2	65.3	56.6	8.7	1.5	3.3	2.7
300人以上	470	344	97	10	19	966	344	556	460	97	10	29	25
	100.0	73.2	20.6	2.2	4.0	100.0	35.7	57.6	47.6	10.0	1.1	3.0	2.6
無回答	8	4	3	-	-	56	4	38	35	3	-	-	14
	100.0	50.1	44.0	5.0	0.9	100.0	6.9	68.4	62.3	6.1	0.7	-	24.0

問10＜付問１＞．単独で、事業場全体の従業員（非正社員を含む）の過半数（50％超）を組織している「過半数労働組合」は、ありますか。（○は１つ）

	全体	ある	ない	わからない	無回答
総数	816	534	195	31	56
	100.0	65.5	23.9	3.8	6.8
問5．産業分野					
鉱業，採石業，砂利採取業	-	-	-	-	-
	100.0	80.5	17.6	-	1.9
建設業	30	20	10	-	-
	100.0	67.1	32.6	-	0.3
製造業	101	84	9	4	4
	100.0	83.0	8.8	4.0	4.2
電気・ガス・熱供給・水道業	5	5	-	-	-
	100.0	90.3	6.0	1.0	2.7
情報通信業	25	17	5	2	1
	100.0	70.4	20.1	6.4	3.1
運輸業，郵便業	108	81	19	2	5
	100.0	75.2	17.8	1.9	5.0
卸売業，小売業	184	133	33	-	18
	100.0	72.4	17.7	0.2	9.7
金融業，保険業	96	70	19	5	3
	100.0	72.8	19.4	4.9	2.8
不動産業，物品賃貸業	9	7	2	-	-
	100.0	77.6	19.7	-	2.7
学術研究，専門・技術サービス業	13	6	4	2	1
	100.0	48.2	32.0	12.8	7.0
宿泊業，飲食サービス業	68	15	29	13	11
	100.0	22.4	42.6	18.5	16.5
生活関連サービス業，娯楽業	39	7	24	-	7
	100.0	18.0	63.4	0.1	18.5
教育，学習支援業	16	10	5	1	-
	100.0	61.7	30.1	8.0	0.1
医療，福祉	28	15	13	-	-
	100.0	52.1	47.4	0.2	0.4
複合サービス事業（郵便局，協同組合など）	39	28	10	1	-
	100.0	71.4	25.0	2.7	1.0
サービス業（他に分類されないもの）	55	36	13	2	5
	100.0	64.5	24.3	2.9	8.2
問3．本社					
本社（支社等あり）	126	81	26	1	18
	100.0	64.1	20.8	1.2	13.9
本社（単独事業所）	31	19	8	3	2
	100.0	60.6	25.5	9.0	4.9
本社（支社等の有無について無回答）	18	12	5	-	1
	100.0	66.3	27.2	0.1	6.3
本社でない	637	419	156	27	36
	100.0	65.8	24.4	4.2	5.6
無回答	3	3	-	-	-
	100.0	97.4	1.3	1.3	-
問9．事業所の独立性					
独立性のある事業場であり，単独で「1事業場」となっている	481	332	110	7	32
	100.0	69.0	22.9	1.5	6.6
独立性のある事業場であり，近くの独立性のない事業場を一括して「1事業場」となっている	83	53	21	2	8
	100.0	63.6	24.9	2.1	9.4
独立性のない事業場として，近くの本社や支社等に一括されている	233	140	60	22	12
	100.0	59.8	25.8	9.4	4.9
無回答	19	10	4	-	5
	100.0	52.8	21.6	0.2	25.4
問6．事業所の形態					
事務所	220	155	43	5	17
	100.0	70.5	19.3	2.4	7.9
営業所，出張所	222	153	47	9	14
	100.0	68.9	21.0	3.8	6.3
店舗，飲食店	176	99	56	9	12
	100.0	56.2	32.1	5.2	6.5
工場，作業所（鉄道の駅や発電所、倉庫を含む）	67	52	6	4	4
	100.0	78.7	8.6	6.1	6.6
輸送・配送センター	16	14	1	-	1
	100.0	83.3	8.0	0.1	8.6
病院，医療・介護施設	15	5	10	-	-
	100.0	33.4	65.7	0.3	0.6
研究所	16	10	5	-	1
	100.0	64.4	30.0	-	5.6
学校，保育所，学習支援塾等	15	9	5	1	-
	100.0	58.8	32.9	8.2	0.1
旅館，ホテル等の宿泊施設	8	-	2	-	6
	100.0	4.8	27.1	-	68.1
その他	53	32	18	3	-
	100.0	60.3	34.2	5.2	0.2
無回答	7	4	2	-	1
	100.0	63.6	28.3	-	8.1

	全体	ある	ない	労働組合は「ない」	労働組合はあるが、過半数は「ない」	労働組合はあるが、過半数は「ある」	労働組合があるかわからない	無回答（問⑩および付問1無回答を含む）
総数	6,458	534	5,543	5,348	195	31	147	202
	100.0	8.3	85.8	82.8	3.0	0.5	2.3	3.1
問5．産業分野								
鉱業，採石業，砂利採取業	3		3	3				
	100.0	9.2	86.8	84.8	2.0		1.4	2.7
建設業	622	20	576	566	10	-	10	16
	100.0	3.2	92.6	91.0	1.5	-	1.6	2.6
製造業	666	84	563	554	9	4	-	15
	100.0	12.6	84.5	83.1	1.3	0.6	-	2.3
電気・ガス・熱供給・水道業	9	5	4	4				
	100.0	51.1	44.4	41.0	3.4	0.6	0.3	3.7
情報通信業	104	17	82	77	5	2	1	2
	100.0	16.7	79.0	74.2	4.8	1.5	1.3	1.5
運輸業，郵便業	251	81	153	133	19	2	3	12
	100.0	32.5	61.0	53.3	7.7	0.8	1.0	4.7
卸売業，小売業	1,727	133	1,517	1,484	33	-	45	31
	100.0	7.7	87.8	86.0	1.9	-	2.6	1.8
金融業，保険業	159	70	76	58	19	5	1	7
	100.0	44.2	48.0	36.2	11.8	3.0	0.5	4.2
不動産業，物品賃貸業	186	7	172	170	2	-	-	7
	100.0	3.6	92.4	91.4	0.9	-	-	4.0
学術研究，専門・技術サービス業	226	6	208	204	4	2	1	10
	100.0	2.7	91.9	90.1	1.8	0.7	0.4	4.3
宿泊業，飲食サービス業	739	15	611	582	29	13	45	56
	100.0	2.1	82.7	78.7	3.9	1.7	6.0	7.5
生活関連サービス業，娯楽業	348	7	312	287	24	-	17	12
	100.0	2.0	89.7	82.6	7.0	-	4.8	3.5
教育，学習支援業	177	10	158	154	5	1	3	5
	100.0	5.5	89.2	86.6	2.7	0.7	1.5	3.1
医療，福祉	751	15	701	688	13	-	17	18
	100.0	1.9	93.4	91.6	1.8	-	2.3	2.4
複合サービス事業（郵便局，協同組合など）	71	28	40	30	10	1	1	1
	100.0	39.4	56.0	42.3	13.8	1.5	1.8	1.4
サービス業（他に分類されないもの）	417	36	366	353	13	2	4	10
	100.0	8.5	87.8	84.6	3.2	0.4	0.8	2.4
問3．本社								
本社（支社等あり）	971	81	845	819	26	1	5	39
	100.0	8.3	87.0	84.3	2.7	0.2	0.6	4.0
本社（単独事業所）	2,230	19	2,107	2,099	8	3	31	70
	100.0	0.9	94.5	94.1	0.4	0.1	1.4	3.1
本社（支社等の有無について無回答）	887	12	834	829	5	-	14	28
	100.0	1.3	94.0	93.4	0.5	-	1.5	3.1
本社でない	2,336	419	1,732	1,576	156	27	97	61
	100.0	18.0	74.1	67.5	6.7	1.1	4.2	2.6
無回答	34	3	25	25	-	-	-	5
	100.0	9.0	74.6	74.5	0.1	-	0.1	16.2
問9．事業所の独立性								
独立性のある事業場であり，単独で「1事業場」となっている	4,811	332	4,252	4,142	110	7	93	128
	100.0	6.9	88.4	86.1	2.3	0.2	1.9	2.7
独立性のある事業場であり，近くの独立性のない事業場を一括して「1事業場」となっている	554	53	482	461	21	2	-	18
	100.0	9.5	87.0	83.2	3.7	0.3	-	3.2
独立性のない事業場として，近くの本社や支社等に一括されている	942	140	712	652	60	22	52	17
	100.0	14.8	75.6	69.2	6.4	2.3	5.5	1.8
無回答	150	10	97	93	4	-	3	40
	100.0	6.7	64.6	61.9	2.8	-	1.7	26.9
問6．事業所の形態								
事務所	2,198	155	1,961	1,918	43	5	25	52
	100.0	7.1	89.2	87.3	1.9	0.2	1.1	2.4
営業所，出張所	660	153	453	406	47	9	21	24
	100.0	23.2	68.6	61.6	7.1	1.3	3.2	3.7
店舗，飲食店	1,598	99	1,353	1,296	56	9	79	58
	100.0	6.2	84.7	81.1	3.5	0.6	4.9	3.6
工場，作業所（鉄道の駅や発電所、倉庫を含む）	695	52	622	616	6	4	-	17
	100.0	7.5	89.4	88.6	0.8	0.6	-	2.5
輸送・配送センター	60	14	43	42	1	-	1	3
	100.0	22.6	72.2	70.0	2.2	-	0.9	4.4
病院，医療・介護施設	595	5	563	553	10	-	13	14
	100.0	0.9	94.6	92.9	1.7	-	2.1	2.4
研究所	23	10	12	7	5	-	-	1
	100.0	43.7	50.2	29.8	20.4	-	1.1	5.0
学校，保育所，学習支援塾等	217	9	191	186	5	1	9	7
	100.0	4.2	87.8	85.5	2.3	0.6	4.2	3.2
旅館，ホテル等の宿泊施設	81	-	74	72	2	-	-	7
	100.0	0.5	90.8	88.0	2.7	-	-	8.8
その他	202	32	157	139	18	3	1	10
	100.0	15.8	77.8	68.8	9.0	1.4	0.3	4.7
無回答	128	4	114	113	2	-	-	9
	100.0	3.3	89.6	88.2	1.5	-	-	7.1

問10＜付問２＞．非正社員も労働組合に加入していますか。（○は１つ）

	全体	加入している	ほぼ全員加入している	一部のみ加入している	加入していない	わからない	非正社員はいない	無回答
総　数	816	314	133	181	310	30	73	89
	100.0	38.5	16.3	22.2	38.0	3.7	9.0	11.0

問１．企業の経営形態

	全体	加入している	ほぼ全員加入している	一部のみ加入している	加入していない	わからない	非正社員はいない	無回答
会社（法人）	675	260	117	143	254	26	65	70
	100.0	38.5	17.4	21.2	37.6	3.9	9.6	10.4
0％	537	205	91	114	197	17	58	59
	100.0	38.2	16.9	21.3	36.7	3.2	10.9	11.0
0％超～3分の1以下	77	27	12	15	34	5	3	7
	100.0	35.6	16.1	19.5	44.9	5.9	3.9	9.7
3分の1超	8	2	-	2	6	-	-	-
	100.0	21.3	0.4	20.9	76.7	0.1	1.2	0.6
無回答	53	26	14	12	16	4	3	3
	100.0	48.9	26.8	22.2	30.4	8.4	5.8	6.5
会社以外の法人 （協同組合、信用金庫、財団・社団法人、医療・学校・宗教法人等）	118	38	10	28	52	3	8	16
	100.0	32.4	8.7	23.7	44.2	2.8	6.8	13.9
個人経営（個人事業主）	7	5	1	4	-	-	-	1
	100.0	77.5	9.8	67.7	-	-	-	22.5
その他（法人格をもたない団体）	2	1	-	1	1	-	-	-
	100.0	47.5	-	47.5	51.9	0.6	-	-
無回答	14	9	5	5	2	-	1	2
	100.0	68.0	33.8	34.1	16.2	-	4.0	11.8

問４．事業所・従業員数

	全体	加入している	ほぼ全員加入している	一部のみ加入している	加入していない	わからない	非正社員はいない	無回答
4 人以下	120	47	18	29	45	4	13	11
	100.0	39.0	14.9	24.1	37.8	3.0	11.0	9.2
5 ～9 人	167	44	25	19	66	16	19	22
	100.0	26.1	14.9	11.2	39.2	9.8	11.6	13.3
10～29人	279	122	48	74	92	4	25	36
	100.0	43.8	17.2	26.6	32.8	1.5	8.8	13.0
30～99人	176	71	33	38	74	4	13	14
	100.0	40.3	18.6	21.7	42.1	2.0	7.6	8.0
100 ～299 人	54	22	8	15	24	1	2	4
	100.0	41.5	14.0	27.5	45.0	2.7	3.4	7.4
300 ～999 人	17	7	2	5	7	1	-	2
	100.0	40.7	9.8	30.9	43.4	3.1	2.6	10.3
1,000 人以上	3	1	-	1	2	-	-	-
	100.0	39.7	7.2	32.4	46.4	5.2	4.3	4.4
9 人以下	287	90	43	48	111	20	33	33
	100.0	31.5	14.9	16.6	38.6	6.9	11.4	11.6
29人以下	566	213	91	122	202	24	57	70
	100.0	37.6	16.0	21.5	35.8	4.3	10.1	12.3
5 人以上	696	267	115	152	264	26	60	78
	100.0	38.4	16.5	21.9	38.0	3.8	8.6	11.3
10人以上	529	224	90	134	199	10	40	56
	100.0	42.3	17.0	25.2	37.6	1.9	7.6	10.6
30人以上	250	101	42	59	107	6	16	20
	100.0	40.6	16.8	23.7	42.9	2.3	6.3	8.0
100 人以上	74	31	9	21	33	2	2	6
	100.0	41.2	12.7	28.5	44.7	2.9	3.3	7.9
300 人以上	20	8	2	6	9	1	1	2
	100.0	40.5	9.3	31.2	43.9	3.4	2.9	9.3

問４．事業所・正社員数

	全体	加入している	ほぼ全員加入している	一部のみ加入している	加入していない	わからない	非正社員はいない	無回答
4 人以下	271	118	37	81	93	11	17	32
	100.0	43.4	13.6	29.8	34.3	4.2	6.3	11.8
5 ～9 人	135	46	21	25	41	9	15	24
	100.0	33.9	15.5	18.4	30.5	6.9	11.3	17.4
10～29人	224	93	54	39	83	3	26	18
	100.0	41.6	24.1	17.5	37.3	1.6	11.8	7.8
30～99人	130	42	19	24	61	4	12	11
	100.0	32.6	14.4	18.3	47.0	2.9	9.2	8.3
100 ～299 人	34	10	2	8	19	1	2	2
	100.0	28.2	4.9	23.3	55.5	4.0	5.2	7.2
300 ～999 人	12	4	1	3	7	-	-	1
	100.0	31.6	6.2	25.4	54.5	3.4	2.7	7.9
1,000 人以上	2	1	-	1	1	-	-	-
	100.0	35.8	4.4	31.4	51.8	4.6	4.6	3.2
9 人以下	406	163	58	106	134	21	32	56
	100.0	40.2	14.2	26.0	33.1	5.1	8.0	13.7
29人以下	630	257	112	145	218	24	59	73
	100.0	40.7	17.7	23.0	34.5	3.8	9.3	11.6
5 人以上	537	196	96	100	212	18	56	55
	100.0	36.4	17.9	18.5	39.5	3.4	10.4	10.3

問10＜付問２＞．非正社員も労働組合に加入していますか。（○は１つ）

	全体	加入している	しているほぼ全員加入	している一部のみ加入	加入していない	わからない	非正社員はいない	無回答
総 数	816 100.0	314 38.5	133 16.3	181 22.2	310 38.0	30 3.7	73 9.0	89 11.0
10人以上	402 100.0	150 37.2	75 18.7	75 18.6	171 42.5	9 2.3	40 10.1	32 7.9
30人以上	178 100.0	57 31.7	21 11.9	35 19.9	88 49.2	6 3.2	14 7.9	14 8.0
100人以上	49 100.0	14 29.4	3 5.2	12 24.2	27 55.0	2 3.9	2 4.6	3 7.2
300人以上	14 100.0	5 32.3	1 5.9	4 26.4	8 54.1	1 3.6	- 3.0	1 7.1
無回答	8 100.0	1 11.8	- 0.1	1 11.7	4 56.5	- 0.1	- 3.4	2 28.2
問2．企業・従業員数								
4 人以下	9 100.0	2 24.1	2 21.3	- 2.7	4 41.4	2 17.3	- -	2 17.3
5 ～9 人	29 100.0	7 23.9	3 8.9	4 15.1	3 11.8	- -	2 8.3	16 56.0
10～29人	24 100.0	15 64.1	6 25.4	9 38.7	4 16.0	- -	2 9.5	2 10.3
30～99人	68 100.0	17 24.2	6 9.5	10 14.7	31 45.3	2 2.7	15 21.3	4 6.5
100 ～299 人	117 100.0	35 30.3	10 8.6	25 21.7	52 44.6	1 0.7	14 12.0	15 12.4
300 ～999 人	143 100.0	36 25.2	19 13.3	17 11.9	80 56.1	2 1.4	9 6.6	15 10.7
1,000 人以上	421 100.0	198 47.1	84 19.8	115 27.2	135 32.0	24 5.6	30 7.2	35 8.2
9 人以下	39 100.0	9 24.0	5 11.9	5 12.1	7 19.0	2 4.2	2 6.3	18 46.6
29人以下	63 100.0	25 39.4	11 17.1	14 22.3	11 17.8	2 2.6	5 7.5	21 32.7
5 人以上	803 100.0	309 38.4	128 15.9	181 22.5	305 38.0	28 3.5	73 9.1	88 10.9
10人以上	774 100.0	302 39.0	125 16.2	176 22.8	302 39.0	28 3.6	71 9.1	71 9.2
30人以上	750 100.0	286 38.2	119 15.9	167 22.3	298 39.8	28 3.8	68 9.1	69 9.2
100 人以上	681 100.0	270 39.6	113 16.5	157 23.0	267 39.2	26 3.9	54 7.9	64 9.5
300 人以上	564 100.0	234 41.5	103 18.2	132 23.3	215 38.1	25 4.5	40 7.0	50 8.8
無回答	3 100.0	3 86.0	3 84.9	- 1.1	- 14.0	- -	- -	- -
問2．企業・正社員数								
4 人以下	35 100.0	10 28.0	2 6.9	7 21.1	7 19.9	2 4.7	- -	17 47.5
5 ～9 人	18 100.0	9 52.3	3 16.6	6 35.7	2 11.3	- -	2 13.9	4 22.5
10～29人	46 100.0	18 39.6	12 25.1	7 14.5	24 53.0	- -	3 7.4	- -
30～99人	96 100.0	28 28.9	13 13.0	15 15.9	40 41.2	2 2.0	13 13.2	14 14.7
100 ～299 人	143 100.0	48 33.5	12 8.7	35 24.8	58 40.7	1 0.8	16 11.0	20 14.0
300 ～999 人	135 100.0	41 30.5	17 12.9	24 17.6	57 42.2	9 6.8	10 7.7	17 12.8
1,000 人以上	336 100.0	156 46.5	70 20.8	86 25.7	119 35.6	16 4.6	27 8.2	17 5.2
9 人以下	53 100.0	19 36.1	5 10.2	14 26.0	9 17.0	2 3.1	2 4.6	21 39.1
29人以下	99 100.0	37 37.8	17 17.2	20 20.6	33 33.8	2 1.7	6 5.9	21 20.9
5 人以上	773 100.0	300 38.8	127 16.4	174 22.5	300 38.9	28 3.6	72 9.3	73 9.4
10人以上	756 100.0	291 38.5	124 16.4	167 22.1	299 39.5	28 3.7	70 9.2	69 9.1
30人以上	710 100.0	273 38.4	112 15.8	161 22.6	274 38.6	28 3.9	66 9.3	69 9.7
100 人以上	613 100.0	245 39.9	100 16.2	145 23.7	234 38.2	26 4.2	53 8.7	55 8.9
300 人以上	470 100.0	197 41.9	87 18.5	110 23.4	176 37.5	25 5.3	38 8.0	35 7.3
無回答	8 100.0	4 51.2	4 50.3	- 0.9	2 28.8	- 4.8	1 14.0	- 1.1

問10＜付問２＞．非正社員も労働組合に加入していますか。（○は１つ）

	全体	加入している	ほぼ全員加入している	一部のみ加入している	加入していない	わからない	非正社員はいない	無回答
総数	816	314	133	181	310	30	73	89
	100.0	38.5	16.3	22.2	38.0	3.7	9.0	11.0

問5．産業分野

	全体	加入している	ほぼ全員加入している	一部のみ加入している	加入していない	わからない	非正社員はいない	無回答
鉱業，採石業，砂利採取業	-	-	-	-	-	-	-	-
	100.0	8.4	6.2	2.3	77.2	-	6.9	7.4
建設業	30	1	-	-	17	-	11	-
	100.0	2.0	0.9	1.1	58.8	0.1	37.7	1.4
製造業	101	12	6	6	61	10	10	9
	100.0	12.0	5.9	6.0	60.1	9.6	9.9	8.5
電気・ガス・熱供給・水道業	5	2	1	-	2	-	1	-
	100.0	30.0	24.1	5.9	39.0	0.6	27.1	3.3
情報通信業	25	8	3	5	11	-	4	2
	100.0	30.9	11.1	19.8	45.7	0.5	16.7	6.2
運輸業，郵便業	108	42	11	31	43	3	11	10
	100.0	39.0	10.0	29.0	39.7	2.4	9.9	9.0
卸売業，小売業	184	102	61	41	34	7	11	30
	100.0	55.6	33.1	22.5	18.5	3.6	6.0	16.4
金融業，保険業	96	31	12	20	46	5	7	7
	100.0	32.6	12.3	20.2	47.6	4.7	7.8	7.4
不動産業，物品賃貸業	9	-	-	-	7	-	2	-
	100.0	1.1	0.5	0.6	78.7	-	19.8	0.4
学術研究，専門・技術サービス業	13	3	2	1	7	-	1	2
	100.0	23.2	14.9	8.4	51.9	0.2	5.4	19.3
宿泊業，飲食サービス業	68	42	12	30	15	-	-	11
	100.0	61.7	17.6	44.1	21.8	-	-	16.6
生活関連サービス業，娯楽業	39	18	1	17	13	-	-	7
	100.0	47.6	3.3	44.3	33.5	0.1	0.2	18.6
教育，学習支援業	16	6	2	4	8	2	-	-
	100.0	35.8	10.9	24.9	47.6	14.1	0.6	1.9
医療，福祉	28	15	8	7	10	-	-	3
	100.0	54.5	28.6	25.9	34.2	1.6	0.2	9.5
複合サービス事業（郵便局，協同組合など）	39	13	7	6	17	2	5	3
	100.0	33.4	17.3	16.1	42.2	4.0	13.1	7.3
サービス業（他に分類されないもの）	55	19	7	11	20	2	9	5
	100.0	33.8	13.3	20.6	36.8	3.3	17.0	9.1

問3．本社

	全体	加入している	ほぼ全員加入している	一部のみ加入している	加入していない	わからない	非正社員はいない	無回答
本社（支社等あり）	126	42	19	23	45	2	12	26
	100.0	33.2	14.8	18.4	35.6	1.2	9.2	20.8
本社（単独事業所）	31	7	3	4	13	2	6	3
	100.0	22.5	9.0	13.5	43.1	6.5	18.7	9.3
本社（支社等の有無について無回答）	18	8	5	3	6	-	-	3
	100.0	45.8	29.0	16.7	35.9	0.9	1.6	15.8
本社でない	637	255	105	151	245	26	55	56
	100.0	40.0	16.4	23.6	38.4	4.1	8.7	8.8
無回答	3	2	2	-	-	-	-	1
	100.0	52.2	48.8	3.4	0.2	1.3	-	46.3

問9．事業所の独立性

	全体	加入している	ほぼ全員加入している	一部のみ加入している	加入していない	わからない	非正社員はいない	無回答
独立性のある事業場であり、単独で「1事業場」となっている	481	190	73	117	170	7	56	57
	100.0	39.6	15.2	24.4	35.4	1.5	11.6	11.9
独立性のある事業場であり、近くの独立性のない事業場を一括して「1事業場」となっている	83	32	14	18	35	5	1	10
	100.0	38.5	17.4	21.1	42.1	6.5	1.1	11.7
独立性のない事業場として、近くの本社や支社等に一括されている	233	88	43	45	96	17	15	18
	100.0	37.6	18.4	19.2	41.1	7.3	6.5	7.5
無回答	19	4	3	1	9	-	1	5
	100.0	21.0	13.5	7.5	46.5	1.3	5.8	25.3

問6．事業所の形態

	全体	加入している	ほぼ全員加入している	一部のみ加入している	加入していない	わからない	非正社員はいない	無回答
事務所	220	75	38	37	88	2	26	28
	100.0	34.2	17.4	16.8	40.0	0.9	12.0	12.9
営業所、出張所	222	67	36	30	93	12	29	22
	100.0	29.9	16.2	13.7	42.0	5.2	13.2	9.8
店舗、飲食店	176	110	42	68	40	7	2	16
	100.0	62.6	23.7	38.9	22.6	4.2	1.3	9.3
工場、作業所（鉄道の駅や発電所、倉庫を含む）	67	12	5	7	34	3	10	8
	100.0	17.7	7.7	10.0	50.7	3.8	15.7	12.1
輸送・配送センター	16	10	3	7	4	1	-	2
	100.0	59.0	16.0	43.0	24.5	4.8	0.8	10.9
病院、医療・介護施設	15	5	3	3	7	-	-	3
	100.0	33.1	16.5	16.6	46.3	3.0	0.4	17.2
研究所	16	1	-	1	13	-	-	1
	100.0	8.0	1.7	6.3	81.8	0.1	2.9	7.2
学校、保育所、学習支援塾等	15	5	-	5	7	2	1	-
	100.0	32.7	2.2	30.5	47.3	14.0	4.0	1.9
旅館、ホテル等の宿泊施設	8	2	-	2	1	-	-	6
	100.0	21.8	1.4	20.4	9.9	-	-	68.3
その他	53	26	6	21	19	3	2	3
	100.0	49.8	10.9	38.9	36.1	5.7	3.3	5.1
無回答	7	1	-	1	3	-	2	1
	100.0	13.0	0.5	12.5	51.3	0.3	24.8	10.5

問11. 貴事業場では、従業員の「過半数代表者」を過去３年以内に選出したことがありますか。（○は１つ）

	全体	ある	ない	わからない	無回答
総 数	6,458	2,786	2,580	655	437
	100.0	43.1	39.9	10.1	6.8

問１．企業の経営形態

	全体	ある	ない	わからない	無回答
会社（法人）	4,708	2,292	1,709	391	317
	100.0	48.7	36.3	8.3	6.7
0％	4,136	2,021	1,526	334	255
	100.0	48.9	36.9	8.1	6.2
0％超～3分の1以下	124	48	33	12	30
	100.0	39.1	26.5	9.8	24.5
3分の1超	43	35	1	-	7
	100.0	81.5	2.9	0.1	15.6
無回答	406	187	149	45	24
	100.0	46.0	36.7	11.2	6.0
会社以外の法人 （協同組合、信用金庫、財団・社団法人、医療・学校・宗教法人等）	675	357	219	61	39
	100.0	52.9	32.4	9.0	5.7
個人経営（個人事業主）	927	106	587	163	71
	100.0	11.4	63.4	17.6	7.7
その他（法人格をもたない団体）	57	5	37	14	1
	100.0	8.8	64.8	25.2	1.2
無回答	89	27	28	26	10
	100.0	29.8	30.9	28.7	10.6

問４．事業所・従業員数

	全体	ある	ない	わからない	無回答
4 人以下	1,766	465	998	224	79
	100.0	26.3	56.5	12.7	4.5
5 ～9 人	2,076	737	945	251	142
	100.0	35.5	45.5	12.1	6.8
10～29人	1,861	1,109	477	149	126
	100.0	59.6	25.6	8.0	6.8
30～99人	607	394	123	28	62
	100.0	64.9	20.2	4.6	10.2
100 ～299 人	118	68	27	2	21
	100.0	57.2	23.0	1.9	17.9
300 ～999 人	26	11	8	-	5
	100.0	44.5	32.5	1.9	21.2
1,000 人以上	4	2	2	-	1
	100.0	40.5	39.5	1.1	19.0
9 人以下	3,842	1,202	1,943	475	221
	100.0	31.3	50.6	12.4	5.8
29人以下	5,703	2,312	2,420	624	347
	100.0	40.5	42.4	10.9	6.1
5 人以上	4,692	2,321	1,582	431	358
	100.0	49.5	33.7	9.2	7.6
10人以上	2,616	1,584	637	180	216
	100.0	60.6	24.3	6.9	8.2
30人以上	755	475	160	31	89
	100.0	62.9	21.2	4.1	11.9
100 人以上	148	81	37	3	27
	100.0	54.5	25.1	1.9	18.5
300 人以上	30	13	10	1	6
	100.0	43.9	33.5	1.8	20.8

問４．事業所・正社員数

	全体	ある	ない	わからない	無回答
4 人以下	3,255	1,025	1,647	426	158
	100.0	31.5	50.6	13.1	4.8
5 ～9 人	1,402	651	517	145	88
	100.0	46.4	36.9	10.4	6.3
10～29人	1,239	787	273	63	115
	100.0	63.5	22.1	5.1	9.3
30～99人	405	260	87	16	42
	100.0	64.1	21.5	4.0	10.4
100 ～299 人	68	38	17	1	13
	100.0	55.6	24.8	1.1	18.6
300 ～999 人	17	7	6	-	4
	100.0	40.9	35.1	0.7	23.3
1,000 人以上	3	1	1	-	1
	100.0	33.7	46.0	0.2	20.2
9 人以下	4,657	1,676	2,164	571	246
	100.0	36.0	46.5	12.3	5.3
29人以下	5,896	2,463	2,437	634	361
	100.0	41.8	41.3	10.8	6.1

問11. 貴事業場では、従業員の「過半数代表者」を過去３年以内に選出したことがありますか。（○は１つ）

	全体	ある	ない	わからない	無回答
総 数	6,458	2,786	2,580	655	437
	100.0	43.1	39.9	10.1	6.8
5 人以上	3,134	1,744	902	225	263
	100.0	55.6	28.8	7.2	8.4
10人以上	1,732	1,093	385	80	175
	100.0	63.1	22.2	4.6	10.1
30人以上	493	305	111	17	59
	100.0	61.9	22.6	3.4	12.1
100 人以上	88	46	24	1	17
	100.0	52.1	27.5	1.0	19.5
300 人以上	20	8	7	-	5
	100.0	39.8	36.7	0.6	22.8
無回答	69	18	31	4	16
	100.0	25.5	45.2	5.8	23.4
問２. 企業・従業員数					
4 人以下	1,101	141	769	141	49
	100.0	12.8	69.9	12.8	4.5
5 ～9 人	1,399	289	834	200	76
	100.0	20.6	59.6	14.3	5.4
10～29人	1,117	595	390	96	36
	100.0	53.2	34.9	8.6	3.2
30～99人	759	512	153	67	27
	100.0	67.5	20.1	8.8	3.6
100 ～299 人	689	460	126	48	54
	100.0	66.8	18.3	7.0	7.8
300 ～999 人	571	379	99	57	36
	100.0	66.4	17.3	10.0	6.3
1,000 人以上	798	401	197	45	155
	100.0	50.3	24.7	5.6	19.4
9 人以下	2,500	430	1,604	341	126
	100.0	17.2	64.2	13.6	5.0
29人以下	3,617	1,024	1,994	437	162
	100.0	28.3	55.1	12.1	4.5
5 人以上	5,334	2,636	1,800	514	384
	100.0	49.4	33.7	9.6	7.2
10人以上	3,935	2,347	965	314	308
	100.0	59.7	24.5	8.0	7.8
30人以上	2,817	1,753	575	218	272
	100.0	62.2	20.4	7.7	9.6
100 人以上	2,058	1,241	422	151	245
	100.0	60.3	20.5	7.3	11.9
300 人以上	1,369	780	296	102	191
	100.0	57.0	21.6	7.5	13.9
無回答	23	9	10	-	4
	100.0	39.8	44.6	-	15.7
問２. 企業・正社員数					
4 人以下	2,126	355	1,401	285	85
	100.0	16.7	65.9	13.4	4.0
5 ～9 人	921	276	478	125	41
	100.0	30.0	51.9	13.6	4.5
10～29人	978	634	243	66	35
	100.0	64.8	24.8	6.8	3.6
30～99人	827	579	137	72	39
	100.0	70.0	16.6	8.8	4.7
100 ～299 人	584	409	79	50	46
	100.0	70.0	13.6	8.6	7.8
300 ～999 人	426	282	73	24	48
	100.0	66.1	17.1	5.5	11.3
1,000 人以上	539	220	162	31	125
	100.0	40.9	30.1	5.8	23.3
9 人以下	3,047	631	1,879	410	127
	100.0	20.7	61.7	13.4	4.2
29人以下	4,025	1,266	2,121	476	162
	100.0	31.4	52.7	11.8	4.0
5 人以上	4,276	2,400	1,172	369	335
	100.0	56.1	27.4	8.6	7.8
10人以上	3,355	2,124	694	244	293
	100.0	63.3	20.7	7.3	8.7
30人以上	2,377	1,489	451	178	258
	100.0	62.7	19.0	7.5	10.9
100 人以上	1,550	911	314	105	220
	100.0	58.8	20.3	6.8	14.2
300 人以上	966	502	235	55	174
	100.0	52.0	24.3	5.7	18.0
無回答	56	31	7	1	17
	100.0	55.4	12.1	2.4	30.1

問11. 貴事業場では、従業員の「過半数代表者」を過去3年以内に選出したことがありますか。（○は1つ）

	全体	ある	ない	わからない	無回答
総　数	6,458 100.0	2,786 43.1	2,580 39.9	655 10.1	437 6.8

問5．産業分野

	全体	ある	ない	わからない	無回答
鉱業，採石業，砂利採取業	3 100.0	2 48.3	1 35.8	- 8.9	- 7.0
建設業	622 100.0	250 40.3	300 48.3	38 6.2	33 5.3
製造業	666 100.0	297 44.5	268 40.3	30 4.5	71 10.7
電気・ガス・熱供給・水道業	9 100.0	3 36.3	5 48.9	- 2.8	1 11.9
情報通信業	104 100.0	55 53.1	39 37.8	5 4.3	5 4.8
運輸業，郵便業	251 100.0	130 51.9	64 25.4	9 3.6	48 19.1
卸売業，小売業	1,727 100.0	782 45.3	661 38.3	188 10.9	95 5.5
金融業，保険業	159 100.0	58 36.2	56 35.3	10 6.2	35 22.2
不動産業，物品賃貸業	186 100.0	69 37.0	103 55.6	8 4.4	5 2.9
学術研究，専門・技術サービス業	226 100.0	78 34.3	120 53.2	19 8.4	9 4.1
宿泊業，飲食サービス業	739 100.0	239 32.4	307 41.5	145 19.7	48 6.4
生活関連サービス業，娯楽業	348 100.0	180 51.7	107 30.8	55 15.9	6 1.7
教育，学習支援業	177 100.0	69 38.8	86 48.5	11 6.4	11 6.3
医療，福祉	751 100.0	318 42.3	301 40.1	100 13.3	32 4.3
複合サービス事業（郵便局，協同組合など）	71 100.0	28 39.0	28 39.5	4 5.3	12 16.3
サービス業（他に分類されないもの）	417 100.0	229 54.9	132 31.6	32 7.7	24 5.8

問3．本社

	全体	ある	ない	わからない	無回答
本社（支社等あり）	971 100.0	620 63.8	230 23.7	69 7.2	52 5.4
本社（単独事業所）	2,230 100.0	641 28.8	1,299 58.2	196 8.8	94 4.2
本社（支社等の有無について無回答）	887 100.0	256 28.9	433 48.8	155 17.5	43 4.9
本社でない	2,336 100.0	1,247 53.4	617 26.4	232 9.9	240 10.3
無回答	34 100.0	22 66.6	1 4.4	2 7.4	7 21.7

問9．事業所の独立性

	全体	ある	ない	わからない	無回答
独立性のある事業場であり、単独で「1事業場」となっている	4,811 100.0	1,962 40.8	2,098 43.6	463 9.6	289 6.0
独立性のある事業場であり、近くの独立性のない事業場を一括して「1事業場」となっている	554 100.0	338 61.0	150 27.1	42 7.5	24 4.4
独立性のない事業場として、近くの本社や支社等に一括されている	942 100.0	437 46.3	289 30.6	132 14.0	85 9.1
無回答	150 100.0	49 32.8	43 28.6	19 12.8	39 25.8

問6．事業所の形態

	全体	ある	ない	わからない	無回答
事務所	2,198 100.0	1,028 46.8	892 40.6	165 7.5	113 5.1
営業所、出張所	660 100.0	348 52.7	182 27.6	45 6.8	85 12.9
店舗、飲食店	1,598 100.0	549 34.4	657 41.1	280 17.5	112 7.0
工場、作業所（鉄道の駅や発電所、倉庫を含む）	695 100.0	301 43.3	320 46.0	26 3.7	48 6.9
輸送・配送センター	60 100.0	36 60.2	9 14.3	7 11.4	8 14.1
病院、医療・介護施設	595 100.0	231 38.8	277 46.4	69 11.5	19 3.2
研究所	23 100.0	9 39.2	5 22.9	- -	9 37.9
学校、保育所、学習支援塾等	217 100.0	99 45.6	86 39.8	19 8.8	13 5.8
旅館、ホテル等の宿泊施設	81 100.0	44 53.6	29 35.6	8 10.4	- 0.3
その他	202 100.0	85 41.9	86 42.4	16 7.8	16 7.9
無回答	128 100.0	56 44.2	37 28.9	21 16.1	14 10.8

問11＜付問１＞．選出しなかった理由は何ですか。（該当すべてに○）

	全体	ら必要がなかったから事業場に、労働組合「過半数」が過半数を選出する代表者」を選出たすかなかったか	ら発生しなかったから労使協定（36協定）や就業規則を含む」に関する手続が発生しなかったか	その他	無回答
総　数	2,580	357	1,460	539	239
	100.0	13.8	56.6	20.9	9.3

問１．企業の経営形態

	全体			その他	無回答
会社（法人）	1,709	281	1,013	285	138
	100.0	16.5	59.3	16.7	8.1
0％	1,526	228	928	256	122
	100.0	14.9	60.8	16.8	8.0
0％超～3分の1以下	33	23	-	7	2
	100.0	70.4	0.2	22.7	6.6
3分の1超	1	1	-	-	-
	100.0	96.2			3.8
無回答	149	29	85	21	13
	100.0	19.7	57.4	14.0	9.0
会社以外の法人 （協同組合、信用金庫、財団・社団法人、医療・学校・宗教法人等）	219	38	102	52	26
	100.0	17.5	46.6	23.9	12.0
個人経営（個人事業主）	587	26	330	169	67
	100.0	4.5	56.3	28.8	11.4
その他（法人格をもたない団体）	37	6	12	16	3
	100.0	17.5	32.3	41.9	8.3
無回答	28	4	2	18	5
	100.0	15.1	6.8	65.2	18.7

問４．事業所・従業員数

	全体			その他	無回答
4人以下	998	73	546	309	83
	100.0	7.3	54.7	31.0	8.3
5～9人	945	72	636	145	92
	100.0	7.6	67.3	15.4	9.7
10～29人	477	108	242	71	56
	100.0	22.7	50.7	14.9	11.8
30～99人	123	72	33	12	7
	100.0	59.0	27.2	9.7	5.6
100～299人	27	22	2	2	1
	100.0	81.4	8.1	5.9	4.8
300～999人	8	8	-	-	-
	100.0	90.4	2.7	4.9	2.0
1,000人以上	2	2	-	-	-
	100.0	96.0		2.2	1.8
9人以下	1,943	145	1,182	455	175
	100.0	7.5	60.8	23.4	9.0
29人以下	2,420	253	1,424	526	231
	100.0	10.5	58.8	21.7	9.5
5人以上	1,582	284	914	230	156
	100.0	17.9	57.8	14.5	9.9
10人以上	637	212	278	85	65
	100.0	33.2	43.6	13.3	10.2
30人以上	160	104	36	14	8
	100.0	64.8	22.4	8.7	5.2
100人以上	37	31	2	2	1
	100.0	84.1	6.5	5.5	4.0
300人以上	10	9	-	-	-
	100.0	91.3	2.3	4.5	1.9

問４．事業所・正社員数

	全体			その他	無回答
4人以下	1,647	120	979	419	142
	100.0	7.3	59.5	25.5	8.6
5～9人	517	53	325	76	63
	100.0	10.2	62.9	14.7	12.2
10～29人	273	91	126	33	25
	100.0	33.3	46.1	12.0	9.3
30～99人	87	66	12	5	4
	100.0	75.5	13.4	6.0	5.0
100～299人	17	15	1	1	-
	100.0	87.1	7.0	3.7	2.6
300～999人	6	6	-	-	-
	100.0	93.4	1.2	2.7	2.6
1,000人以上	1	1	-	-	-
	100.0	98.0		0.4	1.6
9人以下	2,164	172	1,304	496	205
	100.0	8.0	60.3	22.9	9.5
29人以下	2,437	263	1,430	528	231
	100.0	10.8	58.7	21.7	9.5
5人以上	902	231	464	115	94
	100.0	25.6	51.5	12.7	10.4
10人以上	385	178	139	39	30
	100.0	46.4	36.1	10.1	7.9

問11＜付問1＞．選出しなかった理由は何ですか。（該当すべてに○）

	全体	ら必表り労事要者、働業がー場組になを「合「か選過ー過っ出半が半たす数あ数かる代	ら発則を労生に含使し関む協なすや定かる就（っ手業36た続規協	その他	無回答
総　数	2,580	357	1,460	539	239
	100.0	13.8	56.6	20.9	9.3
30人以上	111	87	13	6	5
	100.0	78.5	11.6	5.4	4.5
100 人以上	24	22	1	1	1
	100.0	89.3	5.2	3.2	2.6
300 人以上	7	7	-	-	-
	100.0	94.3	1.0	2.3	2.4
無回答	31	6	17	5	4
	100.0	19.0	53.1	16.5	11.3
問2．企業・従業員数					
4 人以下	769	43	417	243	78
	100.0	5.7	54.2	31.6	10.1
5 ～9 人	834	35	570	139	91
	100.0	4.2	68.3	16.6	10.9
10～29人	390	10	269	74	38
	100.0	2.5	68.9	18.9	9.7
30～99人	153	21	90	30	15
	100.0	13.5	58.8	19.3	9.6
100 ～299 人	126	42	62	22	2
	100.0	33.5	49.1	17.4	1.3
300 ～999 人	99	43	38	9	8
	100.0	43.6	39.0	8.8	8.6
1,000 人以上	197	162	11	18	5
	100.0	82.4	5.7	9.4	2.6
9 人以下	1,604	78	987	382	169
	100.0	4.9	61.5	23.8	10.5
29人以下	1,994	88	1,256	456	207
	100.0	4.4	63.0	22.8	10.4
5 人以上	1,800	313	1,041	291	159
	100.0	17.4	57.8	16.2	8.8
10人以上	965	278	471	153	68
	100.0	28.8	48.8	15.8	7.0
30人以上	575	268	202	79	30
	100.0	46.6	35.1	13.7	5.2
100 人以上	422	248	112	49	15
	100.0	58.7	26.5	11.6	3.6
300 人以上	296	205	50	27	14
	100.0	69.4	16.8	9.2	4.6
無回答	10	-	2	5	3
	100.0	3.9	20.5	49.8	25.8
問2．企業・正社員数					
4 人以下	1,401	71	846	358	137
	100.0	5.1	60.4	25.6	9.8
5 ～9 人	478	14	311	95	58
	100.0	3.0	65.0	19.8	12.1
10～29人	243	8	188	27	21
	100.0	3.4	77.7	11.1	8.5
30～99人	137	29	78	18	15
	100.0	20.9	56.7	12.9	10.6
100 ～299 人	79	39	21	18	1
	100.0	49.4	27.0	22.7	0.9
300 ～999 人	73	52	9	11	1
	100.0	70.9	12.5	15.2	1.4
1,000 人以上	162	143	5	9	5
	100.0	88.3	2.9	5.8	3.1
9 人以下	1,879	85	1,158	453	195
	100.0	4.5	61.6	24.1	10.4
29人以下	2,121	94	1,346	480	215
	100.0	4.4	63.5	22.6	10.1
5 人以上	1,172	285	613	178	100
	100.0	24.4	52.3	15.2	8.5
10人以上	694	271	301	83	42
	100.0	39.1	43.4	12.0	6.1
30人以上	451	263	113	56	21
	100.0	58.2	25.0	12.4	4.7
100 人以上	314	234	35	39	7
	100.0	74.4	11.2	12.3	2.2
300 人以上	235	195	14	20	6
	100.0	82.9	5.8	8.7	2.6
無回答	7	-	-	4	3
	100.0	1.3	7.1	52.0	39.6

問11＜付問１＞．選出しなかった理由は何ですか。（該当すべてに○）

	全体	事業場に「過半数」があり、労働組合が「過半数」を選出する代表者を選出する必要がなかったから	労使協定（36協定）や〜就業規則に含む〜を合定や就業規則に関しなする手続が発生しなかったから	その他	無回答
総 数	2,580	357	1,460	539	239
	100.0	13.8	56.6	20.9	9.3

問５．産業分野

鉱業，採石業，砂利採取業	1	-	1	-	-
	100.0	13.8	50.1	26.0	10.9
建設業	300	34	184	64	19
	100.0	11.2	61.4	21.3	6.2
製造業	268	54	128	56	31
	100.0	20.1	47.8	20.7	11.4
電気・ガス・熱供給・水道業	5	4	-	-	-
	100.0	83.4	6.5	7.0	4.9
情報通信業	39	13	16	9	1
	100.0	32.8	40.9	23.0	3.3
運輸業，郵便業	64	42	14	5	2
	100.0	66.6	22.3	8.6	2.6
卸売業，小売業	661	72	409	111	77
	100.0	10.8	61.8	16.8	11.7
金融業，保険業	56	40	11	4	1
	100.0	71.5	19.5	7.5	1.4
不動産業，物品賃貸業	103	8	61	21	14
	100.0	7.3	58.8	20.2	13.7
学術研究，専門・技術サービス業	120	6	74	23	17
	100.0	4.7	61.7	19.3	14.3
宿泊業，飲食サービス業	307	22	172	96	22
	100.0	7.0	56.1	31.3	7.3
生活関連サービス業，娯楽業	107	10	65	32	1
	100.0	9.3	60.4	29.8	0.5
教育，学習支援業	86	5	49	20	13
	100.0	5.6	56.6	22.8	15.1
医療，福祉	301	15	201	60	25
	100.0	5.0	66.8	19.8	8.4
複合サービス事業（郵便局，協同組合など）	28	17	8	1	2
	100.0	59.9	27.3	4.2	8.6
サービス業（他に分類されないもの）	132	16	66	37	14
	100.0	12.4	50.3	28.0	10.5

問３．本社

本社（支社等あり）	230	45	137	31	17
	100.0	19.6	59.7	13.5	7.2
本社（単独事業所）	1,299	62	824	279	140
	100.0	4.8	63.5	21.5	10.8
本社（支社等の有無について無回答）	433	21	253	108	57
	100.0	4.7	58.4	24.9	13.2
本社でない	617	229	246	121	24
	100.0	37.1	39.8	19.7	3.9
無回答	1	-	-	-	1
	100.0	7.9	1.1	17.6	73.5

問9．事業所の独立性

独立性のある事業場であり、単独で「１事業場」となっている	2,098	242	1,226	432	210
	100.0	11.6	58.4	20.6	10.0
独立性のある事業場であり、近くの独立性のない事業場を一括して「１事業場」となっている	150	42	86	18	6
	100.0	27.7	57.4	11.8	4.3
独立性のない事業場として、近くの本社や支社等に一括されている	289	70	128	76	15
	100.0	24.4	44.2	26.4	5.1
無回答	43	2	20	14	9
	100.0	5.3	46.6	31.9	20.0

問6．事業所の形態

事務所	892	98	541	150	109
	100.0	11.0	60.6	16.8	12.3
営業所、出張所	182	85	54	44	1
	100.0	46.5	29.7	24.4	0.4
店舗、飲食店	657	74	372	170	48
	100.0	11.3	56.6	25.9	7.3
工場、作業所（鉄道の駅や発電所、倉庫を含む）	320	48	180	59	32
	100.0	15.0	56.4	18.6	10.1
輸送・配送センター	9	4	2	-	2
	100.0	50.6	23.9	0.1	25.5
病院、医療・介護施設	277	12	180	55	29
	100.0	4.4	65.3	19.9	10.5
研究所	5	3	1	2	-
	100.0	51.1	16.7	32.2	-
学校、保育所、学習支援塾等	86	4	47	24	11
	100.0	4.9	54.6	28.3	12.2
旅館、ホテル等の宿泊施設	29	-	15	14	-
	100.0	0.4	50.0	49.3	0.3
その他	86	25	49	8	3
	100.0	29.3	57.2	9.5	3.9
無回答	37	3	18	12	4
	100.0	8.1	49.0	33.2	9.7

問12. 「過半数代表者」の選出は、どのくらいの頻度で行われていますか。（○は１つ）

	全体	一過半数代表者が必要な都度続く者の	任期を決めて選出	その他	無回答
総 数	2,786 100.0	2,124 76.2	527 18.9	97 3.5	38 1.3
問１．企業の経営形態					
会社（法人）	2,292 100.0	1,783 77.8	404 17.6	74 3.2	30 1.3
0％	2,021 100.0	1,603 79.3	343 17.0	50 2.5	25 1.2
0％超～3分の1以下	48 100.0	29 60.5	12 25.6	7 13.9	- -
3分の1超	35 100.0	13 36.4	15 41.3	8 22.3	- -
無回答	187 100.0	138 74.0	34 18.1	10 5.1	5 2.8
会社以外の法人 （協同組合、信用金庫、財団・社団法人、医療・学校・宗教法人等）	357 100.0	221 61.9	117 32.6	18 4.9	2 0.5
個人経営（個人事業主）	106 100.0	93 87.9	2 2.1	5 4.8	5 5.2
その他（法人格をもたない団体）	5 100.0	5 99.3	- 0.7	- -	- -
無回答	27 100.0	22 81.0	4 16.6	1 2.4	- -
問４．事業所・従業員数					
4 人以下	465 100.0	377 81.1	67 14.4	6 1.4	14 3.1
5～9 人	737 100.0	575 78.0	115 15.7	32 4.3	15 2.0
10～29人	1,109 100.0	872 78.6	201 18.1	33 2.9	4 0.3
30～99人	394 100.0	263 66.8	105 26.6	22 5.6	4 1.1
100～299 人	68 100.0	32 47.6	31 46.3	4 5.2	1 0.9
300～999 人	11 100.0	4 33.9	7 60.2	1 4.8	- 1.1
1,000 人以上	2 100.0	- 21.7	1 72.9	- 3.6	- 1.8
9 人以下	1,202 100.0	952 79.2	182 15.2	38 3.2	29 2.4
29人以下	2,312 100.0	1,825 78.9	383 16.6	71 3.1	33 1.4
5 人以上	2,321 100.0	1,747 75.3	460 19.8	91 3.9	23 1.0
10人以上	1,584 100.0	1,172 74.0	345 21.8	59 3.7	9 0.5
30人以上	475 100.0	299 63.1	144 30.4	26 5.5	5 1.1
100 人以上	81 100.0	36 45.1	39 48.8	4 5.2	1 0.9
300 人以上	13 100.0	4 32.3	8 61.9	1 4.7	- 1.1
問４．事業所・正社員数					
4 人以下	1,025 100.0	814 79.4	177 17.3	18 1.8	15 1.5
5～9 人	651 100.0	530 81.5	86 13.2	26 4.0	9 1.3
10～29人	787 100.0	592 75.2	157 19.9	34 4.4	5 0.6
30～99人	260 100.0	158 60.7	82 31.7	16 6.2	4 1.4
100～299 人	38 100.0	16 43.3	20 51.7	2 4.1	- 0.8
300～999 人	7 100.0	2 28.6	4 64.6	- 6.4	- 0.4
1,000 人以上	1 100.0	- 16.1	1 78.2	- 4.3	- 1.5
9 人以下	1,676 100.0	1,345 80.2	263 15.7	45 2.7	24 1.4
29人以下	2,463 100.0	1,936 78.6	420 17.0	79 3.2	28 1.1
5 人以上	1,744 100.0	1,298 74.5	349 20.0	79 4.5	17 1.0
10人以上	1,093 100.0	768 70.3	264 24.1	53 4.8	9 0.8

問12.「過半数代表者」の選出は、どのくらいの頻度で行われていますか。（○は1つ）

	全体	一過半数代表者が必要な都度選出	任期を決めて選出	その他	無回答
総 数	2,786	2,124	527	97	38
	100.0	76.2	18.9	3.5	1.3
30人以上	305	176	107	18	4
	100.0	57.7	35.1	6.0	1.3
100 人以上	46	19	25	2	-
	100.0	40.5	54.3	4.4	0.8
300 人以上	8	2	5	-	-
	100.0	27.0	66.3	6.1	0.5
無回答	18	12	1	-	5
	100.0	66.2	2.8	-	31.0
問2．企業・従業員数					
4 人以下	141	119	7	2	13
	100.0	84.6	5.2	1.1	9.1
5～9 人	289	239	44	5	1
	100.0	82.6	15.3	1.6	0.5
10～29人	595	498	67	25	5
	100.0	83.7	11.2	4.2	0.9
30～99人	512	400	94	14	4
	100.0	78.1	18.4	2.7	0.8
100～299 人	460	338	97	18	8
	100.0	73.4	21.1	3.8	1.7
300～999 人	379	260	100	17	1
	100.0	68.7	26.5	4.5	0.3
1,000 人以上	401	268	115	17	1
	100.0	66.8	28.7	4.3	0.2
9 人以下	430	358	51	6	14
	100.0	83.3	12.0	1.4	3.3
29人以下	1,024	855	118	31	19
	100.0	83.5	11.5	3.0	1.9
5 人以上	2,636	2,002	518	96	20
	100.0	76.0	19.6	3.6	0.8
10人以上	2,347	1,764	474	91	19
	100.0	75.1	20.2	3.9	0.8
30人以上	1,753	1,266	407	66	14
	100.0	72.2	23.2	3.8	0.8
100 人以上	1,241	866	313	52	10
	100.0	69.8	25.2	4.2	0.8
300 人以上	780	528	215	34	2
	100.0	67.7	27.6	4.4	0.2
無回答	9	3	2	-	4
	100.0	30.3	21.8	-	47.9
問2．企業・正社員数					
4 人以下	355	284	59	5	7
	100.0	80.0	16.5	1.4	2.1
5～9 人	276	243	22	8	3
	100.0	88.1	7.9	2.9	1.1
10～29人	634	540	67	23	4
	100.0	85.2	10.5	3.6	0.6
30～99人	579	436	125	13	4
	100.0	75.4	21.6	2.3	0.7
100～299 人	409	280	99	21	8
	100.0	68.6	24.3	5.1	2.0
300～999 人	282	183	85	13	-
	100.0	64.9	30.3	4.7	0.2
1,000 人以上	220	139	67	13	1
	100.0	63.2	30.6	5.8	0.3
9 人以下	631	528	80	13	10
	100.0	83.5	12.7	2.1	1.7
29人以下	1,266	1,068	147	36	15
	100.0	84.4	11.6	2.8	1.2
5 人以上	2,400	1,823	466	91	20
	100.0	76.0	19.4	3.8	0.8
10人以上	2,124	1,579	444	83	17
	100.0	74.4	20.9	3.9	0.8
30人以上	1,489	1,039	377	60	13
	100.0	69.8	25.3	4.0	0.9
100 人以上	911	603	252	47	9
	100.0	66.2	27.7	5.1	1.0
300 人以上	502	322	153	26	1
	100.0	64.2	30.4	5.2	0.2
無回答	31	17	3	1	10
	100.0	55.4	9.0	3.9	31.7

問12.「過半数代表者」の選出は、どのくらいの頻度で行われていますか。（○は１つ）

	全体	「過半数代表者」が必要な都度、その都度選出	任期を決めて選出	その他	無回答
総　数	2,786	2,124	527	97	38
	100.0	76.2	18.9	3.5	1.3
問５．産業分野					
鉱業，採石業，砂利採取業	2	1	-	-	-
	100.0	86.3	9.6	2.9	1.2
建設業	250	227	18	5	-
	100.0	90.5	7.4	2.0	0.1
製造業	297	215	68	11	2
	100.0	72.6	22.9	3.8	0.7
電気・ガス・熱供給・水道業	3	2	1	-	-
	100.0	67.6	27.4	4.1	0.9
情報通信業	55	30	21	3	-
	100.0	54.9	38.7	6.0	0.4
運輸業，郵便業	130	100	25	1	4
	100.0	77.2	19.2	0.9	2.7
卸売業，小売業	782	611	130	28	13
	100.0	78.1	16.7	3.6	1.6
金融業，保険業	58	33	22	2	1
	100.0	56.6	39.1	3.0	1.4
不動産業，物品賃貸業	69	53	13	2	1
	100.0	77.2	18.7	2.3	1.9
学術研究，専門・技術サービス業	78	60	13	3	1
	100.0	77.1	17.2	3.7	1.9
宿泊業，飲食サービス業	239	200	32	2	6
	100.0	83.5	13.4	0.8	2.3
生活関連サービス業，娯楽業	180	147	26	3	4
	100.0	81.7	14.4	1.5	2.5
教育，学習支援業	69	48	18	2	1
	100.0	69.1	25.5	3.5	1.9
医療，福祉	318	231	68	18	-
	100.0	72.8	21.5	5.8	-
複合サービス事業（郵便局，協同組合など）	28	18	9	1	-
	100.0	65.5	31.4	2.1	1.1
サービス業（他に分類されないもの）	229	147	62	16	3
	100.0	64.4	27.0	7.2	1.4
問３．本社					
本社（支社等あり）	620	493	108	14	5
	100.0	79.5	17.4	2.3	0.7
本社（単独事業所）	641	531	80	18	12
	100.0	82.8	12.4	2.9	1.9
本社（支社等の有無について無回答）	256	200	44	11	1
	100.0	78.0	17.1	4.4	0.6
本社でない	1,247	884	296	53	14
	100.0	70.9	23.7	4.3	1.1
無回答	22	17	-	-	5
	100.0	74.2	1.4	-	24.4
問9.事業所の独立性					
独立性のある事業場であり、単独で「１事業場」となっている	1,962	1,497	358	81	26
	100.0	76.3	18.3	4.1	1.3
独立性のある事業場であり、近くの独立性のない事業場を一括して「１事業場」となっている	338	257	76	4	1
	100.0	76.1	22.4	1.3	0.3
独立性のない事業場として、近くの本社や支社等に一括されている	437	351	75	10	-
	100.0	80.4	17.1	2.4	0.1
無回答	49	19	19	2	10
	100.0	37.8	38.1	3.9	20.1
問6．事業所の形態					
事務所	1,028	831	153	34	10
	100.0	80.9	14.9	3.3	0.9
営業所、出張所	348	229	98	12	10
	100.0	65.7	28.2	3.4	2.8
店舗、飲食店	549	437	85	16	10
	100.0	79.6	15.5	3.0	1.9
工場、作業所（鉄道の駅や発電所、倉庫を含む）	301	235	53	12	1
	100.0	78.0	17.6	4.0	0.4
輸送・配送センター	36	22	11	-	3
	100.0	60.7	31.1	0.1	8.1
病院、医療・介護施設	231	177	47	7	-
	100.0	76.6	20.3	3.2	-
研究所	9	2	7	-	-
	100.0	21.3	75.9	2.8	-
学校、保育所、学習支援塾等	99	52	34	11	2
	100.0	52.4	34.0	11.2	2.4
旅館、ホテル等の宿泊施設	44	36	7	-	-
	100.0	82.2	17.1	0.3	0.3
その他	85	59	23	2	-
	100.0	69.9	27.6	2.4	0.1
無回答	56	44	8	2	1
	100.0	78.5	14.7	4.4	2.4

問13．選出を行う際、どの範囲の従業員に、「過半数代表者」の選出の開始について周知していますか。（○は1つ）

	全体	周知している	労使協定等が適用される事業場（独立）の一性はない、そして合らしい事業場を含む従業員に周知している	労使協定等が適用される事業場の一部や支社や支店など、どちらか一本社の従業員になる業に周知している	周知していない	無回答
総　数	2,786	2,420	2,131	289	327	39
	100.0	86.9	76.5	10.4	11.7	1.4

問1．企業の経営形態

	全体	周知している			周知していない	無回答
会社（法人）	2,292	2,000	1,762	238	262	30
	100.0	87.3	76.9	10.4	11.4	1.3
0%	2,021	1,741	1,531	210	255	25
	100.0	86.1	75.8	10.4	12.6	1.2
0%超～3分の1以下	48	48	42	6	-	-
	100.0	99.4	87.8	11.6	0.6	-
3分の1超	35	34	34	-	1	-
	100.0	97.2	96.3	1.0	2.0	0.7
無回答	187	177	154	23	5	5
	100.0	94.6	82.5	12.1	2.9	2.5
会社以外の法人 （協同組合、信用金庫、財団・社団法人、医療・学校・宗教法人等）	357	320	286	34	34	4
	100.0	89.5	80.0	9.6	9.4	1.1
個人経営（個人事業主）	106	77	60	17	23	5
	100.0	72.8	56.6	16.1	22.1	5.2
その他（法人格をもたない団体）	5	5	5	-	-	-
	100.0	100.0	100.0	-	-	-
無回答	27	18	18	-	8	-
	100.0	68.8	68.1	0.6	31.2	-

問4．事業所・従業員数

	全体	周知している			周知していない	無回答
4人以下	465	404	336	69	47	13
	100.0	87.0	72.2	14.7	10.2	2.8
5～9人	737	640	581	59	83	14
	100.0	86.8	78.8	8.0	11.3	1.9
10～29人	1,109	958	851	107	146	5
	100.0	86.4	76.7	9.6	13.2	0.5
30～99人	394	345	295	49	44	6
	100.0	87.4	74.9	12.5	11.0	1.5
100～299人	68	61	56	5	6	1
	100.0	89.8	82.9	6.8	8.9	1.4
300～999人	11	11	10	1	1	-
	100.0	93.5	88.7	4.8	5.7	0.8
1,000人以上	2	2	2	-	-	-
	100.0	94.6	92.0	2.5	3.1	2.3
9人以下	1,202	1,044	917	128	131	27
	100.0	86.9	76.2	10.6	10.9	2.3
29人以下	2,312	2,003	1,768	235	277	32
	100.0	86.6	76.5	10.2	12.0	1.4
5人以上	2,321	2,016	1,795	221	279	26
	100.0	86.8	77.3	9.5	12.0	1.1
10人以上	1,584	1,376	1,214	162	196	12
	100.0	86.8	76.6	10.2	12.4	0.8
30人以上	475	417	363	55	50	7
	100.0	88.0	76.4	11.5	10.6	1.5
100人以上	81	73	68	5	7	1
	100.0	90.4	84.0	6.4	8.3	1.3
300人以上	13	12	12	1	1	-
	100.0	93.6	89.1	4.5	5.4	1.0

問4．事業所・正社員数

	全体	周知している			周知していない	無回答
4人以下	1,025	907	772	135	104	14
	100.0	88.5	75.4	13.2	10.1	1.3
5～9人	651	540	487	53	102	9
	100.0	83.0	74.8	8.2	15.7	1.4
10～29人	787	696	619	77	85	7
	100.0	88.4	78.6	9.8	10.8	0.8
30～99人	260	227	207	20	29	5
	100.0	87.2	79.7	7.6	11.0	1.8
100～299人	38	35	33	2	3	0
	100.0	91.4	86.1	5.3	8.0	0.6
300～999人	7	6	6	-	-	-
	100.0	92.5	91.4	1.2	7.0	0.5
1,000人以上	1	1	1	-	-	-
	100.0	95.2	93.8	1.3	2.4	2.4
9人以下	1,676	1,447	1,259	188	206	22
	100.0	86.4	75.1	11.2	12.3	1.3
29人以下	2,463	2,144	1,878	265	291	29
	100.0	87.0	76.3	10.8	11.8	1.2
5人以上	1,744	1,505	1,353	152	219	20
	100.0	86.3	77.6	8.7	12.6	1.2

問13. 選出を行う際、どの範囲の従業員に、「過半数代表者」の選出の開始について周知していますか。（○は１つ）

	全体	周知している	知らせている（むしろ、そして従業員に周知している）一括して労使協定等が適用される事業場（性の独立した事業場を含む）	知らせている（どちらか一本の社や支業の事業場に周知）労使協定等が適用される事業場	周知していない	無回答
総 数	2,786	2,420	2,131	289	327	39
	100.0	86.9	76.5	10.4	11.7	1.4
10人以上	1,093	965	866	99	117	11
	100.0	88.3	79.2	9.0	10.7	1.0
30人以上	305	268	247	22	32	5
	100.0	87.9	80.8	7.1	10.5	1.6
100 人以上	46	42	40	2	4	-
	100.0	91.7	87.1	4.6	7.7	0.6
300 人以上	8	7	7	-	1	-
	100.0	92.9	91.7	1.2	6.4	0.8
無回答	18	8	6	2	4	5
	100.0	45.5	31.5	14.0	23.5	31.0
問2．企業・従業員数						
4 人以下	141	120	111	9	8	13
	100.0	85.3	78.6	6.6	5.5	9.3
5 〜9 人	289	235	221	14	52	1
	100.0	81.6	76.6	4.9	17.9	0.5
10〜29人	595	488	419	69	103	4
	100.0	82.0	70.4	11.6	17.3	0.7
30〜99人	512	432	372	60	74	6
	100.0	84.3	72.6	11.7	14.5	1.1
100 〜299 人	460	404	333	71	48	9
	100.0	87.7	72.3	15.5	10.4	1.9
300 〜999 人	379	356	310	46	21	1
	100.0	94.0	81.8	12.2	5.7	0.3
1,000 人以上	401	381	361	20	20	-
	100.0	94.9	89.9	4.9	5.0	0.1
9 人以下	430	356	332	24	59	15
	100.0	82.8	77.3	5.5	13.8	3.4
29人以下	1,024	843	751	92	162	19
	100.0	82.3	73.3	9.0	15.8	1.8
5 人以上	2,636	2,296	2,016	280	319	22
	100.0	87.1	76.5	10.6	12.1	0.8
10人以上	2,347	2,060	1,794	266	267	20
	100.0	87.8	76.4	11.3	11.4	0.9
30人以上	1,753	1,573	1,375	197	164	16
	100.0	89.7	78.5	11.2	9.4	0.9
100 人以上	1,241	1,141	1,004	137	90	10
	100.0	92.0	80.9	11.1	7.2	0.8
300 人以上	780	737	671	66	42	2
	100.0	94.4	86.0	8.4	5.3	0.2
無回答	9	4	4	-	1	4
	100.0	46.4	45.9	0.4	5.8	47.9
問2．企業・正社員数						
4 人以下	355	295	243	52	52	8
	100.0	83.2	68.4	14.8	14.7	2.2
5 〜9 人	276	206	179	27	68	2
	100.0	74.7	64.8	9.8	24.6	0.8
10〜29人	634	548	482	66	81	5
	100.0	86.4	76.0	10.4	12.8	0.8
30〜99人	579	505	439	66	69	5
	100.0	87.2	75.8	11.4	12.0	0.8
100 〜299 人	409	371	322	49	28	9
	100.0	90.8	78.9	11.9	6.9	2.2
300 〜999 人	282	272	254	18	9	-
	100.0	96.6	90.3	6.2	3.3	0.2
1,000 人以上	220	205	193	12	16	-
	100.0	92.8	87.5	5.3	7.1	0.1
9 人以下	631	502	422	80	120	10
	100.0	79.4	66.8	12.6	19.0	1.5
29人以下	1,266	1,049	904	145	201	15
	100.0	82.9	71.5	11.5	15.9	1.2
5 人以上	2,400	2,106	1,870	237	272	22
	100.0	87.8	77.9	9.9	11.3	0.9
10人以上	2,124	1,900	1,691	210	204	20
	100.0	89.5	79.6	9.9	9.6	0.9
30人以上	1,489	1,352	1,208	144	123	15
	100.0	90.8	81.1	9.7	8.2	1.0
100 人以上	911	848	770	78	53	10
	100.0	93.1	84.5	8.6	5.8	1.1
300 人以上	502	477	447	29	25	1
	100.0	94.9	89.1	5.8	5.0	0.1
無回答	31	18	18	-	3	10
	100.0	58.6	57.7	0.9	9.7	31.7

問13. 選出を行う際、どの範囲の従業員に、「過半数代表者」の選出の開始について周知していますか。（○は１つ）

	全体	周知している	労使協定等が適用される事業場（独立事業場）を立ち上げる一性の、括されそしている従業員に周知している（合む）	労使協定等が適用される事業場（本社や支店など）、どこ、ちさ、本、れる従業員に周知している	周知していない	無回答
総数	2,786	2,420	2,131	289	327	39
	100.0	86.9	76.5	10.4	11.7	1.4
問5. 産業分野						
鉱業, 採石業, 砂利採取業	2	1	1	-	-	-
	100.0	86.3	76.4	9.9	10.4	3.3
建設業	250	217	194	23	33	1
	100.0	86.8	77.5	9.3	13.0	0.2
製造業	297	260	238	22	35	2
	100.0	87.6	80.2	7.4	11.7	0.7
電気・ガス・熱供給・水道業	3	3	3	-	-	-
	100.0	92.8	86.2	6.6	6.4	0.9
情報通信業	55	49	44	5	6	-
	100.0	88.9	78.9	9.9	10.7	0.4
運輸業, 郵便業	130	115	106	9	11	4
	100.0	88.6	81.3	7.3	8.7	2.7
卸売業, 小売業	782	684	599	85	85	13
	100.0	87.5	76.6	10.9	10.8	1.6
金融業, 保険業	58	55	52	3	2	-
	100.0	95.7	90.9	4.9	3.6	0.7
不動産業, 物品賃貸業	69	60	55	4	8	1
	100.0	86.7	80.4	6.4	11.1	2.2
学術研究, 専門・技術サービス業	78	61	59	2	15	1
	100.0	79.2	76.1	3.1	18.9	1.9
宿泊業, 飲食サービス業	239	193	159	35	40	6
	100.0	80.8	66.4	14.4	16.9	2.3
生活関連サービス業, 娯楽業	180	137	99	37	39	4
	100.0	76.0	55.3	20.7	21.5	2.5
教育, 学習支援業	69	62	57	5	5	2
	100.0	90.1	83.2	6.9	6.7	3.2
医療, 福祉	318	283	248	35	34	1
	100.0	88.8	77.9	11.0	10.8	0.4
複合サービス事業（郵便局, 協同組合など）	28	26	25	1	1	1
	100.0	92.7	88.7	4.0	5.3	2.0
サービス業（他に分類されないもの）	229	213	192	21	14	3
	100.0	93.0	83.6	9.4	5.9	1.1
問3. 本社						
本社（支社等あり）	620	539	444	95	76	5
	100.0	87.0	71.6	15.4	12.2	0.8
本社（単独事業所）	641	512	479	34	116	13
	100.0	79.9	74.6	5.3	18.0	2.1
本社（支社等の有無について無回答）	256	219	186	33	36	1
	100.0	85.4	72.5	12.8	14.1	0.6
本社でない	1,247	1,135	1,009	125	98	14
	100.0	91.0	81.0	10.1	7.8	1.1
無回答	22	15	13	2	2	5
	100.0	67.2	58.4	8.8	8.4	24.4
問9. 事業所の独立性						
独立性のある事業場であり、単独で「1事業場」となっている	1,962	1,689	1,536	153	247	27
	100.0	86.1	78.3	7.8	12.6	1.4
独立性のある事業場であり、近くの独立性のない事業場を一括して「1事業場」となっている	338	298	232	66	38	2
	100.0	88.2	68.5	19.7	11.3	0.6
独立性のない事業場として、近くの本社や支社等に一括されている	437	396	338	59	40	-
	100.0	90.8	77.4	13.4	9.1	0.1
無回答	49	36	25	11	2	10
	100.0	74.4	51.5	22.9	5.1	20.6
問6. 事業所の形態						
事務所	1,028	881	751	130	136	11
	100.0	85.7	73.1	12.6	13.2	1.1
営業所、出張所	348	319	294	25	21	8
	100.0	91.6	84.6	7.0	6.0	2.4
店舗、飲食店	549	467	425	43	71	10
	100.0	85.1	77.4	7.8	13.0	1.9
工場、作業所（鉄道の駅や発電所、倉庫を含む）	301	259	242	17	41	1
	100.0	85.9	80.3	5.6	13.6	0.5
輸送・配送センター	36	33	25	7	1	2
	100.0	90.3	70.2	20.1	3.1	6.7
病院、医療・介護施設	231	202	176	25	28	1
	100.0	87.4	76.4	11.0	12.1	0.5
研究所	9	8	8	-	1	-
	100.0	89.4	89.4	-	10.6	-
学校、保育所、学習支援塾等	99	89	80	9	7	3
	100.0	89.8	80.9	8.9	6.9	3.3
旅館、ホテル等の宿泊施設	44	40	33	7	4	-
	100.0	90.6	74.5	16.1	9.0	0.3
その他	85	80	57	23	5	-
	100.0	94.4	67.6	26.8	5.5	0.1
無回答	56	43	39	5	12	1
	100.0	76.6	68.4	8.2	21.0	2.4

問14.「過半数代表者」は具体的にどのような方法で選出されましたか。何回も選出したことがある場合は、直近の選出についてご回答ください。
（○は1つ。貴事業場が複数の事業所を一括し、事業所によって選出方法が異なる場合は主たるもの1つに○をしてください。）

	全体	投票や挙手により選出	あらかじめ特定の候補者を定め、その者の賛否を表明する（信任・従業員）	話し合いにより選出	親睦会の代表者等が自動的に、特定の者が	使用者（事業主や会社）が指名している	その他（具体的に）	無回答
総数	2,786	861	614	498	172	595	10	37
	100.0	30.9	22.0	17.9	6.2	21.4	0.3	1.3
問1．企業の経営形態								
会社（法人）	2,292	735	518	384	134	490	7	23
	100.0	32.1	22.6	16.8	5.9	21.4	0.3	1.0
0%	2,021	636	453	334	115	454	7	21
	100.0	31.5	22.4	16.5	5.7	22.5	0.3	1.0
0%超～3分の1以下	48	14	11	15	1	7	-	-
	100.0	29.4	23.2	31.4	1.8	14.2	-	-
3分の1超	35	14	9	6	-	6	-	-
	100.0	40.7	26.4	16.0	0.2	16.8	-	-
無回答	187	71	44	29	18	23	-	2
	100.0	37.8	23.4	15.4	9.6	12.4	-	1.3
会社以外の法人（協同組合、信用金庫、財団・社団法人、医療・学校・宗教法人等）	357	102	78	80	34	61	1	2
	100.0	28.4	21.9	22.3	9.4	17.1	0.3	0.6
個人経営（個人事業主）	106	13	17	21	3	43	-	10
	100.0	11.9	15.8	19.8	2.4	40.3	-	9.7
その他（法人格をもたない団体）	5	1	-	1	-	-	2	1
	100.0	12.6	7.2	20.4	-	-	32.3	27.5
無回答	27	11	1	12	2	2	-	-
	100.0	39.7	2.5	45.8	6.1	5.9	-	-
問4．事業所・従業員数								
4人以下	465	161	86	71	26	106	2	13
	100.0	34.7	18.5	15.2	5.5	22.8	0.4	2.8
5～9人	737	238	165	141	24	160	5	3
	100.0	32.3	22.4	19.1	3.3	21.7	0.7	0.4
10～29人	1,109	301	248	217	86	242	3	14
	100.0	27.1	22.3	19.5	7.7	21.9	0.2	1.2
30～99人	394	130	91	61	29	78	-	6
	100.0	32.9	23.0	15.5	7.4	19.7	-	1.5
100～299人	68	25	19	7	6	8	-	1
	100.0	37.3	28.2	10.8	9.4	12.2	0.4	1.7
300～999人	11	5	4	1	1	1	-	-
	100.0	44.0	35.2	5.5	5.9	7.2	1.4	0.8
1,000人以上	2	1	1	-	-	-	-	-
	100.0	41.6	43.1	6.7	3.2	3.9	0.3	1.1
9人以下	1,202	399	251	212	50	266	7	17
	100.0	33.2	20.9	17.6	4.1	22.1	0.6	1.4
29人以下	2,312	700	499	429	136	509	9	30
	100.0	30.3	21.6	18.5	5.9	22.0	0.4	1.3
5人以上	2,321	700	527	427	146	489	8	24
	100.0	30.1	22.7	18.4	6.3	21.1	0.3	1.0
10人以上	1,584	461	362	286	122	329	3	21
	100.0	29.1	22.9	18.0	7.7	20.8	0.2	1.3
30人以上	475	160	115	69	36	87	-	7
	100.0	33.8	24.1	14.5	7.6	18.3	0.1	1.5
100人以上	81	31	24	8	7	9	-	1
	100.0	38.4	29.5	10.0	8.7	11.3	0.5	1.5
300人以上	13	6	5	1	1	1	-	-
	100.0	43.7	36.2	5.7	5.5	6.8	1.2	0.9
問4．事業所・正社員数								
4人以下	1,025	354	234	171	41	212	2	11
	100.0	34.5	22.8	16.7	4.0	20.7	0.2	1.1
5～9人	651	190	142	131	28	143	5	11
	100.0	29.1	21.9	20.2	4.3	21.9	0.8	1.8
10～29人	787	204	165	153	75	184	2	5
	100.0	25.9	20.9	19.5	9.5	23.4	0.3	0.6
30～99人	260	93	58	38	20	46	-	4
	100.0	35.7	22.3	14.6	7.8	17.9	0.1	1.7
100～299人	38	15	12	4	3	4	-	-
	100.0	39.8	31.9	10.2	7.6	9.4	0.4	0.7
300～999人	7	3	2	-	-	-	-	-
	100.0	47.5	33.2	5.3	5.1	6.4	1.6	1.0
1,000人以上	1	-	-	-	-	-	-	-
	100.0	45.5	38.7	8.4	4.6	1.9	0.5	0.4
9人以下	1,676	544	376	302	70	355	7	23
	100.0	32.4	22.4	18.0	4.2	21.2	0.4	1.3
29人以下	2,463	747	541	455	144	539	9	27
	100.0	30.3	22.0	18.5	5.9	21.9	0.4	1.1
5人以上	1,744	505	380	327	126	377	8	21
	100.0	29.0	21.8	18.7	7.2	21.6	0.5	1.2
10人以上	1,093	315	238	195	98	234	3	9
	100.0	28.9	21.7	17.9	9.0	21.5	0.3	0.9

問14.「過半数代表者」は具体的にどのような方法で選出されましたか。何回も選出したことがある場合は、直近の選出についてご回答ください。
（○は1つ。貴事業場が複数の事業所を一括し、事業所によって選出方法が異なる場合は主たるもの1つに○をしてください。）

	全体	投票や挙手により選出	候補者をあらかじめ定め、特定の従業員がその賛否を表明する（信任による選出）	話し合いにより選出	親睦会の代表者等が自動的に、特定の者が代表者に	使用者（事業主や会社）が指名している	その他（具体的に）	無回答
総数	2,786	861	614	498	172	595	10	37
	100.0	30.9	22.0	17.9	6.2	21.4	0.3	1.3
30人以上	305	112	73	42	24	50	-	5
	100.0	36.5	23.8	13.8	7.7	16.5	0.1	1.6
100人以上	46	19	15	4	3	4	-	-
	100.0	41.1	32.3	9.4	7.1	8.8	0.6	0.8
300人以上	8	4	3	-	-	-	-	-
	100.0	47.2	33.9	5.7	5.0	5.9	1.5	0.9
無回答	18	2	-	-	4	6	-	5
	100.0	10.6	0.5	-	24.0	33.8	-	31.0
問2．企業・従業員数								
4人以下	141	37	17	23	4	48	-	13
	100.0	26.3	12.1	16.0	2.5	34.0	-	9.1
5～9人	289	81	51	48	12	91	5	-
	100.0	28.0	17.7	16.8	4.1	31.6	1.8	-
10～29人	595	102	109	138	66	169	-	10
	100.0	17.1	18.4	23.2	11.1	28.4	-	1.7
30～99人	512	179	91	70	39	121	2	10
	100.0	35.0	17.8	13.8	7.6	23.5	0.3	2.0
100～299人	460	155	105	81	36	81	2	1
	100.0	33.6	22.8	17.7	7.7	17.6	0.4	0.2
300～999人	379	140	124	75	8	29	-	2
	100.0	36.9	32.8	19.9	2.2	7.7	0.1	0.6
1,000人以上	401	159	115	61	8	56	1	1
	100.0	39.6	28.7	15.2	1.9	14.1	0.3	0.2
9人以下	430	118	68	71	15	139	5	13
	100.0	27.5	15.9	16.5	3.6	32.4	1.2	3.0
29人以下	1,024	220	178	209	81	308	5	23
	100.0	21.5	17.4	20.4	7.9	30.1	0.5	2.2
5人以上	2,636	815	596	475	168	547	10	24
	100.0	30.9	22.6	18.0	6.4	20.7	0.4	0.9
10人以上	2,347	734	545	426	157	456	5	24
	100.0	31.3	23.2	18.2	6.7	19.4	0.2	1.0
30人以上	1,753	633	436	288	91	287	5	14
	100.0	36.1	24.9	16.4	5.2	16.4	0.3	0.8
100人以上	1,241	454	344	218	52	166	3	4
	100.0	36.6	27.8	17.5	4.2	13.4	0.2	0.3
300人以上	780	299	239	136	16	85	1	3
	100.0	38.3	30.7	17.5	2.1	11.0	0.2	0.4
無回答	9	8	-	-	-	1	-	-
	100.0	90.0	3.1	1.1	-	5.8	-	-
問2．企業・正社員数								
4人以下	355	99	71	50	14	113	-	9
	100.0	27.7	19.9	14.0	4.1	31.7	-	2.6
5～9人	276	59	30	64	15	98	5	5
	100.0	21.5	11.0	23.0	5.3	35.6	1.9	1.7
10～29人	634	144	132	127	67	159	-	5
	100.0	22.7	20.8	20.0	10.5	25.1	-	0.8
30～99人	579	222	111	89	41	105	2	10
	100.0	38.3	19.1	15.4	7.1	18.1	0.3	1.6
100～299人	409	124	120	90	22	51	2	1
	100.0	30.2	29.3	21.9	5.3	12.6	0.4	0.2
300～999人	282	125	79	46	7	23	-	2
	100.0	44.5	28.0	16.2	2.4	8.2	0.1	0.6
1,000人以上	220	75	69	32	3	39	1	1
	100.0	34.2	31.5	14.7	1.3	17.6	0.4	0.3
9人以下	631	158	101	113	29	211	5	14
	100.0	25.0	16.0	18.0	4.6	33.4	0.8	2.2
29人以下	1,266	302	233	240	96	370	5	19
	100.0	23.8	18.4	19.0	7.6	29.2	0.4	1.5
5人以上	2,400	749	541	447	154	476	10	23
	100.0	31.2	22.5	18.6	6.4	19.8	0.4	0.9
10人以上	2,124	690	511	384	139	378	5	18
	100.0	32.5	24.0	18.1	6.6	17.8	0.2	0.8
30人以上	1,489	546	379	257	73	218	5	12
	100.0	36.7	25.4	17.2	4.9	14.7	0.3	0.8
100人以上	911	324	268	168	31	113	3	3
	100.0	35.6	29.4	18.4	3.4	12.4	0.3	0.3
300人以上	502	201	148	78	10	62	1	2
	100.0	40.0	29.5	15.5	1.9	12.3	0.2	0.5
無回答	31	13	2	-	3	7	-	5
	100.0	41.9	6.3	1.1	11.0	22.1	-	17.5

問14.「過半数代表者」は具体的にどのような方法で選出されましたか。何回も選出したことがある場合は、直近の選出についてご回答ください。
（○は1つ。貴事業場が複数の事業所を一括し、事業所によって選出方法が異なる場合は主たるもの1つに○をしてください。）

	全体	投票や挙手により選出	信任（あらかじめ定めた候補者についての賛否を表明するもの）	話し合いにより選出	特定の者が自動的に、親睦の会の代表者等	使用者（事業主や会社）が指名している	その他（具体的に）	無回答
総　数	2,786	861	614	498	172	595	10	37
	100.0	30.9	22.0	17.9	6.2	21.4	0.3	1.3
問5. 産業分野								
鉱業, 採石業, 砂利採取業	2	-	-	-	-	-	-	-
	100.0	29.8	15.7	19.0	7.9	26.5	0.4	0.6
建設業	250	63	38	59	14	70	6	2
	100.0	25.1	15.0	23.5	5.4	28.0	2.3	0.7
製造業	297	77	48	55	32	81	-	2
	100.0	25.9	16.3	18.7	10.9	27.4	-	0.8
電気・ガス・熱供給・水道業	3	1	1	1	-	1	-	-
	100.0	35.6	21.2	17.7	8.1	15.4	0.9	1.1
情報通信業	55	19	13	8	2	13	-	-
	100.0	35.0	23.7	14.3	2.7	23.9	-	0.4
運輸業, 郵便業	130	47	16	25	6	33	-	2
	100.0	36.5	12.5	19.4	4.6	25.2	-	1.8
卸売業, 小売業	782	288	165	145	37	129	-	18
	100.0	36.9	21.1	18.6	4.7	16.5	-	2.3
金融業, 保険業	58	22	13	11	3	7	-	1
	100.0	38.6	22.5	19.5	5.6	11.6	0.1	2.1
不動産業, 物品賃貸業	69	12	24	16	2	14	-	-
	100.0	17.7	35.2	23.3	3.3	20.5	-	-
学術研究, 専門・技術サービス業	78	21	12	18	6	20	1	-
	100.0	26.6	15.9	23.0	7.1	26.2	1.1	0.1
宿泊業, 飲食サービス業	239	80	54	26	9	65	-	6
	100.0	33.3	22.6	11.0	3.7	27.0	-	2.4
生活関連サービス業, 娯楽業	180	55	59	12	15	39	-	-
	100.0	30.7	33.0	6.5	8.1	21.6	-	-
教育, 学習支援業	69	20	15	16	5	10	-	2
	100.0	28.9	22.5	22.7	7.4	15.0	-	3.5
医療, 福祉	318	78	75	66	28	69	-	1
	100.0	24.6	23.5	20.8	8.9	21.8	-	0.4
複合サービス事業（郵便局, 協同組合など）	28	7	9	7	2	3	-	-
	100.0	24.0	31.8	25.3	7.7	10.0	0.2	1.0
サービス業（他に分類されないもの）	229	69	70	32	11	42	3	2
	100.0	30.3	30.7	14.0	4.9	18.1	1.2	0.8
問3. 本社								
本社（支社等あり）	620	205	122	95	45	145	-	8
	100.0	33.1	19.7	15.3	7.2	23.3	-	1.3
本社（単独事業所）	641	148	104	110	50	213	5	11
	100.0	23.0	16.2	17.1	7.9	33.2	0.8	1.8
本社（支社等の有無について無回答）	256	56	41	70	25	64	-	-
	100.0	21.8	15.9	27.4	9.7	25.1	-	-
本社でない	1,247	450	344	217	52	172	4	8
	100.0	36.1	27.6	17.4	4.2	13.8	0.3	0.6
無回答	22	3	3	5	-	2	-	10
	100.0	11.6	12.0	21.8	1.1	7.5	-	46.0
問9.事業所の独立性								
独立性のある事業場であり、単独で「1事業場」となっている	1,962	601	439	334	125	435	10	17
	100.0	30.6	22.4	17.0	6.4	22.2	0.5	0.9
独立性のある事業場であり、近くの独立性のない事業場を一括して「1事業場」となっている	338	85	74	65	20	87	-	7
	100.0	25.1	22.0	19.1	5.9	25.7	-	2.0
独立性のない事業場として、近くの本社や支社等に一括されている	437	154	89	90	25	71	-	8
	100.0	35.3	20.4	20.5	5.7	16.3	-	1.9
無回答	49	20	11	9	2	2	-	6
	100.0	41.7	22.0	18.1	3.4	3.6	-	11.2
問6. 事業所の形態								
事務所	1,028	324	216	177	45	249	5	12
	100.0	31.5	21.0	17.2	4.4	24.2	0.5	1.2
営業所, 出張所	348	110	114	62	16	39	2	5
	100.0	31.5	32.9	17.7	4.7	11.2	0.5	1.5
店舗, 飲食店	549	209	102	94	24	106	-	13
	100.0	38.0	18.7	17.2	4.5	19.4	-	2.4
工場, 作業所（鉄道の駅や発電所、倉庫を含む）	301	76	52	55	37	78	2	1
	100.0	25.2	17.4	18.3	12.4	25.8	0.6	0.4
輸送・配送センター	36	8	4	10	3	11	-	1
	100.0	21.6	11.0	26.8	8.2	29.7	-	2.6
病院、医療・介護施設	231	49	52	45	22	62	-	1
	100.0	21.1	22.6	19.5	9.4	27.0	0.1	0.4
研究所	9	4	2	2	-	1	1	-
	100.0	42.5	17.6	19.5	0.8	9.8	9.8	-
学校、保育所、学習支援塾等	99	29	24	23	5	14	-	3
	100.0	29.6	24.1	23.5	5.5	14.6	-	2.7
旅館、ホテル等の宿泊施設	44	17	14	1	7	5	-	-
	100.0	38.1	31.4	2.1	17.1	10.8	-	0.5
その他	85	26	26	13	5	15	-	-
	100.0	30.6	30.3	15.6	5.7	17.7	0.1	0.1
無回答	56	11	7	16	6	15	-	1
	100.0	19.5	12.8	27.7	10.9	26.8	-	2.4

問14＜付問１＞．候補者はどのようにして定められましたか。（○は１つ）

	全体	使用者（事業主）や会社が候補者を決める	親睦会等の特定の代表者が候補者自身と動的になる	その他	無回答
総　数	614	331	94	123	65
	100.0	54.0	15.3	20.1	10.6
問１．企業の経営形態					
会社（法人）	518	284	67	110	57
	100.0	54.9	12.9	21.2	11.0
0％	453	251	57	97	48
	100.0	55.4	12.6	21.4	10.6
0％超～3分の1以下	11	8	-	2	-
	100.0	73.6	3.8	22.0	0.6
3分の1超	9	7	-	2	-
	100.0	79.8	1.2	18.9	0.1
無回答	44	17	9	9	8
	100.0	39.9	21.3	19.5	19.3
会社以外の法人 （協同組合、信用金庫、財団・社団法人、医療・学校・宗教法人等）	78	34	25	11	8
	100.0	44.1	31.8	14.0	10.1
個人経営（個人事業主）	17	12	2	3	-
	100.0	71.6	12.1	16.3	-
その他（法人格をもたない団体）	-	-	-	-	-
	100.0	20.8	1.4	8.1	69.7
無回答	1	-	-	-	-
	100.0	42.2	25.6	17.9	14.4
問４．事業所・従業員数					
4人以下	86	62	11	7	6
	100.0	71.6	12.7	8.2	7.5
5～9人	165	93	16	38	19
	100.0	56.1	9.5	22.8	11.6
10～29人	248	124	50	51	24
	100.0	49.9	20.0	20.4	9.6
30～99人	91	45	13	20	12
	100.0	49.6	14.3	22.5	13.7
100～299人	19	7	4	6	3
	100.0	34.6	20.7	29.6	15.1
300～999人	4	1	1	2	-
	100.0	33.1	17.4	43.9	5.6
1,000人以上	1	-	-	-	-
	100.0	29.4	16.6	50.1	3.9
9人以下	251	154	27	45	26
	100.0	61.4	10.6	17.8	10.2
29人以下	499	278	76	95	49
	100.0	55.7	15.3	19.1	9.9
5人以上	527	269	83	116	58
	100.0	51.1	15.7	22.1	11.1
10人以上	362	177	67	79	39
	100.0	48.8	18.6	21.7	10.9
30人以上	115	53	18	28	16
	100.0	46.4	15.5	24.6	13.6
100人以上	24	8	5	8	3
	100.0	34.2	20.1	32.6	13.1
300人以上	5	2	1	2	-
	100.0	32.5	17.3	44.9	5.3
問４．事業所・正社員数					
4人以下	234	140	29	39	25
	100.0	60.1	12.4	16.7	10.8
5～9人	142	76	18	27	22
	100.0	53.3	12.5	19.1	15.1
10～29人	165	84	34	39	8
	100.0	50.7	20.9	23.4	5.1
30～99人	58	25	10	14	9
	100.0	43.8	17.5	23.7	15.1
100～299人	12	5	2	4	1
	100.0	42.3	17.3	32.0	8.5
300～999人	2	1	1	1	-
	100.0	35.0	22.0	37.7	5.3
1,000人以上	-	-	-	-	-
	100.0	21.5	15.3	61.8	1.4
9人以下	376	216	47	66	47
	100.0	57.5	12.5	17.6	12.4
29人以下	541	300	81	105	55
	100.0	55.4	15.0	19.4	10.2
5人以上	380	191	65	84	40
	100.0	50.2	17.1	22.2	10.5
10人以上	238	115	47	57	18
	100.0	48.4	19.9	24.1	7.7

問14＜付問１＞．候補者はどのようにして定められましたか。（○は１つ）

	全体	主に使用者（事業主）や会社が候補者を決める	候補者自身、親睦会等の特定の代表者が自動的になる	その他	無回答
総　数	614 100.0	331 54.0	94 15.3	123 20.1	65 10.6
30人以上	73 100.0	31 43.1	13 17.6	19 25.7	10 13.6
100 人以上	15 100.0	6 40.6	3 18.0	5 33.6	1 7.8
300 人以上	3 100.0	1 33.1	1 21.1	1 41.1	- -
無回答	- 100.0	- -	- -	- 100.0	- -
問２．企業・従業員数					
4 人以下	17 100.0	17 98.5	- 1.5	- -	- -
5 〜9 人	51 100.0	26 50.9	14 26.9	5 9.0	7 13.2
10〜29人	109 100.0	64 58.0	24 22.4	11 9.6	11 10.0
30〜99人	91 100.0	53 58.4	13 14.3	16 17.6	9 9.6
100 〜299 人	105 100.0	46 43.5	18 16.9	17 16.2	25 23.4
300 〜999 人	124 100.0	66 53.3	17 13.4	36 29.3	5 4.0
1,000 人以上	115 100.0	60 51.9	8 7.0	39 33.6	9 7.5
9 人以下	68 100.0	43 62.7	14 20.6	5 6.8	7 9.9
29人以下	178 100.0	106 59.8	39 21.7	15 8.5	18 10.0
5 人以上	596 100.0	314 52.7	94 15.7	123 20.7	65 10.8
10人以上	545 100.0	288 52.9	80 14.7	119 21.8	58 10.6
30人以上	436 100.0	225 51.6	55 12.7	108 24.9	47 10.8
100 人以上	344 100.0	172 49.8	42 12.3	92 26.8	38 11.1
300 人以上	239 100.0	126 52.6	25 10.3	75 31.4	14 5.7
無回答	- 100.0	- -	- 13.6	- -	- 86.4
問２．企業・正社員数					
4 人以下	71 100.0	41 58.0	20 28.6	5 6.5	5 6.9
5 〜9 人	30 100.0	14 44.5	6 19.0	- -	11 36.5
10〜29人	132 100.0	79 60.2	17 12.9	27 20.2	9 6.6
30〜99人	111 100.0	62 55.5	17 15.3	13 11.8	19 17.4
100 〜299 人	120 100.0	65 54.5	18 15.0	21 17.9	15 12.6
300 〜999 人	79 100.0	33 42.4	10 12.2	32 40.3	4 5.1
1,000 人以上	69 100.0	36 51.1	6 9.3	26 37.2	2 2.3
9 人以下	101 100.0	54 53.9	26 25.7	5 4.6	16 15.8
29人以下	233 100.0	134 57.5	43 18.5	31 13.4	25 10.6
5 人以上	541 100.0	289 53.3	74 13.6	119 22.0	60 11.1
10人以上	511 100.0	275 53.9	68 13.3	119 23.3	49 9.5
30人以上	379 100.0	196 51.7	51 13.5	92 24.3	40 10.6
100 人以上	268 100.0	134 50.1	34 12.7	79 29.5	21 7.7
300 人以上	148 100.0	69 46.5	16 10.9	58 38.9	6 3.8
無回答	2 100.0	2 83.2	- 3.5	- 0.7	- 12.6

— 130 —

問14＜付問１＞．候補者はどのようにして定められましたか。（○は１つ）

	全体	使用者（事業主や会社）が候補者を決める	親睦会等、特定の代表者と動的な候補者自身が定める	その他	無回答
総　数	614	331	94	123	65
	100.0	54.0	15.3	20.1	10.6
問５．産業分野					
鉱業, 採石業, 砂利採取業	-	-	-	-	-
	100.0	60.2	24.9	5.7	9.2
建設業	38	22	5	6	5
	100.0	58.1	12.2	16.9	12.8
製造業	48	17	18	13	-
	100.0	35.9	37.3	25.8	1.0
電気・ガス・熱供給・水道業	1				
	100.0	27.9	41.6	16.2	14.3
情報通信業	13	6	2	5	-
	100.0	48.3	12.0	36.4	3.3
運輸業, 郵便業	16	9	2	3	2
	100.0	53.2	15.0	19.1	12.7
卸売業, 小売業	165	91	9	37	27
	100.0	55.3	5.6	22.7	16.4
金融業, 保険業	13	6	2	4	1
	100.0	42.8	16.8	34.4	6.0
不動産業, 物品賃貸業	24	16	2	5	1
	100.0	67.9	8.1	20.8	3.2
学術研究, 専門・技術サービス業	12	7	2	3	1
	100.0	53.6	18.9	20.4	7.1
宿泊業, 飲食サービス業	54	27	6	12	9
	100.0	50.8	10.5	22.3	16.4
生活関連サービス業, 娯楽業	59	37	15	5	3
	100.0	61.9	24.6	9.3	4.3
教育, 学習支援業	15	10	3	3	-
	100.0	62.5	19.3	18.0	0.2
医療, 福祉	75	42	14	9	9
	100.0	56.6	19.3	12.5	11.6
複合サービス事業（郵便局, 協同組合など）	9	3	2	3	1
	100.0	36.4	25.5	28.5	9.6
サービス業（他に分類されないもの）	70	37	11	15	6
	100.0	53.2	16.2	21.4	9.1
問３．本社					
本社（支社等あり）	122	73	22	16	11
	100.0	59.4	18.0	13.3	9.4
本社（単独事業所）	104	65	20	16	3
	100.0	62.2	19.6	15.5	2.6
本社（支社等の有無について無回答）	41	18	8	4	10
	100.0	44.2	20.8	10.1	25.0
本社でない	344	176	41	87	40
	100.0	51.2	11.9	25.3	11.7
無回答	3	-	2	-	-
	100.0	-	91.2	-	8.8
問9.事業所の独立性					
独立性のある事業場であり、単独で「１事業場」となっている	439	235	64	90	50
	100.0	53.4	14.7	20.5	11.4
独立性のある事業場であり、近くの独立性のない事業場を一括して「１事業場」となっている	74	42	18	10	5
	100.0	56.1	23.8	14.1	6.1
独立性のない事業場として、近くの本社や支社等に一括されている	89	48	12	19	10
	100.0	53.9	13.2	21.4	11.4
無回答	11	7	-	4	-
	100.0	61.9	1.0	36.7	0.4
問6. 事業所の形態					
事務所	216	128	32	36	21
	100.0	59.2	14.7	16.5	9.5
営業所、出張所	114	55	12	40	8
	100.0	48.2	10.5	34.6	6.7
店舗、飲食店	102	44	6	27	26
	100.0	43.2	5.8	26.0	25.0
工場、作業所（鉄道の駅や発電所、倉庫を含む）	52	25	17	10	2
	100.0	47.3	31.5	18.2	3.0
輸送・配送センター	4	2	-	2	-
	100.0	46.7	3.1	48.6	1.6
病院、医療・介護施設	52	33	13	1	5
	100.0	62.7	25.0	2.2	10.1
研究所	2	-	-	1	-
	100.0	18.8	20.2	61.0	-
学校、保育所、学習支援塾等	24	15	3	3	3
	100.0	63.4	11.5	14.6	10.5
旅館、ホテル等の宿泊施設	14	13	-	-	-
	100.0	97.3	0.7	1.1	1.0
その他	26	14	8	4	1
	100.0	52.9	30.1	14.5	2.5
無回答	7	2	4	1	1
	100.0	28.5	50.4	8.0	13.2

問14＜付問２＞．信任の方法はどれでしたか。（○は１つ）

	全体	投票	挙手	持ち回り決議	特段の異議の申出がない限り信任とする	その他	無回答
総　数	614	64	67	99	342	5	37
	100.0	10.4	10.9	16.1	55.7	0.8	6.1

問１．企業の経営形態

	全体	投票	挙手	持ち回り決議	特段の異議の申出がない限り信任とする	その他	無回答
会社（法人）	518	60	46	87	288	5	32
	100.0	11.6	8.9	16.9	55.6	0.9	6.1
0％	453	53	39	75	251	5	31
	100.0	11.7	8.6	16.5	55.3	1.0	6.9
0％超～3分の1以下	11	1	1	6	3	-	-
	100.0	5.4	10.3	55.9	28.0	0.5	-
3分の1超	9	5	1	-	3	-	-
	100.0	56.4	7.0	3.5	33.1	-	-
無回答	44	1	5	6	31	-	-
	100.0	2.2	12.4	14.0	70.5	-	0.9
会社以外の法人 （協同組合、信用金庫、財団・社団法人、医療・学校・宗教法人等）	78	4	19	11	42	-	3
	100.0	5.1	23.8	14.0	53.2	0.3	3.6
個人経営（個人事業主）	17	-	2	-	12	-	3
	100.0	-	9.8	-	73.9	-	16.3
その他（法人格をもたない団体）	-	-	-	-	-	-	-
	100.0	9.5	69.7	-	20.8	-	-
無回答	1	-	-	1	-	-	-
	100.0	-	5.1	77.1	17.8	-	-

問４．事業所・従業員数

	全体	投票	挙手	持ち回り決議	特段の異議の申出がない限り信任とする	その他	無回答
4人以下	86	2	2	5	66	-	11
	100.0	2.4	2.6	5.7	76.3	-	13.0
5～9人	165	23	21	25	95	1	1
	100.0	13.7	12.4	15.4	57.5	0.3	0.7
10～29人	248	21	35	43	132	-	18
	100.0	8.5	14.0	17.2	53.3	-	7.1
30～99人	91	12	7	22	39	4	6
	100.0	13.7	7.8	24.7	42.7	4.0	7.0
100～299人	19	4	2	3	9	1	1
	100.0	22.8	10.2	13.7	45.3	2.9	5.2
300～999人	4	1	-	1	2	-	-
	100.0	27.2	9.9	20.9	37.7	2.4	1.9
1,000人以上	1	-	-	-	-	-	-
	100.0	38.4	5.2	15.6	38.0	2.1	0.7
9人以下	251	25	23	30	161	1	12
	100.0	9.8	9.1	12.1	63.9	0.2	4.9
29人以下	499	46	57	73	293	1	30
	100.0	9.1	11.5	14.6	58.7	0.1	6.0
5人以上	527	62	65	94	276	5	26
	100.0	11.7	12.2	17.8	52.4	0.9	4.9
10人以上	362	39	44	69	181	4	25
	100.0	10.8	12.1	18.9	50.0	1.2	6.9
30人以上	115	18	9	26	49	4	7
	100.0	15.9	8.2	22.7	42.9	3.7	6.5
100人以上	24	6	2	4	10	1	1
	100.0	24.0	10.0	15.0	43.8	2.8	4.5
300人以上	5	1	-	1	2	-	-
	100.0	29.0	9.2	20.1	37.7	2.3	1.7

問４．事業所・正社員数

	全体	投票	挙手	持ち回り決議	特段の異議の申出がない限り信任とする	その他	無回答
4人以下	234	9	17	36	152	1	18
	100.0	3.9	7.4	15.4	65.3	0.2	7.8
5～9人	142	22	20	18	73	1	8
	100.0	15.6	14.0	12.7	51.2	0.6	5.9
10～29人	165	20	23	30	86	-	5
	100.0	12.2	14.1	18.3	52.3	-	3.0
30～99人	58	8	5	12	24	3	5
	100.0	14.0	9.1	21.5	40.7	5.4	9.4
100～299人	12	3	1	2	6	-	-
	100.0	28.2	7.8	12.5	48.0	2.6	0.9
300～999人	2	1	-	1	1	-	-
	100.0	25.8	12.5	26.3	32.9	1.7	0.9
1,000人以上	-	-	-	-	-	-	-
	100.0	42.4	4.9	10.7	36.6	4.1	1.4
9人以下	376	31	37	54	225	1	27
	100.0	8.4	9.9	14.4	59.9	0.4	7.1
29人以下	541	52	60	84	312	1	32
	100.0	9.5	11.1	15.6	57.6	0.3	5.9
5人以上	380	55	50	63	189	4	19
	100.0	14.4	13.1	16.6	49.9	1.1	5.0
10人以上	238	32	30	45	117	4	11
	100.0	13.7	12.5	18.9	49.1	1.5	4.4

問14＜付問２＞．信任の方法はどれでしたか。（○は１つ）

	全体	投票	挙手	持ち回り決議	特段の異議がない限りとする信任の申出	その他	無回答
総 数	614 100.0	64 10.4	67 10.9	99 16.1	342 55.7	5 0.8	37 6.1
30人以上	73 100.0	12 16.9	7 9.0	15 20.1	30 41.7	3 4.8	6 7.7
100人以上	15 100.0	4 28.2	1 8.5	2 14.6	7 45.3	- 2.5	- 0.9
300人以上	3 100.0	1 28.1	- 11.4	1 24.0	1 33.4	- 2.1	- 1.0
無回答	- 100.0	- -	- -	- -	- 100.0	- -	- -
問２．企業・従業員数							
4 人以下	17 100.0	- 1.5	- -	2 9.6	7 42.2	- -	8 46.7
5 ～9 人	51 100.0	2 4.4	5 9.0	2 3.0	43 83.7	- -	- -
10～29人	109 100.0	1 0.7	12 11.2	11 10.1	76 69.1	- -	10 9.0
30～99人	91 100.0	3 3.2	10 11.2	13 14.3	62 68.1	1 0.6	2 2.6
100 ～299 人	105 100.0	28 27.0	12 11.0	11 10.1	50 47.7	1 1.2	3 3.0
300 ～999 人	124 100.0	7 5.8	21 16.7	27 22.0	61 49.2	2 1.7	6 4.5
1,000 人以上	115 100.0	22 19.1	7 6.3	34 29.2	43 37.4	1 0.8	8 7.2
9 人以下	68 100.0	2 3.6	5 6.8	3 4.6	50 73.3	- -	8 11.6
29人以下	178 100.0	3 1.8	17 9.5	14 8.0	126 70.7	- -	18 10.0
5 人以上	596 100.0	64 10.7	67 11.2	97 16.3	335 56.1	5 0.8	29 4.9
10人以上	545 100.0	61 11.3	62 11.4	96 17.6	292 53.6	5 0.9	29 5.4
30人以上	436 100.0	61 13.9	50 11.4	85 19.4	216 49.7	5 1.1	19 4.5
100 人以上	344 100.0	58 16.7	39 11.5	72 20.8	154 44.8	4 1.2	17 5.0
300 人以上	239 100.0	29 12.2	28 11.7	61 25.5	104 43.5	3 1.3	14 5.8
無回答	- 100.0	- -	- 86.4	- -	- 13.6	- -	- -
問２．企業・正社員数							
4 人以下	71 100.0	2 3.5	5 6.5	7 10.3	48 68.0	- 0.4	8 11.3
5 ～9 人	30 100.0	- -	2 8.2	5 16.3	23 74.6	- 0.9	- -
10～29人	132 100.0	3 2.2	14 10.7	17 12.6	88 67.1	- -	10 7.4
30～99人	111 100.0	13 11.8	17 15.3	15 14.0	60 54.0	- 0.2	5 4.7
100 ～299 人	120 100.0	26 21.9	9 7.4	13 10.5	59 49.2	3 2.6	10 8.3
300 ～999 人	79 100.0	7 8.5	13 16.0	20 25.0	37 47.0	- -	3 3.5
1,000 人以上	69 100.0	12 17.9	7 9.9	22 32.1	26 37.0	1 0.9	2 2.2
9 人以下	101 100.0	2 2.5	7 7.0	12 12.1	71 70.0	1 0.5	8 7.9
29人以下	233 100.0	5 2.3	21 9.1	29 12.4	159 68.4	1 0.2	18 7.6
5 人以上	541 100.0	61 11.3	62 11.4	92 16.9	293 54.1	4 0.8	29 5.4
10人以上	511 100.0	61 12.0	59 11.6	87 17.0	270 52.9	4 0.8	29 5.7
30人以上	379 100.0	58 15.4	45 12.0	70 18.5	181 47.9	4 1.1	19 5.1
100 人以上	268 100.0	45 16.9	28 10.6	55 20.4	122 45.4	4 1.4	14 5.3
300 人以上	148 100.0	19 12.9	19 13.1	42 28.3	63 42.3	1 0.4	4 2.9
無回答	2 100.0	- -	- 12.6	- -	1 74.3	- 13.1	- -

問14＜付問２＞．信任の方法はどれでしたか。（○は１つ）

	全体	投票	挙手	持ち回り決議	特段の異義の申出がない限り任とする信任	その他	無回答
総　数	614 100.0	64 10.4	67 10.9	99 16.1	342 55.7	5 0.8	37 6.1
問５．産業分野							
鉱業，採石業，砂利採取業	- 100.0	- -	- 17.8	- -	- 82.2	- -	- -
建設業	38 100.0	1 2.3	3 8.5	2 5.6	26 69.6	- 0.8	5 13.3
製造業	48 100.0	1 2.3	4 8.7	9 18.9	31 64.5	- -	3 5.6
電気・ガス・熱供給・水道業	1 100.0	 12.7	 11.3	 11.3	 64.7	- -	- -
情報通信業	13 100.0	3 25.7	1 6.5	1 10.9	7 54.3	- 1.9	- 0.7
運輸業，郵便業	16 100.0	2 10.8	5 29.6	1 6.6	8 49.6	- 0.1	1 3.3
卸売業，小売業	165 100.0	34 20.6	12 7.0	17 10.4	93 56.4	2 1.3	7 4.3
金融業，保険業	13 100.0	- 3.7	1 5.9	6 44.4	6 46.0	- -	- -
不動産業，物品賃貸業	24 100.0	9 35.3	4 15.5	5 22.5	3 11.4	- 0.8	3 14.4
学術研究，専門・技術サービス業	12 100.0	1 6.4	2 20.1	2 16.3	7 57.0	- -	 0.2
宿泊業，飲食サービス業	54 100.0	- 0.2	- 0.2	23 43.1	23 43.1	- -	7 13.3
生活関連サービス業，娯楽業	59 100.0	 0.1	4 7.6	12 19.5	41 68.7	- -	2 4.1
教育，学習支援業	15 100.0	2 12.8	1 9.0	3 17.0	9 61.1	 0.1	- -
医療，福祉	75 100.0	2 2.5	22 29.9	4 5.6	44 59.0	 0.3	2 2.9
複合サービス事業（郵便局，協同組合など）	9 100.0	1 6.3	1 15.0	 0.6	5 59.1	1 6.3	1 12.6
サービス業（他に分類されないもの）	70 100.0	8 11.7	5 7.7	13 18.5	37 52.7	1 1.6	5 7.7
問３．本社							
本社（支社等あり）	122 100.0	13 10.8	5 4.3	22 18.2	73 59.7	1 0.7	8 6.2
本社（単独事業所）	104 100.0	6 5.7	11 10.4	9 9.1	68 66.0	1 0.7	8 8.0
本社（支社等の有無について無回答）	41 100.0	- 1.0	11 27.5	3 7.3	20 48.7	 0.6	6 14.9
本社でない	344 100.0	44 12.9	39 11.5	62 18.0	180 52.4	3 0.9	15 4.4
無回答	3 100.0	- -	- -	2 91.2	 8.8	- -	- -
問9．事業所の独立性							
独立性のある事業場であり、単独で「1事業場」となっている	439 100.0	47 10.6	47 10.8	82 18.6	228 51.8	4 1.0	32 7.2
独立性のある事業場であり、近くの独立性のない事業場を一括して「1事業場」となっている	74 100.0	15 19.8	4 5.4	6 8.5	49 65.8	 0.1	 0.4
独立性のない事業場として、近くの本社や支社等に一括されている	89 100.0	2 2.5	13 14.4	11 12.4	60 67.3	1 0.6	3 2.8
無回答	11 100.0	- 1.3	3 23.4	 0.3	6 51.2	- -	3 23.9
問6．事業所の形態							
事務所	216 100.0	19 8.6	20 9.2	28 12.9	131 60.7	4 1.7	15 6.8
営業所、出張所	114 100.0	26 22.8	7 5.7	16 14.1	64 56.2	1 0.7	1 0.5
店舗、飲食店	102 100.0	12 11.8	12 11.3	28 27.4	41 39.7	- -	10 9.8
工場、作業所（鉄道の駅や発電所、倉庫を含む）	52 100.0	1 2.4	6 10.7	10 18.4	28 54.1	- -	8 14.4
輸送・配送センター	4 100.0	- 1.5	3 63.0	 2.9	1 32.6	- -	- -
病院、医療・介護施設	52 100.0	2 3.4	16 30.8	2 4.3	30 57.3	 0.5	2 3.7
研究所	2 100.0	 44.7	 5.2	 37.7	 11.1	- -	 1.3
学校、保育所、学習支援塾等	24 100.0	2 8.2	4 15.2	4 15.0	15 61.6	- -	- -
旅館、ホテル等の宿泊施設	14 100.0	- 2.7	- 0.7	6 41.1	8 55.6	- -	- -
その他	26 100.0	- 1.3	1 3.1	4 15.2	19 73.8	- -	2 6.7
無回答	7 100.0	1 9.2	- 0.1	1 14.4	5 67.5	- -	1 8.8

問14＜付問３＞．話し合いを行ったのは、どの範囲の従業員ですか。（○は１つ）

	全体	全従業員	各部や課の長	各部や課で話し合い、投票等により選出された者	その他	無回答
総　数	498	266	87	99	24	21
	100.0	53.5	17.5	19.9	4.9	4.2
問１．企業の経営形態						
会社（法人）	384	201	68	75	21	20
	100.0	52.3	17.6	19.5	5.4	5.2
０％	334	173	65	63	14	20
	100.0	51.7	19.4	18.8	4.2	5.9
０％超～３分の１以下	15	6	2	-	7	-
	100.0	41.3	12.2	2.1	44.4	-
３分の１超	6	3	-	3	-	-
	100.0	53.6	-	44.7	1.7	-
無回答	29	19	1	9	-	-
	100.0	65.0	3.2	31.7	-	-
会社以外の法人 （協同組合、信用金庫、財団・社団法人、医療・学校・宗教法人等）	80	46	12	17	4	1
	100.0	58.0	14.6	21.8	4.4	1.2
個人経営（個人事業主）	21	8	6	7	-	-
	100.0	37.0	30.4	32.6	-	-
その他（法人格をもたない団体）	1	-	1	-	-	-
	100.0	-	100.0	-	-	-
無回答	12	12	1	-	-	-
	100.0	95.3	4.4	0.3	-	-
問４．事業所・従業員数						
４人以下	71	51	4	16	-	-
	100.0	71.5	5.3	23.2	-	-
５～９人	141	88	14	26	7	8
	100.0	62.1	9.6	18.2	4.8	5.4
10～29人	217	105	50	40	12	10
	100.0	48.3	23.2	18.5	5.5	4.5
30～99人	61	23	16	14	5	3
	100.0	36.9	26.2	22.6	8.6	5.6
100～299人	7	1	4	3	-	-
	100.0	11.3	49.1	35.7	3.5	0.4
300～999人	1	-	-	-	-	-
	100.0	9.8	28.3	54.5	6.2	1.2
1,000人以上	-	-	-	-	-	-
	100.0	9.0	4.6	67.3	15.8	3.4
９人以下	212	138	17	42	7	8
	100.0	65.2	8.1	19.8	3.2	3.6
29人以下	429	243	67	82	19	17
	100.0	56.7	15.7	19.2	4.4	4.0
５人以上	427	216	83	82	24	21
	100.0	50.5	19.6	19.3	5.7	4.9
10人以上	286	128	70	57	18	13
	100.0	44.9	24.5	19.9	6.1	4.6
30人以上	69	23	20	17	6	3
	100.0	33.9	28.6	24.4	8.0	5.0
100人以上	8	1	4	3	-	-
	100.0	11.1	46.8	37.7	3.9	0.5
300人以上	1	-	-	-	-	-
	100.0	9.7	24.6	56.4	7.7	1.6
問４．事業所・正社員数						
４人以下	171	88	28	40	8	8
	100.0	51.3	16.6	23.1	4.5	4.5
５～９人	131	95	11	20	5	-
	100.0	72.3	8.6	15.3	3.8	-
10～29人	153	71	35	27	11	10
	100.0	46.1	23.1	17.6	6.9	6.3
30～99人	38	13	10	11	1	3
	100.0	33.3	27.2	28.0	2.3	9.2
100～299人	4	-	2	2	-	-
	100.0	8.0	47.3	39.2	5.5	-
300～999人	-	-	-	-	-	-
	100.0	2.2	38.5	52.1	5.0	2.2
1,000人以上		-			-	
	100.0	12.6	6.4	76.3	-	4.7
９人以下	302	183	40	60	13	8
	100.0	60.5	13.1	19.7	4.2	2.5
29人以下	455	253	75	87	23	17
	100.0	55.6	16.5	19.0	5.1	3.8
５人以上	327	179	59	59	17	13
	100.0	54.7	18.0	18.2	5.1	4.0
10人以上	195	84	48	39	12	13
	100.0	42.8	24.4	20.1	6.0	6.7

問14＜付問３＞．話し合いを行ったのは、どの範囲の従業員ですか。（○は１つ）

	全体	全従業員	各部や課の長	各部や課で話し合い、投票等により選出された者	その他	無回答
総　数	498 100.0	266 53.5	87 17.5	99 19.9	24 4.9	21 4.2
30人以上	42 100.0	13 30.7	12 29.1	12 29.3	1 2.6	3 8.3
100 人以上	4 100.0	- 7.6	2 45.8	2 41.0	5.3	0.3
300 人以上	- 100.0	4.1	- 32.5	- 56.6	4.1	2.6
無回答	-	-	-	-	-	-
問２．企業・従業員数						
4 人以下	23 100.0	21 92.8	- -	2 7.2	- -	- -
5 〜9 人	48 100.0	45 92.7	3 7.2	- 0.1	- -	- -
10〜29人	138 100.0	74 53.6	35 25.1	19 13.4	5 3.4	6 4.4
30〜99人	70 100.0	37 52.7	8 11.0	18 25.2	4 5.3	4 5.8
100 〜299 人	81 100.0	30 36.4	8 9.7	28 34.0	8 10.4	8 9.5
300 〜999 人	75 100.0	27 36.5	23 30.4	22 29.7	- 0.1	2 3.2
1,000 人以上	61 100.0	32 52.4	10 17.1	11 17.8	7 11.9	1 0.9
9 人以下	71 100.0	66 92.7	3 4.9	2 2.4	- -	- -
29人以下	209 100.0	140 66.9	38 18.3	20 9.7	5 2.2	6 2.9
5 人以上	475 100.0	245 51.7	87 18.4	97 20.5	24 5.1	21 4.4
10人以上	426 100.0	200 47.0	84 19.6	97 22.8	24 5.7	21 4.9
30人以上	288 100.0	126 43.8	49 17.0	79 27.3	20 6.8	15 5.1
100 人以上	218 100.0	89 40.9	41 18.9	61 28.0	16 7.3	11 4.9
300 人以上	136 100.0	59 43.6	33 24.4	33 24.4	7 5.4	3 2.2
無回答	- 100.0	- 91.1	-	- 8.9	- -	- -
問２．企業・正社員数						
4 人以下	50 100.0	35 69.2	7 13.7	9 17.1	- -	- -
5 〜9 人	64 100.0	53 82.9	4 5.9	2 3.4	5 7.8	- -
10〜29人	127 100.0	63 49.6	30 23.9	24 18.9	4 2.9	6 4.8
30〜99人	89 100.0	35 39.5	10 11.3	26 29.6	6 6.4	12 13.2
100 〜299 人	90 100.0	40 45.0	22 24.8	23 25.5	3 3.0	2 1.7
300 〜999 人	46 100.0	21 46.4	12 26.5	10 22.7	1 1.3	1 3.1
1,000 人以上	32 100.0	19 60.0	2 5.1	5 14.1	7 20.8	- -
9 人以下	113 100.0	87 76.9	11 9.3	11 9.4	5 4.4	- -
29人以下	240 100.0	150 62.4	41 17.0	35 14.4	9 3.6	6 2.5
5 人以上	447 100.0	232 51.8	80 17.9	90 20.2	24 5.4	21 4.6
10人以上	384 100.0	179 46.7	76 19.9	88 23.0	19 5.0	21 5.4
30人以上	257 100.0	116 45.2	46 17.9	64 25.0	16 6.1	15 5.7
100 人以上	168 100.0	81 48.3	36 21.5	38 22.6	10 5.9	3 1.8
300 人以上	78 100.0	41 52.0	14 17.6	15 19.2	7 9.4	1 1.8
無回答	- 100.0	- 24.3	- 73.1	- 2.6	- -	- -

問14＜付問３＞．話し合いを行ったのは、どの範囲の従業員ですか。（○は１つ）

	全体	全従業員	各部や課の長	各部や課で話し合い投票等により、選出された者	その他	無回答
総　数	498	266	87	99	24	21
	100.0	53.5	17.5	19.9	4.9	4.2
問５．産業分野						
鉱業，採石業，砂利採取業	-	-	-	-	-	-
	100.0	74.5	10.0	15.5	-	-
建設業	59	44	5	3	2	4
	100.0	75.2	9.0	5.8	2.7	7.4
製造業	55	32	10	5	1	7
	100.0	57.3	18.5	8.9	2.0	13.3
電気・ガス・熱供給・水道業	1	-	-	-	-	-
	100.0	67.2	3.3	28.3	1.1	-
情報通信業	8	5	-	2	-	-
	100.0	66.4	4.4	28.0	1.2	-
運輸業，郵便業	25	19	2	3	1	1
	100.0	76.1	6.7	13.1	2.1	2.1
卸売業，小売業	145	56	33	38	13	5
	100.0	38.2	22.9	26.4	9.2	3.3
金融業，保険業	11	7	1	3	-	1
	100.0	58.8	10.7	22.6	0.1	7.7
不動産業，物品賃貸業	16	8	5	2	-	1
	100.0	52.8	29.7	9.6	-	8.0
学術研究，専門・技術サービス業	18	11	2	5	-	-
	100.0	60.2	13.3	26.5	-	-
宿泊業，飲食サービス業	26	9	9	7	-	2
	100.0	33.0	33.3	27.6	0.3	5.7
生活関連サービス業，娯楽業	12	5	1	6	1	-
	100.0	42.6	5.2	47.4	4.9	-
教育，学習支援業	16	13	-	2	-	-
	100.0	85.3	1.8	12.5	0.3	0.1
医療，福祉	66	38	10	12	6	-
	100.0	57.8	14.9	18.3	8.9	-
複合サービス事業（郵便局，協同組合など）	7	4	1	2	-	-
	100.0	53.2	16.4	29.5	0.5	0.5
サービス業（他に分類されないもの）	32	15	7	9	1	-
	100.0	47.1	22.8	27.3	2.9	-
問３．本社						
本社（支社等あり）	95	21	30	31	10	2
	100.0	22.4	31.8	32.7	10.7	2.4
本社（単独事業所）	110	80	8	12	5	6
	100.0	72.3	7.0	10.9	4.3	5.6
本社（支社等の有無について無回答）	70	37	24	8	-	-
	100.0	53.3	34.5	11.7	0.4	-
本社でない	217	123	25	48	9	12
	100.0	56.7	11.5	21.9	4.2	5.7
無回答	5	5	-	-	-	-
	100.0	99.2	-	0.8	-	-
問9.事業所の独立性						
独立性のある事業場であり、単独で「１事業場」となっている	334	197	51	59	18	9
	100.0	59.0	15.3	17.6	5.4	2.7
独立性のある事業場であり、近くの独立性のない事業場を一括して「１事業場」となっている	65	27	19	16	3	-
	100.0	41.2	30.0	24.0	4.3	0.4
独立性のない事業場として、近くの本社や支社等に一括されている	90	42	11	24	1	11
	100.0	47.0	12.5	26.7	1.1	12.8
無回答	9	-	6	1	2	-
	100.0	3.2	63.0	6.0	27.9	-
問6．事業所の形態						
事務所	177	84	36	40	10	7
	100.0	47.2	20.2	22.8	5.8	4.1
営業所、出張所	62	41	7	10	-	4
	100.0	66.2	10.9	15.9	0.4	6.6
店舗、飲食店	94	45	20	20	9	1
	100.0	47.3	21.4	20.7	9.7	0.9
工場、作業所（鉄道の駅や発電所、倉庫を含む）	55	33	12	3	1	6
	100.0	60.1	22.1	5.0	2.0	10.7
輸送・配送センター	10	6	-	1	-	3
	100.0	66.0	-	5.8	-	28.2
病院、医療・介護施設	45	27	7	7	3	-
	100.0	60.9	16.6	14.9	7.6	-
研究所	2	2	-	-	-	-
	100.0	100.0	-	-	-	-
学校、保育所、学習支援塾等	23	19	1	3	-	-
	100.0	82.0	3.9	13.8	0.2	0.1
旅館、ホテル等の宿泊施設	1	-	-	1	-	-
	100.0	8.0	16.1	67.9	8.0	-
その他	13	2	1	10	-	-
	100.0	14.0	7.0	78.7	0.3	-
無回答	16	8	3	5	-	-
	100.0	50.0	19.0	31.0	-	-

問15.「過半数代表者」となったのは、どのような職位の者でしたか。（○は１つ）（異なる役職名の場合はもっとも近い職位に○）

	全体	一般の従業員	係長・班長・主任・職長クラス	課長クラス	部長クラス	工場長、支店長、事業所責任者など、またはこれに準ずる者	非正社員	その他	無回答
総 数	2,786	1,375	932	165	80	128	41	13	52
	100.0	49.3	33.5	5.9	2.9	4.6	1.5	0.5	1.9
問1．企業の経営形態									
会社（法人）	2,292	1,145	754	150	74	94	31	5	38
	100.0	50.0	32.9	6.5	3.2	4.1	1.4	0.2	1.7
0％	2,021	984	667	146	70	87	24	5	38
	100.0	48.7	33.0	7.2	3.5	4.3	1.2	0.2	1.9
0％超～3分の1以下	48	34	8	1	-	-	6	-	-
	100.0	69.7	17.6	1.1	-	-	11.6	-	-
3分の1超	35	23	11	-	-	-	2	-	-
	100.0	64.8	30.9	-	-	-	4.3	-	-
無回答	187	104	68	4	4	8	-	-	
	100.0	55.7	36.2	1.9	2.1	4.0	-	-	0.1
会社以外の法人（協同組合、信用金庫、財団・社団法人、医療・学校・宗教法人等）	357	150	164	14	3	13	8	3	4
	100.0	42.0	45.9	3.8	0.8	3.7	2.1	0.7	1.0
個人経営（個人事業主）	106	59	11	-	3	14	2	6	10
	100.0	56.0	10.1	0.3	2.8	13.0	2.3	5.7	9.7
その他（法人格をもたない団体）	5	4	1	-	-	-	-	-	-
	100.0	73.5	26.4	0.1	-	-	-	-	-
無回答	27	17	2	2	-	7	-	-	-
	100.0	62.2	6.8	5.8	-	25.2	-	-	-
問4．事業所・従業員数									
4人以下	465	271	104	15	16	32	11	2	13
	100.0	58.4	22.5	3.2	3.4	6.9	2.4	0.4	2.8
5～9人	737	369	228	35	29	44	11	4	18
	100.0	50.1	31.0	4.7	3.9	6.0	1.4	0.5	2.5
10～29人	1,109	512	407	84	27	48	14	6	14
	100.0	46.1	36.6	7.5	2.4	4.3	1.2	0.5	1.2
30～99人	394	183	159	28	8	3	6	-	6
	100.0	46.5	40.3	7.2	2.1	0.9	1.4	0.1	1.6
100～299人	68	33	28	3	-	-	-	1	1
	100.0	49.2	41.9	4.5	0.7	0.4	0.3	2.0	1.0
300～999人	11	5	5	-	-	-	-	-	-
	100.0	46.6	44.4	3.9	0.9	-	-	2.3	1.9
1,000人以上	2	1	1	-	-	-	-	-	-
	100.0	44.9	40.5	3.0	0.8	-	0.6	8.4	1.8
9人以下	1,202	641	333	50	44	76	22	6	31
	100.0	53.3	27.7	4.1	3.7	6.3	1.8	0.5	2.6
29人以下	2,312	1,152	739	133	71	124	36	11	45
	100.0	49.8	32.0	5.8	3.1	5.4	1.5	0.5	1.9
5人以上	2,321	1,103	828	150	64	96	30	11	39
	100.0	47.5	35.7	6.5	2.8	4.1	1.3	0.5	1.7
10人以上	1,584	734	599	115	35	52	20	8	21
	100.0	46.3	37.8	7.3	2.2	3.3	1.2	0.5	1.3
30人以上	475	222	193	32	9	4	6	2	7
	100.0	46.9	40.6	6.7	1.9	0.8	1.2	0.5	1.5
100人以上	81	39	34	4	1	-	-	2	1
	100.0	48.7	42.2	4.4	0.7	0.4	0.2	2.2	1.2
300人以上	13	6	6	-	-	-	-	-	-
	100.0	46.4	43.9	3.8	0.9	-	0.1	3.1	1.9
問4．事業所・正社員数									
4人以下	1,025	587	268	33	21	65	41	2	9
	100.0	57.3	26.1	3.2	2.0	6.4	4.0	0.2	0.9
5～9人	651	297	218	30	35	39	1	4	27
	100.0	45.7	33.5	4.6	5.3	6.0	0.1	0.7	4.2
10～29人	787	347	309	81	19	22	-	5	5
	100.0	44.0	39.2	10.3	2.4	2.8	-	0.7	0.6
30～99人	260	115	114	18	5	2	-	-	5
	100.0	44.3	44.0	6.9	1.9	0.8	-	0.2	1.9
100～299人	38	16	17	2	1	-	-	1	-
	100.0	43.6	46.1	4.9	1.1	-	-	3.4	0.9
300～999人	7	3	3	-	-	-	-	-	-
	100.0	46.6	43.9	3.8	1.6	-	0.1	2.5	1.5
1,000人以上	1	-	-	-	-	-	-	-	-
	100.0	48.3	38.4	3.2	0.5	-	0.5	7.6	1.5
9人以下	1,676	884	486	63	55	104	41	6	36
	100.0	52.8	29.0	3.7	3.3	6.2	2.5	0.4	2.2
29人以下	2,463	1,231	795	144	74	126	41	11	41
	100.0	50.0	32.3	5.8	3.0	5.1	1.7	0.5	1.7
5人以上	1,744	779	662	131	59	63	1	11	38
	100.0	44.7	38.0	7.5	3.4	3.6	-	0.7	2.2
10人以上	1,093	482	444	101	25	24	-	7	10
	100.0	44.1	40.6	9.3	2.2	2.2	-	0.7	0.9

問15.「過半数代表者」となったのは、どのような職位の者でしたか。（○は１つ）（異なる役職名の場合はもっとも近い職位に○）

	全体	一般の従業員	係長・班長・主任・職長クラス	課長クラス	部長クラス	工場長、支店長、営業所長などこれに準ずる者	非正社員	その他	無回答
総 数	2,786	1,375	932	165	80	128	41	13	52
	100.0	49.3	33.5	5.9	2.9	4.6	1.5	0.5	1.9
30人以上	305	135	135	20	5	2	-	2	5
	100.0	44.3	44.2	6.6	1.8	0.7	-	0.7	1.8
100人以上	46	20	21	2	1	-	-	2	-
	100.0	44.1	45.6	4.7	1.2	-	-	3.3	1.0
300人以上	8	4	3	-	-	-	-	-	-
	100.0	46.8	43.2	3.7	1.5	-	0.1	3.2	1.5
無回答	18	9	2	1	-	-	-	-	5
	100.0	48.6	14.0	6.4	-	-	-	-	31.0
問2．企業・従業員数									
4人以下	141	101	7	2	8	10	-	-	13
	100.0	72.0	4.9	1.5	5.5	7.1	-	-	9.1
5〜9人	289	158	53	22	27	18	1	4	6
	100.0	54.7	18.4	7.6	9.4	6.4	0.5	1.2	1.9
10〜29人	595	243	206	65	20	39	8	6	8
	100.0	40.8	34.6	10.9	3.4	6.5	1.4	1.0	1.3
30〜99人	512	209	206	38	18	28	1	1	11
	100.0	40.9	40.1	7.5	3.5	5.5	0.2	0.1	2.2
100〜299人	460	222	177	22	6	14	8	-	12
	100.0	48.3	38.3	4.8	1.2	3.1	1.7	0.1	2.5
300〜999人	379	208	131	8	1	16	12	-	2
	100.0	54.8	34.6	2.2	0.2	4.3	3.3	0.1	0.5
1,000人以上	401	225	153	7	1	2	11	3	-
	100.0	56.0	38.0	1.8	0.1	0.5	2.7	0.8	0.1
9人以下	430	259	60	24	35	28	1	4	18
	100.0	60.3	14.0	5.6	8.1	6.6	0.3	0.8	4.3
29人以下	1,024	502	266	89	55	67	9	9	26
	100.0	49.0	26.0	8.7	5.4	6.6	0.9	0.9	2.6
5人以上	2,636	1,265	925	163	72	118	41	13	39
	100.0	48.0	35.1	6.2	2.7	4.5	1.6	0.5	1.5
10人以上	2,347	1,107	872	141	45	99	40	10	33
	100.0	47.2	37.1	6.0	1.9	4.2	1.7	0.4	1.4
30人以上	1,753	864	666	76	25	60	32	4	25
	100.0	49.3	38.0	4.3	1.4	3.4	1.8	0.2	1.5
100人以上	1,241	655	460	38	7	32	31	4	14
	100.0	52.8	37.1	3.1	0.5	2.6	2.5	0.3	1.1
300人以上	780	432	284	16	1	18	23	3	2
	100.0	55.4	36.3	2.0	0.1	2.3	3.0	0.4	0.3
無回答	9	9	-	-	-	-	-	-	-
	100.0	93.6	3.6	0.1	-	2.7	-	-	-
問2．企業・正社員数									
4人以下	355	216	68	14	8	26	16	-	7
	100.0	60.8	19.2	3.9	2.2	7.4	4.5	-	2.1
5〜9人	276	137	56	16	30	20	3	4	11
	100.0	49.5	20.3	5.7	10.9	7.1	0.9	1.4	4.1
10〜29人	634	266	225	74	31	30	-	6	3
	100.0	41.9	35.4	11.6	4.8	4.8	-	0.9	0.5
30〜99人	579	251	234	34	9	39	1	-	11
	100.0	43.4	40.4	5.8	1.6	6.7	0.2	-	1.8
100〜299人	409	213	147	18	1	10	8	-	12
	100.0	52.2	35.9	4.4	0.3	2.3	1.9	0.1	3.0
300〜999人	282	157	111	4	-	-	6	2	1
	100.0	55.9	39.3	1.6	-	-	2.0	0.8	0.5
1,000人以上	220	115	88	5	1	2	9	1	-
	100.0	52.0	40.1	2.3	0.3	0.8	3.9	0.5	0.1
9人以下	631	353	124	30	38	46	18	4	19
	100.0	55.8	19.7	4.7	6.0	7.3	2.9	0.6	2.9
29人以下	1,266	618	349	103	69	76	19	10	22
	100.0	48.8	27.6	8.2	5.4	6.0	1.5	0.8	1.7
5人以上	2,400	1,138	860	151	72	101	26	13	39
	100.0	47.4	35.8	6.3	3.0	4.2	1.1	0.6	1.6
10人以上	2,124	1,002	804	135	42	81	23	10	28
	100.0	47.2	37.9	6.3	2.0	3.8	1.1	0.5	1.3
30人以上	1,489	736	579	61	11	51	23	4	24
	100.0	49.4	38.9	4.1	0.8	3.4	1.5	0.3	1.6
100人以上	911	485	346	27	2	11	22	4	14
	100.0	53.3	38.0	3.0	0.2	1.3	2.4	0.4	1.5
300人以上	502	272	199	10	1	2	14	3	2
	100.0	54.2	39.6	1.9	0.1	0.4	2.8	0.7	0.3
無回答	31	20	4	1	-	1	-	-	5
	100.0	65.4	11.5	1.7	-	3.9	-	-	17.5

問15. 「過半数代表者」となったのは、どのような職位の者でしたか。（○は１つ）（異なる役職名の場合はもっとも近い職位に○）

	全体	一般の従業員	係長・班長クラス・主任・職長	課長クラス	部長クラス	工場長、事業所・支店長またはこれに準ずる者	非正社員	その他	無回答
総　数	2,786	1,375	932	165	80	128	41	13	52
	100.0	49.3	33.5	5.9	2.9	4.6	1.5	0.5	1.9
問５．産業分野									
鉱業, 採石業, 砂利採取業	2	1	1	-	-	-	-	-	-
	100.0	44.8	33.3	7.9	4.2	7.3	0.3	0.6	1.6
建設業	250	130	74	14	13	9	4	2	4
	100.0	51.9	29.7	5.7	5.1	3.5	1.8	0.6	1.7
製造業	297	125	101	37	10	19	-	-	3
	100.0	42.2	34.1	12.6	3.4	6.5	-	-	1.1
電気・ガス・熱供給・水道業	3	1	2	-	-	-	-	-	-
	100.0	40.9	45.3	8.4	-	3.0	1.5	-	0.9
情報通信業	55	25	17	8	4	-	1	1	-
	100.0	44.3	30.2	13.7	7.1	-	2.4	1.8	0.4
運輸業, 郵便業	130	73	47	4	1	1	-	-	4
	100.0	56.1	36.5	2.8	1.1	0.8	-	-	2.7
卸売業, 小売業	782	395	241	45	26	40	13	-	23
	100.0	50.5	30.8	5.7	3.3	5.1	1.6	-	2.9
金融業, 保険業	58	26	24	3	1	1	-	-	1
	100.0	44.5	42.4	5.9	1.4	2.2	0.7	0.7	2.2
不動産業, 物品賃貸業	69	29	26	4	-	9	-	-	-
	100.0	42.1	38.4	5.4	0.6	13.4	-	-	-
学術研究, 専門・技術サービス業	78	42	20	6	6	1	-	1	2
	100.0	54.0	25.2	7.8	8.1	1.1	-	1.4	2.2
宿泊業, 飲食サービス業	239	147	61	3	-	14	9	-	6
	100.0	61.4	25.3	1.3	-	6.0	3.6	-	2.4
生活関連サービス業, 娯楽業	180	85	54	10	3	19	1	2	5
	100.0	47.4	30.3	5.4	1.7	10.7	0.3	1.4	2.8
教育, 学習支援業	69	29	28	4	3	-	1	1	2
	100.0	42.3	40.1	5.9	5.0	0.4	1.7	1.4	3.2
医療, 福祉	318	147	135	12	6	4	10	4	-
	100.0	46.2	42.4	3.8	1.9	1.4	3.0	1.3	-
複合サービス事業（郵便局, 協同組合など）	28	12	11	3	1	-	-	-	-
	100.0	44.4	40.9	9.7	1.9	0.9	0.9	-	1.2
サービス業（他に分類されないもの）	229	108	90	12	5	8	2	2	2
	100.0	47.2	39.3	5.4	2.2	3.6	1.0	0.7	0.7
問３．本社									
本社（支社等あり）	620	269	202	53	21	51	8	2	13
	100.0	43.4	32.7	8.5	3.4	8.2	1.3	0.3	2.0
本社（単独事業所）	641	309	174	58	32	41	1	6	18
	100.0	48.2	27.2	9.1	5.0	6.5	0.2	1.0	2.8
本社（支社等の有無について無回答）	256	130	78	24	11	9	2	2	1
	100.0	50.6	30.6	9.3	4.1	3.6	1.0	0.6	0.2
本社でない	1,247	657	474	29	16	26	30	3	10
	100.0	52.7	38.1	2.3	1.3	2.1	2.4	0.3	0.8
無回答	22	9	2	1	-	-	-	-	10
	100.0	40.3	9.9	3.9	-	-	-	-	46.0
問9.事業所の独立性									
独立性のある事業場であり、単独で「１事業場」となっている	1,962	1,008	636	126	56	63	30	9	34
	100.0	51.4	32.4	6.4	2.8	3.2	1.5	0.4	1.8
独立性のある事業場であり、近くの独立性のない事業場を一括して「１事業場」となっている	338	139	112	16	13	50	-	1	7
	100.0	41.2	33.2	4.8	3.8	14.7	-	0.3	1.9
独立性のない事業場として、近くの本社や支社等に一括されている	437	206	169	22	11	10	11	2	5
	100.0	47.2	38.7	5.0	2.6	2.2	2.6	0.5	1.2
無回答	49	21	14	1	-	6	-	2	5
	100.0	43.4	29.0	1.6	-	11.4	-	3.3	11.2
問6．事業所の形態									
事務所	1,028	504	321	78	33	59	10	4	19
	100.0	49.0	31.2	7.6	3.2	5.7	1.0	0.4	1.9
営業所, 出張所	348	143	160	5	10	11	5	-	12
	100.0	41.1	46.1	1.6	3.0	3.2	1.5	0.1	3.5
店舗, 飲食店	549	323	137	21	16	26	15	-	12
	100.0	58.8	24.9	3.8	2.8	4.7	2.8	-	2.1
工場, 作業所（鉄道の駅や発電所、倉庫を含む）	301	142	101	28	8	19	-	-	2
	100.0	47.2	33.5	9.3	2.7	6.5	-	-	0.8
輸送・配送センター	36	20	14	1	-	-	-	-	1
	100.0	56.9	39.0	1.5	-	-	-	-	2.6
病院, 医療・介護施設	231	111	92	12	6	3	2	4	-
	100.0	48.1	39.6	5.3	2.6	1.5	1.1	1.7	-
研究所	9	3	4	1	-	-	-	-	-
	100.0	36.8	49.3	11.3	-	-	-	2.6	-
学校, 保育所, 学習支援塾等	99	32	45	5	3	1	8	1	3
	100.0	32.7	45.1	5.2	3.5	1.2	8.1	1.0	3.3
旅館, ホテル等の宿泊施設	44	27	17	-	-	-	-	-	-
	100.0	61.2	38.3	-	-	-	-	-	0.5
その他	85	44	30	6	1	2	-	2	1
	100.0	51.8	34.9	6.7	0.6	1.8	0.4	2.9	0.7
無回答	56	24	12	8	3	7	-	2	1
	100.0	42.8	21.2	14.1	4.8	11.9	-	2.8	2.4

問16.「過半数代表者」となったのは、貴事業場の労働組合員ですか。（○は１つ）

	全体	組合員である	非組合員である	事業場に労働組合はない	無回答
総 数	2,786 100.0	160 5.7	64 2.3	2,497 89.6	65 2.3
問１．企業の経営形態					
会社（法人）	2,292 100.0	117 5.1	53 2.3	2,065 90.1	57 2.5
0％	2,021 100.0	93 4.6	40 2.0	1,841 91.1	47 2.3
0％超～3分の1以下	48 100.0	10 21.0	8 16.4	30 62.5	- -
3分の1超	35 100.0	3 8.8	- 0.1	30 84.1	2 7.0
無回答	187 100.0	11 6.1	5 2.5	164 87.8	7 3.7
会社以外の法人 （協同組合、信用金庫、財団・社団法人、医療・学校・宗教法人等）	357 100.0	37 10.5	11 3.1	306 85.6	3 0.8
個人経営（個人事業主）	106 100.0	- -	- -	101 95.4	5 4.6
その他（法人格をもたない団体）	5 100.0	1 13.2	- -	4 86.8	- -
無回答	27 100.0	4 16.0	- 1.2	21 80.4	1 2.4
問４．事業所・従業員数					
4 人以下	465 100.0	37 8.0	15 3.2	400 86.0	13 2.7
5～9 人	737 100.0	37 5.0	17 2.3	664 90.1	19 2.6
10～29人	1,109 100.0	44 4.0	21 1.9	1,017 91.7	26 2.4
30～99人	394 100.0	29 7.4	8 2.0	352 89.2	5 1.3
100～299 人	68 100.0	9 12.6	2 2.8	56 82.6	1 1.9
300～999 人	11 100.0	3 25.7	1 5.7	8 65.7	- 2.9
1,000 人以上	2 100.0	1 35.6	- 10.6	1 49.9	- 3.9
9 人以下	1,202 100.0	74 6.2	32 2.7	1,064 88.5	31 2.6
29人以下	2,312 100.0	119 5.1	53 2.3	2,082 90.1	58 2.5
5 人以上	2,321 100.0	122 5.3	49 2.1	2,097 90.4	52 2.2
10人以上	1,584 100.0	86 5.4	32 2.0	1,433 90.5	33 2.1
30人以上	475 100.0	41 8.7	11 2.3	416 87.6	7 1.5
100 人以上	81 100.0	12 15.0	3 3.4	64 79.5	2 2.1
300 人以上	13 100.0	4 27.0	1 6.3	8 63.6	- 3.0
問４．事業所・正社員数					
4 人以下	1,025 100.0	89 8.7	37 3.6	878 85.6	21 2.0
5～9 人	651 100.0	15 2.3	5 0.8	601 92.3	30 4.6
10～29人	787 100.0	30 3.8	17 2.2	731 92.9	9 1.1
30～99人	260 100.0	16 6.2	3 1.1	236 91.0	5 1.7
100～299 人	38 100.0	5 13.4	1 3.3	31 81.4	1 1.9
300～999 人	7 100.0	2 28.7	1 7.4	4 62.8	- 1.1
1,000 人以上	1 100.0	- 32.1	- 11.8	1 52.7	- 3.5
9 人以下	1,676 100.0	104 6.2	42 2.5	1,479 88.2	51 3.0
29人以下	2,463 100.0	134 5.4	60 2.4	2,210 89.7	59 2.4
5 人以上	1,744 100.0	68 3.9	27 1.5	1,604 92.0	44 2.5
10人以上	1,093 100.0	53 4.9	22 2.0	1,004 91.8	14 1.3

問16.「過半数代表者」となったのは、貴事業場の労働組合員ですか。（○は１つ）

	全体	組合員である	非組合員である	事業場に労働組合はない	無回答
総　数	2,786	160	64	2,497	65
	100.0	5.7	2.3	89.6	2.3
30人以上	305	23	5	272	5
	100.0	7.7	1.5	89.1	1.8
100 人以上	46	7	2	36	1
	100.0	16.1	4.1	78.0	1.8
300 人以上	8	2	1	5	-
	100.0	29.1	7.9	61.5	1.4
無回答	18	2	-	15	-
	100.0	14.0	-	86.0	-
問２．企業・従業員数					
4 人以下	141	-	-	133	7
	100.0	0.2	-	94.6	5.2
5 ～9 人	289	12	10	264	3
	100.0	4.1	3.4	91.5	1.0
10～29人	595	8	4	570	13
	100.0	1.3	0.6	95.9	2.1
30～99人	512	13	1	480	18
	100.0	2.5	0.2	93.8	3.5
100 ～299 人	460	11	5	434	10
	100.0	2.4	1.2	94.2	2.2
300 ～999 人	379	54	15	305	5
	100.0	14.1	4.0	80.5	1.3
1,000 人以上	401	61	29	308	4
	100.0	15.2	7.2	76.7	1.0
9 人以下	430	12	10	397	10
	100.0	2.8	2.3	92.5	2.4
29人以下	1,024	20	14	968	23
	100.0	1.9	1.3	94.5	2.2
5 人以上	2,636	158	64	2,361	53
	100.0	6.0	2.4	89.6	2.0
10人以上	2,347	146	54	2,097	50
	100.0	6.2	2.3	89.3	2.1
30人以上	1,753	138	51	1,527	37
	100.0	7.9	2.9	87.1	2.1
100 人以上	1,241	125	50	1,046	19
	100.0	10.1	4.0	84.3	1.6
300 人以上	780	114	44	613	9
	100.0	14.7	5.7	78.5	1.2
無回答	9	2	-	3	4
	100.0	20.5	0.1	31.5	47.9
問２．企業・正社員数					
4 人以下	355	15	8	325	7
	100.0	4.2	2.2	91.6	2.1
5 ～9 人	276	4	2	261	9
	100.0	1.4	0.8	94.4	3.4
10～29人	634	14	4	605	12
	100.0	2.2	0.6	95.3	1.8
30～99人	579	27	2	535	15
	100.0	4.6	0.3	92.4	2.7
100 ～299 人	409	25	15	359	10
	100.0	6.0	3.7	87.8	2.4
300 ～999 人	282	31	16	232	3
	100.0	10.8	5.6	82.5	1.1
1,000 人以上	220	43	18	156	4
	100.0	19.5	8.1	70.7	1.7
9 人以下	631	19	10	586	17
	100.0	2.9	1.6	92.8	2.7
29人以下	1,266	33	14	1,191	28
	100.0	2.6	1.1	94.1	2.2
5 人以上	2,400	143	57	2,147	53
	100.0	6.0	2.4	89.5	2.2
10人以上	2,124	139	54	1,886	44
	100.0	6.6	2.6	88.8	2.1
30人以上	1,489	125	51	1,282	32
	100.0	8.4	3.4	86.1	2.1
100 人以上	911	98	49	747	17
	100.0	10.8	5.4	82.0	1.8
300 人以上	502	74	34	388	7
	100.0	14.6	6.7	77.3	1.3
無回答	31	2	-	25	4
	100.0	6.3	-	79.5	14.2

問16.「過半数代表者」となったのは、貴事業場の労働組合員ですか。（○は１つ）

	全体	組合員である	非組合員である	事業場に労働組合はない	無回答
総 数	2,786	160	64	2,497	65
	100.0	5.7	2.3	89.6	2.3
問５．産業分野					
鉱業，採石業，砂利採取業	2	-	-	1	-
	100.0	2.2	1.9	93.7	2.2
建設業	250	7	4	234	5
	100.0	2.7	1.8	93.5	2.0
製造業	297	4	3	283	6
	100.0	1.4	1.1	95.5	1.9
電気・ガス・熱供給・水道業	3	-	-	3	-
	100.0	7.2	-	91.9	0.9
情報通信業	55	5	-	49	-
	100.0	9.9	0.3	89.1	0.6
運輸業，郵便業	130	17	7	103	3
	100.0	12.8	5.6	79.1	2.5
卸売業，小売業	782	47	13	694	28
	100.0	6.0	1.7	88.8	3.5
金融業，保険業	58	14	3	40	-
	100.0	23.8	5.9	69.5	0.8
不動産業，物品賃貸業	69	2	2	63	2
	100.0	2.3	3.4	91.0	3.3
学術研究，専門・技術サービス業	78	3	2	69	3
	100.0	4.3	2.9	89.0	3.8
宿泊業，飲食サービス業	239	16	7	216	-
	100.0	6.8	3.0	90.2	0.1
生活関連サービス業，娯楽業	180	15	8	149	7
	100.0	8.4	4.6	82.9	4.1
教育，学習支援業	69	2	2	63	2
	100.0	3.5	2.7	90.8	3.0
医療，福祉	318	6	5	305	3
	100.0	1.8	1.6	95.8	0.8
複合サービス事業（郵便局，協同組合など）	28	8	3	17	-
	100.0	27.6	10.8	60.4	1.2
サービス業（他に分類されないもの）	229	14	2	208	4
	100.0	6.1	1.1	90.8	2.0
問３．本社					
本社（支社等あり）	620	30	8	572	10
	100.0	4.8	1.3	92.3	1.6
本社（単独事業所）	641	7	5	615	14
	100.0	1.1	0.8	95.9	2.2
本社（支社等の有無について無回答）	256	3	7	242	4
	100.0	1.3	2.6	94.4	1.7
本社でない	1,247	119	43	1,053	31
	100.0	9.6	3.5	84.4	2.5
無回答	22	-	1	16	5
	100.0	2.0	3.8	72.4	21.8
問９.事業所の独立性					
独立性のある事業場であり、単独で「１事業場」となっている	1,962	94	42	1,784	43
	100.0	4.8	2.2	90.9	2.2
独立性のある事業場であり、近くの独立性のない事業場を一括して「１事業場」となっている	338	18	8	304	8
	100.0	5.4	2.4	89.9	2.3
独立性のない事業場として、近くの本社や支社等に一括されている	437	41	11	377	8
	100.0	9.4	2.6	86.3	1.8
無回答	49	7	3	33	7
	100.0	13.9	5.1	67.4	13.6
問６．事業所の形態					
事務所	1,028	45	24	943	16
	100.0	4.4	2.3	91.7	1.6
営業所、出張所	348	50	9	272	17
	100.0	14.4	2.5	78.3	4.8
店舗、飲食店	549	40	16	476	17
	100.0	7.2	2.9	86.8	3.1
工場、作業所（鉄道の駅や発電所、倉庫を含む）	301	5	3	288	5
	100.0	1.6	1.1	95.7	1.6
輸送・配送センター	36	3	2	30	1
	100.0	9.5	4.2	83.7	2.6
病院、医療・介護施設	231	2	1	225	3
	100.0	0.9	0.5	97.5	1.1
研究所	9	3	2	4	-
	100.0	31.6	21.7	46.4	0.3
学校、保育所、学習支援塾等	99	3	2	90	3
	100.0	3.4	2.4	91.0	3.2
旅館、ホテル等の宿泊施設	44	-	2	41	-
	100.0	0.3	4.9	94.5	0.3
その他	85	7	3	75	-
	100.0	8.5	3.3	88.1	0.1
無回答	56	1	1	52	3
	100.0	2.2	1.0	91.4	5.3

問17. 貴事業場では、同時に2名以上の「過半数代表者」を選出したことがありますか。（○は1つ）

	全体	ある（過半数代表者が2名以上いた／いる）	ない（過半数代表者は1名のみ）	無回答
総　数	2,786	79	2,663	44
	100.0	2.9	95.6	1.6

問1．企業の経営形態

	全体	ある	ない	無回答
会社（法人）	2,292	68	2,192	31
	100.0	3.0	95.7	1.4
0％	2,021	59	1,934	28
	100.0	2.9	95.7	1.4
0％超～3分の1以下	48	-	48	-
	100.0	1.0	98.5	0.5
3分の1超	35	1	35	-
	100.0	1.5	98.2	0.3
無回答	187	9	176	2
	100.0	4.6	94.1	1.3
会社以外の法人（協同組合、信用金庫、財団・社団法人、医療・学校・宗教法人等）	357	9	346	3
	100.0	2.5	96.7	0.8
個人経営（個人事業主）	106	-	95	10
	100.0	0.3	90.0	9.7
その他（法人格をもたない団体）	5	-	5	-
	100.0	0.1	99.9	-
無回答	27	2	25	-
	100.0	7.1	92.9	-

問4．事業所・従業員数

	全体	ある	ない	無回答
4人以下	465	8	444	13
	100.0	1.7	95.4	2.8
5～9人	737	19	708	10
	100.0	2.6	96.1	1.3
10～29人	1,109	28	1,067	14
	100.0	2.6	96.2	1.3
30～99人	394	19	369	7
	100.0	4.7	93.6	1.7
100～299人	68	4	63	1
	100.0	5.7	93.3	1.0
300～999人	11	1	10	-
	100.0	9.2	89.8	1.0
1,000人以上	2	-	1	
	100.0	12.1	86.1	1.8
9人以下	1,202	27	1,152	23
	100.0	2.3	95.8	1.9
29人以下	2,312	56	2,219	37
	100.0	2.4	96.0	1.6
5人以上	2,321	71	2,219	31
	100.0	3.1	95.6	1.3
10人以上	1,584	52	1,511	21
	100.0	3.3	95.4	1.3
30人以上	475	24	444	7
	100.0	5.0	93.4	1.6
100人以上	81	5	75	1
	100.0	6.4	92.6	1.0
300人以上	13	1	12	-
	100.0	9.5	89.3	1.1

問4．事業所・正社員数

	全体	ある	ない	無回答
4人以下	1,025	16	998	11
	100.0	1.6	97.3	1.1
5～9人	651	19	612	20
	100.0	3.0	94.0	3.0
10～29人	787	29	754	4
	100.0	3.7	95.8	0.4
30～99人	260	12	244	4
	100.0	4.6	93.8	1.6
100～299人	38	2	36	-
	100.0	4.3	95.2	0.6
300～999人	7	1	6	-
	100.0	10.3	89.2	0.5
1,000人以上	1	-	1	
	100.0	18.7	79.8	1.5
9人以下	1,676	36	1,610	31
	100.0	2.1	96.1	1.8
29人以下	2,463	65	2,364	34
	100.0	2.6	96.0	1.4
5人以上	1,744	63	1,653	28
	100.0	3.6	94.8	1.6
10人以上	1,093	44	1,041	8
	100.0	4.0	95.2	0.7

問17. 貴事業場では、同時に2名以上の「過半数代表者」を選出したことがありますか。（○は1つ）

	全体	ある（過半数代表者が2名以上／いた）	ない（過半数代表者は1名のみ）	無回答
総 数	2,786 100.0	79 2.9	2,663 95.6	44 1.6
30人以上	305 100.0	14 4.7	286 93.8	5 1.5
100人以上	46 100.0	3 5.5	43 93.9	- 0.6
300人以上	8 100.0	1 11.4	7 88.0	- 0.6
無回答	18 100.0	- -	12 69.0	5 31.0
問2．企業・従業員数				
4人以下	141 100.0	- -	128 90.9	13 9.1
5～9人	289 100.0	- -	287 99.5	1 0.5
10～29人	595 100.0	24 4.1	562 94.5	8 1.4
30～99人	512 100.0	14 2.7	487 95.1	12 2.3
100～299人	460 100.0	10 2.2	443 96.2	8 1.6
300～999人	379 100.0	26 6.8	351 92.7	2 0.5
1,000人以上	401 100.0	4 0.9	397 98.9	1 0.1
9人以下	430 100.0	- -	415 96.7	14 3.3
29人以下	1,024 100.0	24 2.4	977 95.4	22 2.2
5人以上	2,636 100.0	78 2.9	2,527 95.9	31 1.2
10人以上	2,347 100.0	78 3.3	2,240 95.4	30 1.3
30人以上	1,753 100.0	53 3.0	1,678 95.7	22 1.2
100人以上	1,241 100.0	40 3.2	1,191 96.0	10 0.8
300人以上	780 100.0	29 3.8	748 95.9	3 0.3
無回答	9 100.0	2 20.1	7 79.9	- -
問2．企業・正社員数				
4人以下	355 100.0	7 2.1	339 95.3	9 2.6
5～9人	276 100.0	2 0.6	267 96.8	7 2.6
10～29人	634 100.0	26 4.1	605 95.4	3 0.5
30～99人	579 100.0	10 1.8	558 96.4	11 1.8
100～299人	409 100.0	21 5.1	380 93.0	8 1.9
300～999人	282 100.0	8 2.9	273 96.9	- 0.2
1,000人以上	220 100.0	3 1.5	217 98.4	- 0.2
9人以下	631 100.0	9 1.4	606 96.0	16 2.6
29人以下	1,266 100.0	35 2.8	1,211 95.7	19 1.5
5人以上	2,400 100.0	70 2.9	2,300 95.8	29 1.2
10人以上	2,124 100.0	69 3.2	2,033 95.7	22 1.0
30人以上	1,489 100.0	42 2.8	1,428 95.9	19 1.3
100人以上	911 100.0	32 3.5	870 95.5	9 1.0
300人以上	502 100.0	11 2.3	490 97.6	1 0.2
無回答	31 100.0	2 6.0	24 76.5	5 17.5

問17. 貴事業場では、同時に2名以上の「過半数代表者」を選出したことがありますか。（○は1つ）

	全体	ある（過半数代表者が2名以上／いた）	ない（過半数代表者は1名のみ）	無回答
総数	2,786 100.0	79 2.9	2,663 95.6	44 1.6
問5．産業分野				
鉱業，採石業，砂利採取業	2 100.0	- 0.8	1 97.6	- 1.6
建設業	250 100.0	2 0.8	246 98.4	2 0.9
製造業	297 100.0	6 2.1	288 97.1	2 0.7
電気・ガス・熱供給・水道業	3 100.0	- 2.3	3 96.8	- 0.9
情報通信業	55 100.0	1 2.6	54 97.0	- 0.4
運輸業，郵便業	130 100.0	2 1.6	126 96.8	2 1.6
卸売業，小売業	782 100.0	21 2.6	737 94.3	24 3.1
金融業，保険業	58 100.0	3 5.6	54 93.7	- 0.7
不動産業，物品賃貸業	69 100.0	- 0.3	69 99.6	-
学術研究，専門・技術サービス業	78 100.0	3 4.3	72 92.7	2 3.0
宿泊業，飲食サービス業	239 100.0	6 2.4	228 95.3	6 2.3
生活関連サービス業，娯楽業	180 100.0	13 7.1	167 92.9	-
教育，学習支援業	69 100.0	2 2.8	65 94.1	2 3.2
医療，福祉	318 100.0	11 3.3	307 96.7	- -
複合サービス事業（郵便局，協同組合など）	28 100.0	- 0.6	27 97.5	1 1.9
サービス業（他に分類されないもの）	229 100.0	9 4.0	218 95.2	2 0.8
問3．本社				
本社（支社等あり）	620 100.0	52 8.3	559 90.2	9 1.5
本社（単独事業所）	641 100.0	9 1.5	620 96.7	12 1.8
本社（支社等の有無について無回答）	256 100.0	1 0.5	253 98.9	2 0.6
本社でない	1,247 100.0	17 1.4	1,218 97.7	11 0.9
無回答	22 100.0	- -	12 54.0	10 46.0
問9．事業所の独立性				
独立性のある事業場であり、単独で「1事業場」となっている	1,962 100.0	56 2.9	1,881 95.9	25 1.3
独立性のある事業場であり、近くの独立性のない事業場を一括して「1事業場」となっている	338 100.0	15 4.4	317 93.8	6 1.8
独立性のない事業場として、近くの本社や支社等に一括されている	437 100.0	9 2.0	421 96.5	7 1.6
無回答	49 100.0	- 0.3	43 88.0	6 11.6
問6．事業所の形態				
事務所	1,028 100.0	27 2.6	991 96.4	10 1.0
営業所、出張所	348 100.0	5 1.4	331 95.1	12 3.5
店舗、飲食店	549 100.0	13 2.4	523 95.3	13 2.3
工場、作業所（鉄道の駅や発電所、倉庫を含む）	301 100.0	11 3.6	289 96.0	1 0.5
輸送・配送センター	36 100.0	1 4.1	34 93.3	1 2.6
病院、医療・介護施設	231 100.0	11 4.6	220 95.4	- -
研究所	9 100.0	- 2.9	9 97.1	- -
学校、保育所、学習支援塾等	99 100.0	2 2.0	94 94.7	3 3.3
旅館、ホテル等の宿泊施設	44 100.0	6 13.0	38 86.7	- 0.3
その他	85 100.0	1 1.2	84 98.7	- 0.1
無回答	56 100.0	3 4.9	51 89.9	3 5.2

問17＜付問１＞．何名を選出しましたか。（○は１つ）

	全体	2名	3名以上	無回答
総　数	79 100.0	42 52.5	28 35.2	10 12.3
問１．企業の経営形態				
会社（法人）	68 100.0	35 51.0	24 35.2	9 13.8
0％	59 100.0	34 57.3	16 26.7	9 15.9
0％超～３分の１以下	- 100.0	- 82.5	- 13.3	- 4.2
３分の１超	1 100.0	- 88.1	- -	- 11.9
無回答	9 100.0	- 2.9	8 96.9	- 0.2
会社以外の法人 （協同組合、信用金庫、財団・社団法人、医療・学校・宗教法人等）	9 100.0	5 52.7	4 43.9	- 3.4
個人経営（個人事業主）	- 100.0	- 100.0	- -	- -
その他（法人格をもたない団体）	- 100.0	- -	- 100.0	- -
無回答	2 100.0	2 100.0	- -	- -
問４．事業所・従業員数				
４人以下	8 100.0	8 100.0	- -	- -
５～９人	19 100.0	6 28.5	14 71.5	- -
10～29人	28 100.0	13 44.5	7 23.8	9 31.7
30～99人	19 100.0	13 71.5	5 25.8	1 2.7
100～299人	4 100.0	2 41.3	2 55.2	- 3.5
300～999人	1 100.0	- 47.7	- 39.0	- 13.4
1,000人以上	- 100.0	- 55.3	- 44.7	- -
９人以下	27 100.0	14 49.6	14 50.4	- -
29人以下	56 100.0	26 47.0	21 36.9	9 16.1
５人以上	71 100.0	34 47.1	28 39.2	10 13.7
10人以上	52 100.0	28 54.0	14 27.2	10 18.7
30人以上	24 100.0	15 65.4	7 31.4	1 3.3
100人以上	5 100.0	2 43.2	3 51.5	- 5.3
300人以上	1 100.0	1 48.9	1 39.9	- 11.1
問４．事業所・正社員数				
４人以下	16 100.0	14 88.6	2 9.8	- 1.6
５～９人	19 100.0	3 16.3	16 83.2	- 0.5
10～29人	29 100.0	14 49.0	6 19.8	9 31.3
30～99人	12 100.0	9 71.3	3 28.4	- 0.3
100～299人	2 100.0	1 54.1	1 42.2	- 3.7
300～999人	1 100.0	- 38.3	- 50.0	- 11.8
1,000人以上	- 100.0	- 51.7	- 48.3	- -
９人以下	36 100.0	18 49.3	18 49.7	- 1.0
29人以下	65 100.0	32 49.2	23 36.1	10 14.7
５人以上	63 100.0	27 43.2	26 41.8	9 15.0
10人以上	44 100.0	24 55.1	10 23.5	9 21.4

問17＜付問１＞．何名を選出しましたか。（○は１つ）

	全体	2名	3名以上	無回答
総 数	79 100.0	42 52.5	28 35.2	10 12.3
30人以上	14 100.0	10 67.5	5 31.3	- 1.2
100人以上	3 100.0	1 49.4	1 44.9	5.7
300人以上	1 100.0	- 41.0	- 49.6	9.3
無回答	- -	- -	- -	-
問２．企業・従業員数				
4人以下	- -	- -	- -	-
5～9人	- -	- -	- -	-
10～29人	24 100.0	14 58.2	10 41.8	- -
30～99人	14 100.0	10 69.7	1 10.3	3 20.0
100～299人	10 100.0	5 53.1	4 43.6	- 3.3
300～999人	26 100.0	9 36.3	10 37.9	7 25.8
1,000人以上	4 100.0	1 38.3	2 60.3	- 1.5
9人以下	- -	- -	- -	-
29人以下	24 100.0	14 58.2	10 41.8	- -
5人以上	78 100.0	40 51.4	28 36.1	10 12.6
10人以上	78 100.0	40 51.4	28 36.1	10 12.6
30人以上	53 100.0	26 48.2	18 33.5	10 18.3
100人以上	40 100.0	16 40.8	16 41.5	7 17.7
300人以上	29 100.0	11 36.5	12 40.8	7 22.7
無回答	2 100.0	2 100.0	- -	- -
問２．企業・正社員数				
4人以下	7 100.0	7 96.5	- -	3.5
5～9人	2 100.0	2 94.2	- -	5.8
10～29人	26 100.0	12 44.4	12 46.1	2 9.4
30～99人	10 100.0	8 76.2	2 23.8	- -
100～299人	21 100.0	9 43.7	10 50.8	1 5.6
300～999人	8 100.0	1 17.8	1 12.5	6 69.7
1,000人以上	3 100.0	1 38.8	2 60.0	- 1.1
9人以下	9 100.0	9 96.1	- -	- 3.9
29人以下	35 100.0	20 57.6	12 34.3	3 8.0
5人以上	70 100.0	33 46.6	28 39.9	9 13.5
10人以上	69 100.0	31 45.5	28 40.8	9 13.7
30人以上	42 100.0	19 46.1	16 37.5	7 16.4
100人以上	32 100.0	12 36.6	13 41.9	7 21.5
300人以上	11 100.0	3 23.7	3 25.9	6 50.4
無回答	2 100.0	2 100.0	- -	- -

問17＜付問1＞．何名を選出しましたか。（○は1つ）

	全体	2名	3名以上	無回答
総　数	79 100.0	42 52.5	28 35.2	10 12.3
問5．産業分野				
鉱業，採石業，砂利採取業	- 100.0	- 73.4	- 26.6	- -
建設業	2 100.0	2 97.9	- 2.1	-
製造業	6 100.0	2 25.5	5 73.5	1.0
電気・ガス・熱供給・水道業	- 100.0	- 100.0	- -	-
情報通信業	1 100.0	1 37.7	1 62.3	-
運輸業，郵便業	2 100.0	2 99.5	- 0.5	-
卸売業，小売業	21 100.0	7 32.7	14 67.3	-
金融業，保険業	3 100.0	1 38.1	2 61.9	-
不動産業，物品賃貸業	- 100.0	- 92.8	- -	7.2
学術研究，専門・技術サービス業	3 100.0	1 43.9	1 28.1	1 28.1
宿泊業，飲食サービス業	6 100.0	- -	- 1.3	6 98.7
生活関連サービス業，娯楽業	13 100.0	12 95.2	1 4.8	-
教育，学習支援業	2 100.0	1 38.4	1 46.6	14.9
医療，福祉	11 100.0	7 63.0	1 13.7	2 23.4
複合サービス事業（郵便局，協同組合など）	- 100.0	- 22.2	- 77.8	-
サービス業（他に分類されないもの）	9 100.0	6 68.7	3 27.4	3.9
問3．本社				
本社（支社等あり）	52 100.0	24 45.8	20 38.5	8 15.7
本社（単独事業所）	9 100.0	9 91.4	- 4.6	4.0
本社（支社等の有無について無回答）	1 100.0	1 45.3	1 54.7	-
本社でない	17 100.0	9 51.8	7 40.9	1 7.3
無回答	- -	- -	- -	- -
問9．事業所の独立性				
独立性のある事業場であり、単独で「1事業場」となっている	56 100.0	25 45.3	21 37.3	10 17.4
独立性のある事業場であり、近くの独立性のない事業場を一括して「1事業場」となっている	15 100.0	12 83.4	2 16.5	0.1
独立性のない事業場として、近くの本社や支社等に一括されている	9 100.0	4 44.9	5 55.1	-
無回答	- 100.0	- 100.0	- -	-
問6．事業所の形態				
事務所	27 100.0	16 60.2	9 35.1	1 4.7
営業所、出張所	5 100.0	2 49.6	2 50.4	-
店舗、飲食店	13 100.0	6 48.1	7 51.8	0.2
工場、作業所（鉄道の駅や発電所、倉庫を含む）	11 100.0	8 70.5	3 29.5	-
輸送・配送センター	1 100.0	1 100.0	- -	-
病院、医療・介護施設	11 100.0	7 63.0	1 13.7	2 23.4
研究所	- 100.0	- 43.8	- 24.3	31.9
学校、保育所、学習支援塾等	2 100.0	1 37.6	1 47.8	14.6
旅館、ホテル等の宿泊施設	6 100.0	- -	- 1.3	6 98.7
その他	1 100.0	- 13.2	1 86.8	-
無回答	3 100.0	- 2.1	3 97.9	-

問17＜付問２＞．なぜ複数の「過半数代表者」を選出したのですか。（該当すべてに○）

	全体	従業員数が多く、1人では意見集約の担負が大きいから	労使協定では1人では協定数が多く、内容を把握することが大変だから	複数の労働組合があり、代表者をそれぞれ選出したから	正社員の代表と、非正社員の代表を選出した	その他（具体的にお書きください）	無回答
総　数	79	26	14	-	13	37	4
	100.0	32.7	17.4	0.1	16.6	46.0	5.6

問１．企業の経営形態

	全体	従業員数が多く、1人では意見集約の担負が大きいから	労使協定では1人では協定数が多く、内容を把握することが大変だから	複数の労働組合があり、代表者をそれぞれ選出したから	正社員の代表と、非正社員の代表を選出した	その他（具体的にお書きください）	無回答
会社（法人）	68	21	13	-	12	35	1
	100.0	30.5	19.2	0.1	17.6	50.6	1.7
0％	59	19	13	-	12	28	1
	100.0	32.3	22.0	-	19.9	47.1	1.5
0％超～3分の1以下	-	-	-	-	-	-	-
	100.0	67.5	4.2	8.2	-	20.1	-
3分の1超	1	-	-	-	-	-	-
	100.0	65.5	18.0	-	-	16.5	-
無回答	9	1	-	-	-	7	-
	100.0	13.4	1.1	-	3.9	78.7	2.9
会社以外の法人（協同組合、信用金庫、財団・社団法人、医療・学校・宗教法人等）	9	5	-	-	1	2	1
	100.0	57.3	4.8	0.3	12.8	22.0	15.8
個人経営（個人事業主）	-	-	-	-	-	-	-
	100.0	-	100.0	-	-	-	-
その他（法人格をもたない団体）	-	-	-	-	-	-	-
	100.0	100.0	-	-	-	-	-
無回答	2	-	-	-	-	-	2
	100.0	-	-	-	-	2.1	97.9

問４．事業所・従業員数

	全体	従業員数が多く、1人では意見集約の担負が大きいから	労使協定では1人では協定数が多く、内容を把握することが大変だから	複数の労働組合があり、代表者をそれぞれ選出したから	正社員の代表と、非正社員の代表を選出した	その他（具体的にお書きください）	無回答
4人以下	8	-	-	-	7	1	-
	100.0	-	-	-	88.2	11.8	-
5～9人	19	5	-	-	-	19	-
	100.0	24.9	-	-	-	97.9	-
10～29人	28	10	11	-	3	13	1
	100.0	33.6	37.9	-	8.9	45.1	3.1
30～99人	19	8	2	-	3	3	3
	100.0	45.3	13.3	-	16.3	16.1	16.9
100～299人	4	2	1	-	-	1	-
	100.0	62.9	15.7	0.5	10.3	15.9	7.6
300～999人	1	1	-	-	-	-	-
	100.0	58.9	2.8	4.5	5.4	24.7	8.1
1,000人以上	-	-	-	-	-	-	-
	100.0	78.4	-	-	9.4	14.7	10.3
9人以下	27	5	-	-	7	20	-
	100.0	17.6	-	-	26.1	72.5	-
29人以下	56	14	11	-	10	33	1
	100.0	25.7	19.2	-	17.3	58.6	1.6
5人以上	71	26	14	-	6	36	4
	100.0	36.4	19.4	0.1	8.4	49.9	6.2
10人以上	52	21	14	-	6	17	4
	100.0	40.7	26.6	0.1	11.6	32.0	8.5
30人以上	24	12	3	-	4	4	4
	100.0	49.1	13.1	0.3	14.8	16.4	14.9
100人以上	5	3	1	-	-	1	-
	100.0	62.7	12.4	1.3	9.3	17.7	7.8
300人以上	1	1	-	-	-	-	-
	100.0	62.1	2.3	3.8	6.0	23.1	8.4

問４．事業所・正社員数

	全体	従業員数が多く、1人では意見集約の担負が大きいから	労使協定では1人では協定数が多く、内容を把握することが大変だから	複数の労働組合があり、代表者をそれぞれ選出したから	正社員の代表と、非正社員の代表を選出した	その他（具体的にお書きください）	無回答
4人以下	16	4	-	-	8	6	2
	100.0	27.2	1.6	-	50.0	37.0	11.4
5～9人	19	2	1	-	1	15	1
	100.0	12.6	3.7	-	2.8	79.2	4.5
10～29人	29	10	11	-	3	13	-
	100.0	35.3	38.2	-	11.8	45.3	-
30～99人	12	7	1	-	1	1	1
	100.0	60.8	10.5	-	8.3	12.1	11.3
100～299人	2	1	-	-	-	-	-
	100.0	49.2	19.5	1.6	2.5	19.3	17.1
300～999人	1	1	-	-	-	-	-
	100.0	73.3	2.8	5.5	2.2	14.9	6.4
1,000人以上	-	-	-	-	-	-	-
	100.0	85.5	-	-	2.9	14.5	11.6
9人以下	36	7	1	-	9	21	3
	100.0	19.3	2.8	-	24.3	60.0	7.7
29人以下	65	17	12	-	12	35	3
	100.0	26.5	18.8	-	18.6	53.3	4.2
5人以上	63	22	14	-	5	31	3
	100.0	34.1	21.5	0.1	8.0	48.3	4.0
10人以上	44	19	13	-	5	15	2
	100.0	43.6	29.3	0.1	10.3	34.7	3.8

問17＜付問２＞．なぜ複数の「過半数代表者」を選出したのですか。（該当すべてに○）

	全体	従業員数が多く、1人では意見集約の負担が大きいから	労使協定での協定内容を把握しづらく大変だから	あらかじめ複数の労働組合があり、代表者をそれぞれ選出したから	正社員の代表と非正社員の代表を選出したから	その他（具体的に書く下さい）	無回答
総　数	79	26	14	-	13	37	4
	100.0	32.7	17.4	0.1	16.6	46.0	5.6
30人以上	14	9	2	-	1	2	2
	100.0	60.4	11.0	0.5	7.3	13.1	11.7
100人以上	3	1	-	-	-	-	-
	100.0	58.7	13.4	2.6	2.4	17.7	13.6
300人以上	1	1	-	-	-	-	-
	100.0	75.8	2.2	4.4	2.4	14.8	7.4
無回答	-	-	-	-	-	-	-
問2．企業・従業員数							
4人以下	-	-	-	-	-	-	-
5～9人	-	-	-	-	-	-	-
10～29人	24	-	3	-	7	14	-
	100.0	-	13.7	-	29.3	56.9	-
30～99人	14	3	2	-	4	7	1
	100.0	18.3	16.3	-	27.2	50.7	5.6
100～299人	10	6	1	-	1	2	1
	100.0	62.9	6.5	-	10.5	21.9	11.1
300～999人	26	15	8	-	1	13	1
	100.0	57.4	29.4	-	3.4	49.6	2.0
1,000人以上	4	2	-	-	-	1	-
	100.0	63.5	1.8	1.5	9.9	21.3	3.9
9人以下	-	-	-	-	-	-	-
29人以下	24	-	3	-	7	14	-
	100.0	-	13.7	-	29.3	56.9	-
5人以上	78	26	14	-	13	37	3
	100.0	33.5	17.8	0.1	17.0	47.1	3.3
10人以上	78	26	14	-	13	37	3
	100.0	33.5	17.8	0.1	17.0	47.1	3.3
30人以上	53	26	10	-	6	23	3
	100.0	48.8	19.7	0.1	11.3	42.6	4.8
100人以上	40	23	8	-	2	16	2
	100.0	59.4	20.9	0.2	5.8	39.8	4.5
300人以上	29	17	8	-	1	14	1
	100.0	58.2	25.8	0.2	4.2	46.0	2.3
無回答	2	-	-	-	-	-	2
	100.0	-	-	-	-	-	100.0
問2．企業・正社員数							
4人以下	7	-	-	-	7	-	-
	100.0	-	3.5	-	96.5	-	-
5～9人	2	-	-	-	1	1	-
	100.0	-	5.8	-	32.9	61.3	-
10～29人	26	1	4	-	4	20	-
	100.0	3.4	14.2	-	16.8	75.0	-
30～99人	10	5	2	-	1	3	1
	100.0	51.7	22.8	-	5.9	30.0	7.6
100～299人	21	10	2	-	-	12	1
	100.0	50.4	8.0	-	0.4	56.0	6.9
300～999人	8	7	6	-	-	-	-
	100.0	90.4	69.7	0.2	0.3	5.1	4.2
1,000人以上	3	2	-	-	-	1	-
	100.0	62.2	1.9	1.2	10.9	24.9	0.7
9人以下	9	-	-	-	8	1	-
	100.0	-	3.9	-	85.1	11.0	-
29人以下	35	1	4	-	12	21	-
	100.0	2.5	11.5	-	34.3	58.7	-
5人以上	70	26	14	-	6	37	3
	100.0	37.0	19.3	0.1	8.6	52.1	3.6
10人以上	69	26	13	-	5	36	3
	100.0	37.9	19.7	0.1	8.0	51.9	3.7
30人以上	42	25	10	-	1	16	3
	100.0	59.3	23.1	0.2	2.5	37.4	6.0
100人以上	32	20	7	-	-	13	2
	100.0	61.8	23.2	0.2	1.4	39.8	5.6
300人以上	11	9	6	-	-	1	-
	100.0	82.4	50.6	0.5	3.3	10.6	3.2
無回答	2	-	-	-	-	-	2
	100.0	-	-	-	-	-	100.0

問17＜付問2＞. なぜ複数の「過半数代表者」を選出したのですか。（該当すべてに○）

	全体	従業員数が多く、1人では従業員の意見集約からの負担が大きい	労使協定での内容を把握するのが大変だから	労使協定での人数が多いから	複数の労働組合があり、それぞれから代表者をそれぞれ選出したのが	非正社員の代表と、正社員の代表を選出した	その他（具体的にお書きください）	無回答
総 数	79	26	14	-	13	37	-	4
	100.0	32.7	17.4	0.1	16.6	46.0	-	5.6
問5．産業分野								
鉱業, 採石業, 砂利採取業	-	-	-	-	-	-	-	-
	100.0	63.3	63.3	-	-	-	-	-
建設業	2	-	-	-	-	2	-	-
	100.0	0.5	16.8	-	-	83.2	-	-
製造業	6	3	3	-	-	-	-	-
	100.0	53.4	42.7	-	3.9	3.9	-	-
電気・ガス・熱供給・水道業	-	-	-	-	-	-	-	-
	100.0	37.4	25.2	-	37.4	-	-	-
情報通信業	1	-	-	-	-	1	-	-
	100.0	15.4	13.5	-	-	60.4	-	17.4
運輸業, 郵便業	2	-	1	-	-	1	-	1
	100.0	2.7	24.7	-	-	48.0	-	24.7
卸売業, 小売業	21	-	-	-	-	18	-	2
	100.0	1.9	-	-	-	88.9	-	9.2
金融業, 保険業	3	2	-	-	-	-	-	1
	100.0	51.7	10.5	-	10.5	0.3	-	27.0
不動産業, 物品賃貸業	-	-	-	-	-	-	-	-
	100.0	100.0	-	-	-	-	-	-
学術研究, 専門・技術サービス業	3	1	2	-	-	-	-	-
	100.0	36.0	54.3	-	1.2	9.1	-	0.6
宿泊業, 飲食サービス業	6	6	6	-	-	-	-	-
	100.0	100.0	98.3	-	-	-	-	-
生活関連サービス業, 娯楽業	13	5	1	-	8	4	-	-
	100.0	39.4	4.2	-	60.6	34.6	-	-
教育, 学習支援業	2	1	-	-	-	1	-	-
	100.0	62.4	4.2	0.4	0.8	33.0	-	2.1
医療, 福祉	11	3	-	-	4	6	-	-
	100.0	32.6	-	-	41.4	56.2	-	2.2
複合サービス事業（郵便局, 協同組合など）	-	-	-	-	-	-	-	-
	100.0	66.7	11.1	11.1	11.1	-	-	11.1
サービス業（他に分類されないもの）	9	3	2	-	-	3	-	1
	100.0	36.3	18.5	0.4	4.0	35.7	-	6.1
問3．本社								
本社（支社等あり）	52	16	10	-	11	27	-	1
	100.0	31.1	19.3	0.1	20.7	51.6	-	1.7
本社（単独事業所）	9	-	1	-	-	7	-	-
	100.0	4.8	11.8	-	0.2	78.1	-	5.2
本社（支社等の有無について無回答）	1	-	-	-	1	-	-	-
	100.0	33.1	7.9	-	66.6	0.3	-	-
本社でない	17	9	3	-	2	3	-	3
	100.0	52.7	15.4	-	9.6	14.7	-	17.8
無回答	-	-	-	-	-	-	-	-
	-	-	-	-	-	-	-	-
問9.事業所の独立性								
独立性のある事業場であり、単独で「1事業場」となっている	56	20	12	-	5	31	-	1
	100.0	35.8	21.9	-	8.5	55.5	-	1.5
独立性のある事業場であり、近くの独立性のない事業場を一括して「1事業場」となっている	15	2	1	-	7	4	-	1
	100.0	11.4	4.8	0.3	50.2	30.2	-	3.5
独立性のない事業場として、近くの本社や支社等に一括されている	9	4	1	-	1	1	-	3
	100.0	48.5	10.3	0.1	11.6	11.6	-	35.4
無回答	-	-	-	-	-	-	-	-
	100.0	70.1	-	-	-	-	-	29.9
問6.事業所の形態								
事務所	27	3	4	-	7	11	-	1
	100.0	11.0	13.6	0.2	27.6	42.4	-	5.6
営業所、出張所	5	4	-	-	-	-	-	-
	100.0	77.4	5.3	-	6.8	5.2	-	5.2
店舗、飲食店	13	5	-	-	-	11	-	2
	100.0	34.4	-	-	0.3	84.8	-	14.1
工場、作業所（鉄道の駅や発電所、倉庫を含む）	11	4	1	-	1	6	-	-
	100.0	38.0	5.8	-	7.7	55.7	-	-
輸送・配送センター	1	-	-	-	-	1	-	1
	100.0	-	-	-	-	64.5	-	35.5
病院、医療・介護施設	11	3	-	-	4	6	-	-
	100.0	32.6	-	-	41.4	56.2	-	2.2
研究所	-	-	-	-	-	-	-	-
	100.0	84.7	-	-	51.5	-	-	-
学校、保育所、学習支援塾等	2	1	-	-	-	1	-	-
	100.0	63.2	4.1	0.4	0.8	34.4	-	2.1
旅館、ホテル等の宿泊施設	6	6	6	-	-	-	-	-
	100.0	100.0	98.7	-	-	-	-	-
その他	1	-	1	-	-	-	-	-
	100.0	-	86.8	-	-	13.2	-	-
無回答	3	-	3	-	-	-	-	-
	100.0	-	97.9	-	-	-	-	2.1

問18．貴事業場では、過去3年間に、以下の手続で労使協定を締結、あるいは意見聴取等をしたことがありますか。（該当すべてに○）

	全体	手続きを行ったことがある	賃金の一部控除	〈変形労働時間制〉1週間、1ヶ月、1年単位	フレックスタイム制の導入	〈時間外および休日労働〉いわゆる36協定	専門業務型裁量労働制の導入	計画年次有給休暇の付与・時間単位	育児・介護休業法に基づく育児・介護休業者に関する定めをすること等	就業規則の作成または変更	〈特別安全衛生改善計画の作成〉	受け入れ期間の延長に関する派遣	必要な労務管理・企画業務型裁量労働制導入の指名	安全委員会・衛生委員会・安全衛生委員会の委員の推薦	左記以外の手続き	手続きを行ったことがない	無回答
総数	6,458	3,492	517	1,069	162	2,845	54	596	812	2,144	150	83	21	311	53	2,342	623
	100.0	54.1	8.0	16.6	2.5	44.1	0.8	9.2	12.6	33.2	2.3	1.3	0.3	4.8	0.8	36.3	9.7
問1．企業の経営形態																	
会社（法人）	4,708	2,836	425	895	131	2,334	44	467	636	1,716	120	74	21	251	45	1,515	358
	100.0	60.2	9.0	19.0	2.8	49.6	0.9	9.9	13.5	36.4	2.6	1.6	0.4	5.3	1.0	32.2	7.6
0%	4,136	2,485	343	801	94	2,027	29	391	553	1,531	95	56	13	201	43	1,361	289
	100.0	60.1	8.3	19.4	2.3	49.0	0.7	9.4	13.4	37.0	2.3	1.3	0.3	4.9	1.0	32.9	7.0
0%超～3分の1以下	124	92	18	13	14	90	9	19	29	44	6	8	3	22	1	28	4
	100.0	74.1	14.4	10.5	11.7	72.7	6.9	15.0	23.7	35.9	5.1	6.8	2.5	17.4	0.8	22.8	3.1
3分の1超	43	31	9	6	6	25	4	11	9	18	1	7	3	5	-	1	12
	100.0	70.4	21.9	14.7	19.8	56.7	9.2	26.0	21.5	41.2	1.0	15.5	6.4	11.4	-	2.6	27.0
無回答	406	228	55	74	14	192	2	46	45	123	19	3	2	24	1	124	54
	100.0	56.2	13.6	18.3	3.5	47.3	0.6	11.4	11.0	30.3	4.6	0.7	0.4	5.8	0.3	30.5	13.2
会社以外の法人（協同組合、信用金庫、財団・社団法人、医療・学校・宗教法人等）	675	441	66	117	16	365	7	80	149	318	16	8	-	50	3	186	48
	100.0	65.4	9.8	17.3	2.3	54.1	1.0	11.9	22.1	47.1	2.4	1.2	-	7.3	0.4	27.5	7.1
個人経営（個人事業主）	927	168	16	47	13	111	3	43	17	79	7	-	-	1	4	578	181
	100.0	18.2	1.7	5.1	1.4	11.9	0.3	4.6	1.8	8.5	0.8	-	-	0.1	0.4	62.3	19.5
その他（法人格をもたない団体）	57	12	1	2	1	9	1	2	3	8	1	-	-	1	-	30	15
	100.0	21.6	1.1	3.0	1.6	15.7	1.6	4.1	4.6	13.1	1.6	-	-	1.1	-	52.5	25.9
無回答	89	35	9	9	1	26	-	4	6	24	6	-	2	-	9	34	21
	100.0	38.6	9.5	9.8	1.1	29.6	-	4.5	7.1	26.3	6.5	-	1.7	-	9.7	37.5	23.8
問4．事業所・従業員数																	
4人以下	1,766	591	66	160	37	456	3	94	125	282	34	7	6	31	17	928	247
	100.0	33.5	3.7	9.1	2.1	25.8	0.2	5.4	7.1	16.0	2.0	0.4	0.4	1.7	1.0	52.6	14.0
5～9人	2,076	909	128	275	37	692	11	173	185	512	42	11	1	52	14	927	240
	100.0	43.8	6.2	13.3	1.8	33.3	0.5	8.3	8.9	24.7	2.0	0.5	0.1	2.5	0.7	44.6	11.6
10～29人	1,861	1,339	184	430	42	1,118	21	198	289	870	32	34	5	67	11	411	111
	100.0	71.9	9.9	23.1	2.3	60.1	1.1	10.7	15.5	46.7	1.7	1.8	0.3	3.6	0.6	22.1	6.0
30～99人	607	515	104	167	31	451	11	96	159	375	29	16	4	109	7	69	22
	100.0	85.0	17.1	27.5	5.1	74.4	1.9	15.8	26.1	61.7	4.9	2.7	0.7	17.9	1.2	11.4	3.6
100～299人	118	109	27	29	9	100	4	26	42	82	9	10	2	40	2	6	3
	100.0	92.4	22.8	24.9	7.9	84.6	3.7	22.0	35.3	69.5	7.9	8.8	1.7	33.7	1.8	5.0	2.6
300～999人	26	24	7	6	4	23	3	7	11	20	3	4	1	11	1	1	-
	100.0	94.8	28.7	24.6	16.2	90.5	11.3	29.0	40.9	77.5	10.0	14.9	4.7	41.4	2.6	3.6	1.6
1,000人以上	4	4	2	1	1	4	1	1	2	3	1	1	1	2	-	-	-
	100.0	96.5	38.8	31.3	26.7	91.0	22.7	34.1	44.8	81.8	13.3	22.2	10.0	52.0	4.3	1.6	1.9
9人以下	3,842	1,500	193	435	74	1,148	14	267	310	795	76	18	8	83	32	1,855	487
	100.0	39.1	5.0	11.3	1.9	29.9	0.4	7.0	8.1	20.7	2.0	0.5	0.2	2.2	0.8	48.3	12.7
29人以下	5,703	2,839	377	865	117	2,267	35	466	599	1,664	109	52	13	149	43	2,266	598
	100.0	49.8	6.6	15.2	2.0	39.7	0.6	8.2	10.5	29.2	1.9	0.9	0.2	2.6	0.7	39.7	10.5
5人以上	4,692	2,901	451	909	125	2,389	52	502	686	1,862	116	76	15	280	36	1,414	377
	100.0	61.8	9.6	19.4	2.7	50.9	1.1	10.7	14.6	39.7	2.5	1.6	0.3	6.0	0.8	30.1	8.0
10人以上	2,616	1,992	323	634	88	1,697	40	329	501	1,350	74	65	13	228	21	487	137
	100.0	76.1	12.4	24.2	3.4	64.9	1.5	12.6	19.2	51.6	2.8	2.5	0.5	8.7	0.8	18.6	5.2
30人以上	755	653	140	204	46	578	20	131	213	480	42	31	8	161	10	76	25
	100.0	86.5	18.5	27.0	6.0	76.6	2.6	17.3	28.2	63.6	5.6	4.2	1.0	21.4	1.4	10.1	3.4
100人以上	148	138	36	37	15	127	8	35	54	106	12	15	4	53	3	7	4
	100.0	92.9	24.3	25.0	9.8	85.8	5.6	23.6	36.5	71.2	8.4	10.2	2.5	35.5	2.0	4.7	2.4
300人以上	30	28	9	8	5	27	4	9	12	23	3	5	2	13	1	1	-
	100.0	95.0	30.2	25.6	17.7	90.6	13.0	29.8	41.5	78.1	10.4	15.9	5.4	42.9	2.8	3.3	1.6
問4．事業所・正社員数																	
4人以下	3,255	1,297	185	338	60	1,018	11	197	250	699	64	12	6	74	28	1,560	398
	100.0	39.8	5.7	10.4	1.8	31.3	0.3	6.0	7.7	21.5	2.0	0.4	0.2	2.3	0.9	47.9	12.2
5～9人	1,402	757	96	239	29	572	7	132	147	459	26	18	3	34	8	506	138
	100.0	54.0	6.9	17.1	2.1	40.8	0.5	9.4	10.5	32.8	1.8	1.3	0.2	2.4	0.5	36.1	9.9
10～29人	1,239	970	135	352	44	836	18	165	263	635	31	27	4	76	11	215	54
	100.0	78.2	10.9	28.4	3.5	67.5	1.4	13.3	21.2	51.3	2.5	2.2	0.3	6.1	0.9	17.4	4.4
30～99人	405	365	71	114	18	321	12	78	112	273	23	14	5	91	4	28	12
	100.0	90.1	17.5	28.2	4.4	79.3	3.1	19.2	27.7	67.3	5.7	3.6	1.1	22.4	0.9	6.9	3.0
100～299人	68	64	17	16	7	60	3	15	26	51	5	8	2	26	2	3	1
	100.0	94.4	24.7	23.4	10.8	87.5	4.7	21.9	37.9	75.6	7.5	12.4	2.8	38.4	2.2	3.7	1.9
300～999人	17	16	5	4	3	16	2	5	7	13	2	3	1	8	-	-	-
	100.0	97.4	30.7	25.3	20.7	93.7	12.5	30.7	42.2	79.6	9.8	19.3	6.7	46.2	2.7	1.3	1.3
1,000人以上	3	3	1	1	1	3	1	1	1	3	1	1	1	2	-	-	-
	100.0	97.6	43.1	31.9	31.6	92.8	25.2	37.3	45.9	83.2	14.3	24.9	13.1	53.1	4.8	1.7	0.7
9人以下	4,657	2,054	282	577	89	1,589	18	329	397	1,158	89	30	9	108	36	2,066	537
	100.0	44.1	6.0	12.4	1.9	34.1	0.4	7.1	8.5	24.9	1.9	0.6	0.2	2.3	0.8	44.4	11.5
29人以下	5,896	3,023	417	929	133	2,425	36	494	660	1,793	120	56	13	184	47	2,282	591
	100.0	51.3	7.1	15.8	2.2	41.1	0.6	8.4	11.2	30.4	2.0	0.9	0.2	3.1	0.8	38.7	10.0
5人以上	3,134	2,175	326	726	103	1,807	43	396	556	1,434	87	71	15	236	24	753	206
	100.0	69.4	10.4	23.2	3.3	57.7	1.4	12.6	17.7	45.8	2.8	2.3	0.5	7.5	0.8	24.0	6.6
10人以上	1,732	1,418	229	487	73	1,235	36	264	409	975	61	54	12	202	17	246	68
	100.0	81.9	13.2	28.1	4.2	71.3	2.1	15.2	23.6	56.3	3.5	3.1	0.7	11.7	1.0	14.2	3.9
30人以上	493	449	94	135	30	399	18	99	146	340	30	27	8	126	6	31	14
	100.0	91.0	19.1	27.4	6.0	81.0	3.7	20.1	29.7	68.9	6.1	5.4	1.6	25.6	1.2	6.2	2.8
100人以上	88	83	23	21	12	78	6	24	34	67	7	12	3	53	2	3	2
	100.0	95.1	26.5	24.0	13.4	88.8	6.9	24.1	39.0	76.6	8.1	14.1	3.9	40.4	2.4	3.2	1.7
300人以上	20	19	6	5	4	18	3	6	8	16	2	5	2	13	1	-	-
	100.0	97.4	32.5	26.3	22.3	93.5	14.4	31.6	42.8	80.1	10.5	20.2	7.6	47.2	3.0	1.4	1.2
無回答	69	21	6	5	-	21	-	4	6	11	1	-	-	1	-	30	19
	100.0	29.7	8.0	7.5	0.1	29.7	0.1	5.6	8.0	15.9	1.4	-	-	1.8	0.4	42.9	27.3
問2．企業・従業員数																	
4人以下	1,101	214	33	74	20	138	2	30	24	92	14	-	4	3	12	690	197
	100.0	19.5	3.0	6.8	1.8	12.5	0.1	2.7	2.2	8.4	1.2	-	0.4	0.3	1.1	62.7	17.9
5～9人	1,399	390	37	151	28	267	3	88	40	177	17	1	-	12	5	820	190
	100.0	27.8	2.7	10.8	2.0	19.1	0.2	6.3	2.8	12.7	1.2	0.1	-	0.8	0.4	58.6	13.5
10～29人	1,117	633	39	212	7	482	8	74	71	338	9	3	-	13	7	397	87
	100.0	56.7	3.5	19.0	0.7	43.2	0.7	6.7	6.4	30.2	0.8	0.2	-	1.2	0.6	35.5	7.8
30～99人	759	573	52	200	17	451	6	86	126	383	34	7	-	39	6	148	38
	100.0	75.4	6.8	26.3	2.2	59.4	0.8	11.3	16.6	50.5	4.5	0.9	-	5.1	0.8	19.5	5.0
100～299人	689	565	86	158	18	499	7	84	163	374	24	16	1	43	1	90	34
	100.0	82.0	12.5	23.0	2.6	72.3	0.9	12.2	23.7	54.2	3.4	2.3	0.1	6.3	0.1	13.0	5.0
300～999人	571	451	80	122	10	390	6	55	165	309	16	16	1	60	12	79	41
	100.0	79.1	14.0	21.4	1.8	68.4	1.0	9.6	28.8	54.2	2.8	2.9	0.2	10.5	2.0	13.8	7.1
1,000人以上	798	661	189	149	62	614	23	178	221	468	38	40	14	141	10	115	22
	100.0	82.8	23.7	18.7	7.7	77.0	2.9	22.3	27.7	58.6	4.8	5.1	1.7	17.7	1.3	14.4	2.8
9人以下	2,500	604	70	225	48	405	4	118	63	270	30	1	-	15	17	1,510	386
	100.0	24.1	2.8	9.0	1.9	16.2	0.2	4.7	2.5	10.8	1.2	0.1	-	0.6	0.7	60.4	15.4
29人以下	3,617	1,237	110	437	56	887	13	192	134	607	39	4	-	28	25	1,907	473
	100.0	34.2	3.0	12.1	1.5	24.5	0.3	5.3	3.7	16.8	1.1	0.1	-	0.8	0.7	52.7	13.1

問18. 貴事業場では、過去３年間に、以下の手続で労使協定を締結、あるいは意見聴取等をしたことがありますか。（該当すべてに○）

	全体	手続きを行ったことがある	賃金の一部控除	変形労働時間の導入（1週間、1か月、1年単位）	フレックスタイム制の導入	時間外および休日労働（いわゆる36協定）	専門業務型裁量労働制の導入	年次有給休暇の計画的付与・時間単位	育児・介護休業法に基づくことに関すること等の定め	就業規則の作成または変更	（特別）安全衛生改善計画の作成	受け入れ期間の延長派遣	必要な労働者派遣法に定める派遣	企画業務型裁量労働制導入委員会の委員の指名／安全衛生委員会・衛生委員会の委員の推薦	左記以外の手続	手続きを行ったことがない	無回答
総数	6,458	3,492	517	1,069	162	2,845	54	596	812	2,144	150	83	21	311	53	2,342	623
	100.0	54.1	8.0	16.6	2.5	44.1	0.8	9.2	12.6	33.2	2.3	1.3	0.3	4.8	0.8	36.3	9.7
5人以上	5,334	3,273	483	993	142	2,703	53	564	786	2,049	137	83	17	308	41	1,649	412
	100.0	61.4	9.1	18.6	2.7	50.7	1.0	10.6	14.7	38.4	2.6	1.6	0.3	5.8	0.8	30.9	7.7
10人以上	3,935	2,884	446	842	114	2,436	50	477	746	1,872	120	82	16	296	36	828	223
	100.0	73.3	11.3	21.4	2.9	61.9	1.3	12.1	19.0	47.6	3.1	2.1	0.4	7.5	0.9	21.1	5.7
30人以上	2,817	2,251	407	630	107	1,954	42	402	675	1,534	111	79	16	283	28	431	135
	100.0	79.9	14.4	22.4	3.8	69.3	1.5	14.3	24.0	54.5	4.0	2.8	0.6	10.1	1.0	15.3	4.8
100人以上	2,058	1,678	355	430	90	1,503	35	316	549	1,151	77	73	16	245	22	283	97
	100.0	81.5	17.3	20.9	4.4	73.0	1.7	15.4	26.7	55.9	3.8	3.5	0.8	11.9	1.1	13.8	4.7
300人以上	1,369	1,112	269	272	72	1,004	29	233	385	777	54	57	15	201	22	193	63
	100.0	81.3	19.7	19.9	5.2	73.4	2.1	17.0	28.2	56.8	3.9	4.2	1.1	14.7	1.6	14.1	4.6
無回答	23	5	-	2	-	4	-	2	2	3	-	-	-	-	-	4	15
	100.0	20.8	0.2	9.6	-	18.6	-	7.3	9.9	12.8	-	0.1	-	-	-	15.8	63.4
問2. 企業・正社員数																	
4人以下	2,126	489	76	149	39	338	5	77	59	215	23	1	4	16	12	1,296	341
	100.0	23.0	3.6	7.0	1.8	15.9	0.3	3.6	2.8	10.1	1.1	0.1	0.2	0.7	0.6	61.0	16.1
5～9人	921	357	12	130	17	233	1	70	19	195	12	3	-	2	8	458	105
	100.0	38.8	1.3	14.2	1.8	25.3	0.2	7.6	2.0	21.2	1.3	0.3	-	0.3	0.9	49.8	11.4
10～29人	978	658	45	262	14	512	7	71	116	379	25	2	-	21	18	275	46
	100.0	67.3	4.6	26.8	1.4	52.3	0.7	7.3	11.9	38.7	2.6	0.2	-	2.1	1.9	28.1	4.7
30～99人	827	661	65	172	4	549	5	77	150	437	20	12	-	44	-	124	42
	100.0	79.9	7.8	20.8	0.5	66.5	0.7	9.4	18.1	52.8	2.4	1.4	-	5.3	0.1	15.0	5.1
100～299人	584	501	82	150	20	449	10	87	181	338	19	18	1	60	1	57	26
	100.0	85.8	14.1	25.7	3.4	76.9	1.7	14.9	30.9	58.0	3.3	3.0	0.2	10.2	0.2	9.7	4.5
300～999人	426	358	72	87	12	322	3	76	130	255	15	11	2	40	3	49	19
	100.0	84.1	16.8	20.3	2.8	75.5	0.8	17.7	30.5	59.7	3.5	2.6	0.4	9.5	0.7	11.5	4.4
1,000人以上	539	441	159	113	55	415	22	131	154	308	36	37	13	125	9	78	20
	100.0	81.8	29.4	20.9	10.2	76.9	4.0	24.3	28.5	57.1	6.6	6.8	2.5	23.2	1.7	14.5	3.7
9人以下	3,047	846	88	280	55	571	7	147	77	410	35	4	5	18	21	1,754	446
	100.0	27.8	2.9	9.2	1.8	18.8	0.2	4.8	2.5	13.5	1.1	0.1	0.2	0.6	0.7	57.6	14.7
29人以下	4,025	1,504	133	542	69	1,083	14	218	194	789	60	6	5	39	39	2,029	492
	100.0	37.4	3.3	13.5	1.7	26.9	0.3	5.4	4.8	19.6	1.5	0.1	0.1	1.0	1.0	50.4	12.2
5人以上	4,276	2,977	434	914	122	2,480	49	512	749	1,911	126	82	17	292	41	1,041	258
	100.0	69.6	10.2	21.4	2.9	58.0	1.1	12.0	17.5	44.7	3.0	1.9	0.4	6.8	1.0	24.3	6.0
10人以上	3,355	2,619	422	783	105	2,247	47	442	731	1,717	115	79	16	289	32	582	153
	100.0	78.1	12.6	23.3	3.1	67.0	1.4	13.2	21.8	51.2	3.4	2.4	0.5	8.6	1.0	17.4	4.6
30人以上	2,377	1,961	377	521	91	1,736	41	371	614	1,338	90	77	16	269	14	308	108
	100.0	82.5	15.9	21.9	3.8	73.0	1.7	15.6	25.8	56.3	3.8	3.2	0.7	11.3	0.6	13.0	4.5
100人以上	1,550	1,301	313	349	87	1,186	35	294	465	901	70	65	16	225	13	184	65
	100.0	83.9	20.2	22.5	5.6	76.5	2.3	18.9	30.0	58.2	4.5	4.2	1.0	14.5	0.9	11.9	4.2
300人以上	966	800	230	199	67	737	25	207	284	563	51	48	15	165	12	127	39
	100.0	82.8	23.9	20.6	6.9	76.3	2.6	21.4	29.4	58.3	5.2	4.9	1.6	17.1	1.3	13.2	4.0
無回答	56	27	6	6	1	27	-	7	4	18	1	-	-	3	-	5	24
	100.0	48.4	11.3	11.2	2.5	47.5	0.1	13.0	6.7	31.5	2.5	0.6	-	6.0	-	9.7	41.9
問5. 産業分野																	
鉱業，採石業，砂利採取業	3	2	-	1	-	2	-	-	-	1	-	-	-	-	-	1	-
	100.0	60.3	4.8	30.0	2.1	54.7	0.2	8.5	9.7	26.9	2.5	0.8	-	6.1	0.4	31.8	8.0
建設業	622	318	32	129	16	248	1	72	55	146	28	6	5	31	5	228	75
	100.0	51.2	5.1	20.7	2.6	39.9	0.1	11.6	8.8	23.5	4.5	0.9	0.8	5.0	0.8	36.7	12.1
製造業	666	376	46	150	19	308	10	69	85	225	13	13	4	38	1	223	67
	100.0	56.4	6.8	22.5	2.8	46.3	1.5	10.4	12.7	33.8	2.0	1.9	0.6	5.7	0.1	33.5	10.1
電気・ガス・熱供給・水道業	9	8	2	1	2	8	-	1	3	4	1	1	-	4	-	1	-
	100.0	87.6	23.9	9.7	16.3	84.5	0.1	11.4	31.7	47.4	5.7	8.1	0.7	44.3	0.9	9.1	3.3
情報通信業	104	69	12	7	7	61	5	14	20	45	5	3	1	16	1	31	4
	100.0	65.8	11.8	6.7	6.9	58.2	5.3	13.2	19.2	43.1	5.0	3.1	0.6	15.1	0.7	30.0	4.2
運輸業，郵便業	251	210	53	70	16	194	4	52	46	126	14	7	1	46	3	31	10
	100.0	83.7	21.3	27.9	6.4	77.6	1.7	20.9	18.3	50.4	5.4	2.8	0.3	18.4	1.3	12.4	3.8
卸売業，小売業	1,727	938	134	268	29	778	5	138	218	552	12	16	-	52	15	628	160
	100.0	54.3	7.7	15.5	1.7	45.1	0.3	8.0	12.6	32.0	0.7	0.9	-	3.0	0.9	36.4	9.3
金融業，保険業	159	116	26	21	14	105	5	31	55	78	12	5	6	20	1	33	10
	100.0	73.3	16.1	13.4	8.5	66.0	3.3	19.7	34.8	49.0	7.4	3.4	3.6	12.5	0.5	20.6	6.1
不動産業，物品賃貸業	186	77	11	16	6	52	-	16	24	54	-	4	-	5	-	82	28
	100.0	41.2	6.0	8.6	3.2	28.1	-	8.5	13.0	29.1	-	2.2	-	2.8	1.0	44.0	14.9
学術研究，専門・技術サービス業	226	90	6	22	6	70	5	23	15	49	2	1	-	8	2	109	27
	100.0	40.0	2.7	9.7	2.9	31.2	2.2	10.3	6.4	21.7	1.0	0.5	0.1	3.4	0.7	48.1	11.9
宿泊業，飲食サービス業	739	298	51	83	12	243	-	21	39	186	23	-	-	13	9	345	97
	100.0	40.3	6.9	11.2	1.6	32.8	-	2.9	5.3	25.2	3.2	-	-	1.7	1.2	46.7	13.1
生活関連サービス業，娯楽業	348	200	9	75	4	152	-	12	35	137	2	1	-	5	1	127	20
	100.0	57.6	2.6	21.6	1.0	43.6	-	3.4	10.0	39.5	0.7	0.2	-	1.3	0.2	36.7	5.7
教育，学習支援業	177	88	12	46	5	67	5	28	24	56	5	6	-	9	-	69	21
	100.0	49.3	6.8	25.8	3.1	38.0	3.0	15.8	13.8	31.6	2.9	3.4	-	4.9	0.1	38.6	12.1
医療，福祉	751	393	71	118	9	289	5	62	105	290	21	10	2	24	9	291	68
	100.0	52.3	9.4	15.7	1.3	38.4	0.7	8.2	14.0	38.6	2.8	1.3	0.3	3.2	1.2	38.7	9.0
複合サービス事業（郵便局，協同組合など）	71	49	11	10	5	46	2	20	20	34	2	2	1	11	3	18	4
	100.0	69.2	15.7	14.0	6.7	63.8	2.2	28.7	27.6	47.3	3.2	3.2	1.2	15.3	4.1	25.1	5.7
サービス業（他に分類されないもの）	417	260	41	54	13	222	6	36	69	160	10	9	1	30	2	125	32
	100.0	62.3	9.8	12.9	3.1	53.2	1.4	8.7	16.4	38.4	2.3	2.1	0.1	7.2	0.6	29.9	7.8
問3. 本社																	
本社（支社等あり）	971	697	87	251	15	585	10	92	155	491	26	11	1	55	5	208	67
	100.0	71.7	9.0	25.9	1.6	60.2	1.0	9.5	16.0	50.5	2.6	1.1	0.1	5.7	0.5	21.4	6.9
本社（単独事業所）	2,230	765	65	254	40	554	11	135	103	382	34	3	5	20	25	1,176	289
	100.0	34.3	2.9	11.4	1.8	24.8	0.5	6.0	4.6	17.1	1.5	0.1	0.2	0.9	1.1	52.7	13.0
本社（支社等の有無について無回答）	887	358	34	123	17	243	1	51	35	207	14	3	1	24	3	407	122
	100.0	40.3	3.8	13.8	1.9	27.4	0.1	5.7	3.9	23.3	1.5	0.4	0.1	2.7	0.3	45.9	13.8
本社でない	2,336	1,660	330	438	91	1,451	33	318	516	1,055	77	67	15	211	21	548	128
	100.0	71.1	14.1	18.8	3.9	62.1	1.4	13.6	22.1	45.2	3.3	2.9	0.6	9.0	0.9	23.4	5.5
無回答	34	13	-	3	-	12	-	1	2	10	-	-	-	-	1	4	17
	100.0	39.2	1.2	9.8	0.2	36.5	0.1	3.5	6.1	30.0	0.2	-	-	2.3	-	10.7	50.1
問9. 事業所の独立性																	
独立性のある事業場であり，単独で「1事業場」となっている	4,811	2,459	378	733	122	1,974	35	408	562	1,480	90	50	12	221	40	1,859	493
	100.0	51.1	7.9	15.2	2.5	41.0	0.7	8.5	11.7	30.8	1.9	1.0	0.3	4.6	0.8	38.6	10.2
独立性のある事業場であり，近くの独立性のない事業場を一括して「1事業場」となっている	554	386	47	137	14	333	8	75	68	276	16	17	2	25	3	155	13
	100.0	69.6	8.4	24.6	2.5	60.0	1.5	13.5	12.3	49.8	2.9	3.1	0.4	4.4	0.5	28.0	2.4
独立性のない事業場として，近くの本社や支社等に一括されている	942	593	85	185	26	489	11	103	169	361	44	16	7	63	10	294	56
	100.0	62.9	9.0	19.7	2.8	51.9	1.2	11.0	17.9	38.3	4.7	1.7	0.7	6.7	1.1	31.2	5.9
無回答	150	55	7	15	1	50	-	9	13	27	1	1	-	3	-	34	61
	100.0	36.5	4.6	9.8	0.4	33.6	0.1	6.3	8.4	18.3	0.4	0.4	-	1.9	0.2	22.6	40.9